Dünya

Ander werk van Tomas Lieske

Tomas Lieske

Dünya

Roman

AMSTERDAM · ANTWERPEN
EM. QUERIDO'S UITGEVERIJ BV
2007

Voor het schrijven van deze roman ontving de auteur een beurs
van het Fonds voor de Letteren.

Omslag Anneke Germers
Omslagbeeld Tomas Lieske
Auteursfoto Vincent Mentzel

ISBN 978 90 214 3317 2 / NUR 301
www.querido.nl

Inhoud

Vanaf 1924 werd in het dorp Y., vlak bij de kust van de Zwarte Zee en even ver van Istanbul als van Ankara, een machinefabriek geschikt gemaakt voor de bouw van een luchtschip. Mustafa Kemal, groot voorstander van de luchtvaart en initiatiefnemer van de Turkish Aviation Society, wilde aan zijn landgenoten en aan de westerse wereld een bewijs leveren dat zijn land tot samenwerking en tot grootse prestaties in staat was. In het diepste geheim werkten Turkse ingenieurs en Turkse arbeiders, naar Turkije uitgeweken Duitse Joden en buitenlandse technici aan een toestel dat de wereld versteld zou doen staan. Niemand achtte Turkije in staat luchtschepen te bouwen, want het land bezat niet de mogelijkheden van bijvoorbeeld de Short Brothers Works in Southampton of de Duitse LZ-fabrieken in Friedrichshafen.

Dat het werk in de Turkse fabriek niet tot resultaat leidde, lag niet aan de arbeiders, die zich volledig hebben ingezet, maar aan toevallige factoren die het project negatief hebben beïnvloed. En natuurlijk aan de korte glorietijd van dit wonderlijke vervoermiddel.

Aan iedereen die in zo'n fabriek werkte, is deze roman opgedragen.

EERSTE DEEL

De namen

Het verlangen naar Beyoğlu

Ik ben te dik. Te veel vijgenjam, zeg maar. Ik ben niet dom. Er zijn er zat in Beyoğlu die denken dat dikke mensen dom zijn. Vooral de niet-moslims denken dat. De westerlingen. Nou, bij mij gaat die westerse stelling niet op. En, neem me niet kwalijk: Dünya Şuman is mijn naam. Zo goed als zeker nazaat van de componist.

Vroeger was ik slanker. Ik heb leren schrijven en ik heb op een kantoor gewerkt. Tokatlıyan Oteli. Duizenden enveloppen geschreven die de hele wereld over gingen. En alle contacten met de hotelgasten. Ik weet alles van het Westen.

In die tijd is van mij een foto gemaakt door een fotograaf van de beroemde Sébah & Joaillier-studio. De foto heeft enige tijd in de hal van het hotel gehangen tot ze hem weg wilden doen. Ja, mooi, ik heb hem uit de bak gestolen. Kijk. Ik zat op een Thonet-stoel aan een houten bureau, naast een stressy stapel enveloppen. Scheiding in het haar. Geonduleerd. De ogen en de mond vol spiritualiteit en begrip van verantwoordelijkheid. De pen stevig in de hand. Mijn neus was vriendelijk en recht. Mijn gezicht was rond, dat is waar, maar beslist niet te dik. Waar ik het meest trots op was: mijn hals, die een duidelijke verlenging van mijn hoofd was en op fraaie wijze mijn hoofd aan het bovenlijf verbond. Ik kijk vaak naar de foto, met liefde en tederheid. En met een wilde, klagende weemoed omdat zoveel sinds die tijd veranderd is.

Door mijn corpulentie heb ik het idee dat ik onfris ruik. Dat kan ik mij niet veroorloven. Daarom droeg ik vroeger steevast een potje Briyantin en een fles Venüs bij me, die ik angstvallig verborgen hield. Je kon nooit weten. Sommige mensen dachten de gekste dingen. Ik zal vertellen hoe ik aan die Briyantin en Venüs kwam.

Wie Evliya Zade Nureddin kent, begrijpt dat ik vaak voor die verleidelijke winkel stilstond en in de etalage naar nieuwe merken of stijlvolle verpakkingen speurde.

Op een dag ben ik naar binnen gegaan, terwijl de jonge, knappe mijnheer zich met een andere klant bezighield. Hij gaf een van zijn hulpen een sein dat ik bediend moest worden. Zo'n frivool ding met van die strakke tietjes en een donker japonnetje met een spierwit broderiedetail. Ze rook niet fris uit haar mond, wat ik onachtzaam vind bij personeel uit een parfumwinkel. Ze zal problemen met haar gebit hebben, dacht ik. Ik heb haar naar losyon en naar kolonya gevraagd. 'Voor de natuurlijke huidbarrière,' zei ik erbij. Geen flauw idee wat het betekende. Ik zei dat ik gehoord had dat er een nieuw nummer op de markt was. Nummer 37. Losyon nummer 37 of kolonya nummer 37. Zo heette het, zei ik. Dat wicht wist natuurlijk niet dat ik dat gewoon verzon. Ik zat in een van de fijne crapauds die daar voor de uitstalkast staan. Dat broderieding bleef me vragend aankijken, maar ik keek zo kreukvrij terug dat ze begon te blozen. Dat zag ik heel precies, zo'n jeugdige, opkomende blos. Heren noemen dat schattig, zeker als de blos zo'n knap gezichtje kleurt. Ik kan het schattige er niet van inzien. Het is gêne en domheid van zo'n bon-bonwicht. Ik zei haar dat ze zich pittiger moest informeren, waarop zij met een knix even boog en aankondigde dat ze achter zou vragen. Ik zat in die glitterzaak tussen de krem en de gliserinli sabun, toevallig helemaal alleen,

want de jonge mijnheer was zijn eigen klant aan het uit-
laten. Met een vliegensvlugge beweging twee grote tubes in de tas. Toen het meisje terugkwam, zat ik rustig
te wachten. Tas op mijn schoot, die warm aanvoelde van
het succes. Met grote ogen vertelde dat kind mij dat ze losyon nummer 37 besteld hadden, helaas was de bestelling
nog niet gearriveerd. Wat zo'n onzin was dat ik bijna in de
lach schoot. Ik stond op en vroeg of er nog nieuwe gratis
monsterflesjes waren. Ik zag dat het meisje een blik wis-
selde met mijnheer, die net binnenkwam, en reken maar
dat die mijn vraag verstaan had. Ik had verwacht dat hij
de bediening van het meisje zou overnemen en zich uitvoerig met mij zou gaan bemoeien. Maar hij knikte, wees
haar op een grote schaal op de toonbank, gevuld met ver-
rukkelijke kleine en kleurige pakjes, en hij verdween aan
de andere kant van de winkel in een privéruimte. Ocharm.
Moest nodig naar de plee. Leer mij de modieuze chic en
de parfummengers kennen. Het meisje presenteerde mij
de schaal, waaruit ik een van die poezelpakjes mocht uitzoeken. Met groot vertoon van kennis en ervaring pakte ik
een Venüs-monstertje. De gratis trofee recht voor me uit
dragend, ben ik plechtig de riekende en tinkelende winkel uit geschreden.

❨

Ik ben getrouwd in 1914, vlak voor het uitbreken van de
Grote Oorlog. Ik was net zeventien geworden. Mijn man
was als ambtenaar begonnen bij de Hoge Porte. Na de re-
volutie, toen sultan Abdülhamit afgezet was en vervangen
door Mehmet v en het rijk onder leiding stond van Enver
met zijn mannen, kwam mijn man onder Talât Bey te werken. Talât Bey was pro-Duits.
Mijn echtgenoot was veertien jaar ouder dan ik. Hij had

een Duitse afkomst. Mijn familie vond het huwelijk een buitenkans, want er werd zeer opgekeken tegen een dergelijke hoge ambtenaar. Met de Duitse kant van mijn man kwam tegelijk de oorlog in ons leven. Niet dat die oorlog anders weggebleven was, maar ik werd theoretisch onderwezen over de noodzaak van de oorlog en over de vanzelfsprekendheid van een verbond met de Duitse keizer. 's Avonds hield hij, terwijl hij erbij ging staan en zich met zijn grote handen vastgreep aan de stoelleuningen, eindeloze monologen om mij te imponeren. Waar dat over ging? Over de voorbije Osmaanse geschiedenis. (Galmende stem. Zwaai met zijn arm. Peinzende stilte.) Over zijn persoonlijke eer als ambtenaar. (Wijsvinger in de lucht. Ogen wijd open.) Over de superioriteit van de Duitse taal. (Overdreven klemtoon op iedere lettergreep.) Over het Duits-Turkse bondgenootschap. Over Enver en Talât en over de sultan, die wel de Schaduw van God was, maar ook zwak en nauwelijks zichtbaar. Over de Britten en de Fransen, die geen idealisten waren, maar bourgeois zakenlieden, die alles bij het oude wilden laten omdat dat het beste uitkwam voor hun portemonnee. Als alles niet zo tragisch verlopen was, waren het eigenlijk komische en vermakelijke avonden geweest, waar we achteraf hartelijk om hadden kunnen lachen.

Ik was op mijn jonge leeftijd tevreden met mijn gehuwde staat. Wij bewoonden een groot huis met uitzicht op het blauwe water. In de kamers lagen Spartaanse tapijten en er stonden chaises longues en witte en roze porseleinen kachels voor de koude winterdagen. Als mijn familie kwam, serveerde ik börek, köfte en rozensorbets en ik kon mij middagen achtereen bekwamen in borduren in petit point. Het werk liet ik over aan het binnenmeisje.

Met mijn familie kreeg mijn man onenigheid, toen hij betoogde dat de strak paraderende Duitse officieren veel indrukwekkender waren dan de Turkse officieren. Die wisten weinig van oorlog voeren. Die konden zich beter ondergeschikt maken aan de Duitse superieuren. Omdat mijn man alcoholica schonk, barstte het gesprek af en toe in een hot pepper-getwist uit, dat ik meestal met een hoofdpijngezicht probeerde te ontvluchten. Ik had daar als vrouw helemaal niet bij horen te zitten, maar mijn man stond erop dat de mentaliteit veranderen moest naar modern.

Het ging hartstikke fout toen mijn man in opdracht van Talât op inspectietocht gestuurd werd in verband met de noodzakelijke Tehcir. Wat ik ervan begrepen heb, is dat de Armeniërs voor ons opnieuw gevaarlijk waren, nadat ze twintig jaar daarvoor al revolutionair waren geweest. Dat zij ons konden verraden aan de Russen, van wie ze namelijk een broedervolk zijn. Mijn man wist toen al wat er met de Armeniërs ging gebeuren, maar niemand interesseerde zich ervoor. Degene die met Armeniërs te maken had, vond ze irritant en hooghartig. Na de oorlog zijn ze door de Amerikanen voorgetrokken en hebben ze overal hun zin gekregen. Voor mijn man was het kennelijk een verschrikkelijke opdracht, want na een paar weken kwam hij moe en somber weer thuis. Wilde geen redevoeringen meer houden. Sprak niet meer over politiek. Zijn geboortejaar werd opgeroepen voor het leger. Ik heb hem weggebracht naar een verzamelplaats achter het Haydarpaşa-station. Daarna is hij nog eenmaal naar huis gekomen voor hij naar het front ging. Hij had een officiersrang. Hij zei dat hij een deel van de kust moest bewaken; hij mocht niet vertellen welk deel. De laatste nacht dat ik hem gezien heb, maakte hij mij zwanger.

Mijn man is een spookverschijning geworden. Ik heb hem één zomer en één winter gekend en in die korte tijd is hij een wekenlange periode weg geweest om de Armeniërs te verhuizen. Ik kan me hem niet meer scherp voor de geest halen. Wat hij heeft meegemaakt, hoe lang hij nog geleefd heeft, of hij tijdens de afmattende marsen met zijn Duitse benen en zijn Duitse laarzen is ingestort of bloedend is weggemarcheerd, een zinloze, onmogelijke kant op: ik wil het niet weten. Een held bij Gallipoli zal hij niet geworden zijn. In elk geval geen met name bekende held, want dan komen de beambten je waarschuwen en zenden ze je een officieel papier toe. Mij is nooit iets toegezonden. Niets officieels tenminste. Voor mij is mijn man dood. Misschien zal ik ooit een gedenkteken voor hem oprichten.

Voor de achterblijvers was het daarna zaak de oorlog ongeschonden door te komen. Ik zwanger. Ik weet niet wat ik eerder kwijtraakte: mijn kind of mijn huis. Mijn huis werd mij afgenomen omdat ik niet wist hoe ik de betalingen moest verrichten. Mijn kind raakte ik kwijt omdat de Engelsen de markt bombardeerden. In de paniek kwam ik te vallen, de vluchtende mensen trapten op me en het gevolg was een bloederige miskraam.

Wat kwam er daarna? De armoede. Eerst bleven de luxeartikelen weg: wijn, lekkernijen van de bakkal en de sütçü, chocola. Toen verdwenen de aubergineverkopers, de citroenventers, de druivenhandelaren. Het leek of ze allemaal hun eigen ezel hadden opgegeten, zo totaal waren die met rieten manden beladen dieren uit het straatbeeld verdwenen. De steenkool raakte op. Er werd om brood gevochten. Het brood dat verkocht werd, was zwart en droog, ronduit smerig van smaak, maar je wende eraan. Soms kon je wat koolsoep maken en in de buitenwijken groeiden wilde radijsjes en zuring.

Op een dag ontdekte ik het paradijs: Beyoğlu. Het moeten daar allemaal Joden en christenen geweest zijn, rijk geworden van de goederen die voor kleine bedragen werden weggegeven door wanhopige inwoners. Ze liepen rond in zijden kledingstukken. Ik ontdekte dat er een super-de-luxe couture bestond. In die jaren was grijs moiré de grote mode in Istanbul, terwijl elders in de stad hele wijken zo goed als niets te eten hadden. Ik wist dat ik maar één doel in mijn leven had: een bestaan in Beyoğlu.

Mijn kansen groeiden met de komst van de opgefokte, hautaine Engelse, Franse en Italiaanse officieren in al die ultrasaaie kakiuniformen. In de tussendagen dat Damat Ferit Paşa grootvizier was en vóór de grote en roemrijke oorlog van de nationalisten tegen de Grieken. Ik werd aangenomen voor vuil werk, voor in de keuken, als kindermeisje. Ik werd soms afgeblaft, geslagen. Maar ik had te eten en ik liep rond in Beyoğlu, waar het leven anders was dan in de arme wijken.

Ik was de voormalige vrouw van een hoge ambtenaar, die tot laat in de avond pannen moest schuren of in de salon bedienen of verwende kinderen stilhouden. Ik zag vaak rood als een tomaat, met een huid vol probleemzones, omdat ik te veel tegelijk moest doen. Maar er kwamen altijd dagen dat mijn opdrachtgevers weg waren. Omdat ze ervan overtuigd waren dat ik nergens heen kon, lieten ze me achter in hun grote huis met al hun kostbare spullen. Nou, wel bekome! Ik heb de hele scala doorlopen. Eerst snel verkleden in de slaapkamer; dan een stadswandeling in de kleren van mevrouw. Later kon ik een jurk stelen bij een Madame, die zo'n slodder met haar kleren was dat ze die jurk nooit heeft gemist. Ten slotte heb ik een complete garderobe bij elkaar gestolen.

Mijn grootste slag sloeg ik in 1922, op het eind van de bevrijdingsoorlog, bij een Griekse mevrouw, toen Izmir werd ingenomen. Ik wist dat er groepen Turken rondzwierven die wraak wilden nemen op de Grieken. Vanwege het feit dat Grieken christenen waren, net als de Armeniërs. Of

Jood. Ik had haar gewaarschuwd en haar het advies gegeven haar hele erfenis, haar kostbare kleren en sieraden in de grote kist te stoppen en die te verbergen in de schuur. Toen ben ik een kluit kerels gaan halen en ik heb ze duidelijk gemaakt dat mijn eigen spullen door mevrouw waren afgepakt en in de schuur verborgen en opgeslagen. Dus of ze die konden terugpakken, zodat ik weer over mijn eigen spulletjes kon beschikken. Cheerio! En niets kon mijn mevrouw redden. De kist, boordevol glitter en goudlamé, werd gered door enkele reusachtige vechtjassen, die aanvankelijk bereid waren mij feestelijk te verkrachten en spiernaakt dwars door de stad te dragen, omdat ik zo'n hoerige Griekse had gediend. Ik had de waardevolle inhoud van de kist bedekt met enkele smerige en stinkende kamizolen en ander lijfgoed. Na mijn kreten dat wat in de schuur stond mijn persoonlijke bezit was, en dat dat gestolen was door mijn bazin, geloofden zij mijn verhaal dat ik door de Griekse was uitgebuit en mishandeld. De kerels, die mij zo sterk leken als ploegpaarden, zwoeren mij en mijn kist te beschermen.

Zo kon ik het dubbelleven gaan leiden dat mij een tijd lang frappant gelukkig gemaakt heeft. Ik woonde, toen ik niet meer volledig in betrekking was, bij mijn familie. Ik bezat in het huis van mijn broer, behalve een hoek met een slaapplaats, een eigen ruimte op de rommelige benedenverdieping, waar ik de grote kist kwijt kon. Ik was bereid die kist te verdedigen. Met schoppen en bijten, en als het moest met scherpe messen en bijlen uit de keuken. Mijn bezit werd trouwens, zeker door mijn broer, geëerbiedigd, want hij was ervan overtuigd dat die joekel van een kist mijn laatste, waardeloze maar emotionele, herinneringen aan mijn man bevatte en zulke herinneringen staan in de weg, maar die moet men iemand toch gunnen. Het was een gezin dat uit godsdienstige overwegingen geen plaats wilde weigeren aan behoeftige familieleden. Ook zoiets. Het huis werd bewoond door mijn broer met zijn vrouw en hun drie kinderen, door een volle neef van mijn broer en mij, en door twee oude mensen, man en vrouw, die volgens mijn broer familie waren van zijn vrouw, maar ik ben er nooit achter gekomen wat precies de familieband was. Mijn broer stond erop dat de regels in acht werden genomen: geen wijn bij het eten, zware houten roosters voor de ramen, geen vrouwen bij de gesprekken van de mannen. Er werd gebeden. In de vastgestelde maand werd gevast tot de lampjes en de lichten tussen de minaretten van de moskee aangaven: *Elveda Ramazan*, vaarwel ramadan.

Mijn dubbelleven begon bij de kist op de benedenverdieping. De kleren pasten mij. Ik bezat jurken en juwelen van de tragisch omgekomen Griekse mevrouw (heden rijk, morgen een lijk) en had dat bezit aangevuld met gestolen goed van eerdere en latere Mesdames. Want ik wilde wel modieus blijven. Fashionista. Ik kon niet jarenlang in dezelfde Griekse kleren blijven rondlopen. Ik wilde geen voorwerp van verholen spot worden.

Ik leerde hoe ik mij bij groepen aan moest sluiten. Verschillende heren in witte overhemden, zwarte kostuums en zwarte strikken. Altijd roken om zich een houding te geven. En daaromheen de vrouwen. In duistere rangorde. Je begreep het niet, maar je moest je eraan houden. Altijd rijk beglitterd. Altijd bijzondere hoedjes. Altijd meer vrouwen dan mannen. Ik drukte me in de wanorde tussen de feestgangers, vlak voordat ze naar binnen gingen. De portier wist niet beter of ik hoorde erbij. Trouwens, ik wist hoe ik zo'n bokser aan moest kijken. Als we naar de tafels geleid werden, schoof iedereen aan. De mannen gingen bij elkaar zitten. De vrouwen kenden elkaar nooit allemaal. Twee of drie framboosroze hekkensluitsters kreeg ik met een enkele opmerking tot een dankbare glimlach. Ik zag wel dat er gevraagd werd wie ik was, maar de een wees altijd met een onverschillig gebaar naar een ander. Ik onthield snel zo veel mogelijk namen en als ik die gebruikte, voelde ik me in dat gezelschap volkomen vertrouwd. Intussen stonden er glazen met schuimende wijn en schalen met lekkere gerechten. Soms moest ik dansen en er waren ogenblikken dat ik me zo eindeloos ver weg voelde van mijn verloren leven in de buitenwijken dat ik een van de favoriete meiden had kunnen vermoorden om haar plaats in te nemen. Ik liet de heren aan mijn lijf zitten. Met mate, met mate, net genoeg om ze op te winden. Dan vroegen ze zich af hoe het kwam dat ze deze leuke, gezellige Dünya niet vaker meevroegen. En als één rijkaard alles bleek te betalen, dan moest er op het eind van de avond bedankt worden. Dat deed ik genereus. Als de vermogende dat wilde, klom ik op zijn schoot, ik danste met hem, ik zoende hem en liet mij gillend aan alle zijden betasten.

Op den duur wist ik mij in die gezelschappen op niveau te gedragen. Ik wist hoe ik met de heren kon spreken over de politiek van binnenland en buitenland. Niet dat ik ineens verstand van zulke zaken had, maar ik leerde hoe ik moest luisteren, hoe ik gelijk moest geven en hoe ik moest instemmen. Hoe ik iets kon aanvullen of voorzichtig nuanceren, zodat de ander wel zijn gelijk behield, maar er tegelijk verbaasd over was hoe ad rem ik als gesprekspartner kon zijn. Ik hoorde over Mustafa Kemal. Hoe men zijn hervormingen in deze kringen bewonderde en de man zelf wantrouwde. Ik leerde wat voor componist mijn naamgenoot was. Het begrip 'Onvoltooide' deed wonderen. Dacht ik. Tot iemand mij erop wees dat ik de namen van twee Duitse componisten verwarde en dat het gelach anders bedoeld was. Ik heb mij maandenlang niet met de naam van mijn man durven voorstellen. Wat ik verder leerde: dat sommige dranken je bij een te grote slok de adem benamen en in een hoestbui deden uitbarsten, wat uiterst schandelijk was. Hoe in zulke gelegenheden nooit met de vingers gegeten mocht worden.

Het was alsof de nieuwe republiek Turkije in mij persoonlijk tot stand kwam. Een deel dat modern, westers georiënteerd, vrij en tamelijk ontspannen leefde en een deel dat met afschuw sprak over die areligieuze en verkwistende leefwijze en dat het liefst het oude sultanaat in ere had hersteld, opdat de Schaduw van God weer voor ons zou zorgen. Nou, voor mij had de Schaduw van God nog nooit gezorgd. Dat Schaduwdeel kwam uiteraard bij mijn broer thuis tot ontplooiing. Het moderne deel koesterde ik tijdens de feestavonden.

Natuurlijk was het mij bekend dat deze verkwisters en gelukzoekers uitzonderingen waren in het onvoorstelbaar verpauperde land. Overal elders vroeg men zich wanhopig af hoe met de zorgeloze rest van Europa mee te doen. Hoe te herrijzen uit al die beproevingen van een uitzichtloze oorlog aan de zijde van een megalomane Duitse keizer, die na de oorlog verdwenen leek te zijn. Nedergedaald ter helle waarschijnlijk. En daarna de beproeving van nog een oorlog om de vrijheid en de grond te behouden waar Turkije recht op had. Wij waren de uitzondering in een land dat door God verlaten leek, want zelfs in de toiletten van de moskeeën zaten levensgevaarlijke ratten.

Maar de nieuwe republiek kwam. En met schokken. In de vorm van decreten van bovenaf. Wijze besluiten, zei de een; heiligschennis, riep de trillende ander. En achter al die besluiten zat Mustafa Kemal. De hele bevolking kreeg klap na klap met de duidelijke bedoeling dat men niet meer boog in de richting van Mekka, maar dat men de rug rechtte en in de richting van Europa keek, waar de moderne tijd vandaan kwam.

De sfeer bij mijn broer thuis werd er niet beter op. Toen eind oktober of begin november, ergens tussen de wapenstilstand van Mudanya en het glorieuze Verdrag van Lausanne, bekend werd dat sultan Mehmet VI gewoon weggestuurd was, als een struikrover, ging mijn broer urenlang tekeer en barstte daarna van gekte of van gewone vermoeidheid in honend gelach uit. Het kón helemaal niet, het kón helemaal niet, riep hij tussen zijn angstaanjagende lachbuien door, juridisch was dit godsonmogelijk. Sultanaat en kalifaat waren onscheidbaar. De sultan was tegelijk de kalief. En dus kón het helemaal niet. Die nationalisten zouden bakzeil halen. Dit accepteerde niemand. En vervolgens viel hij achterover omdat hij zijn armen in wanhoop te heftig omhoog had gesmeten.

Mijn broer reageerde op iedere maatregel eender. Hij kwam binnen, vroeg om het eten, zweeg een tijd en vertelde dan wat hij voor idioots had gehoord. Daarna begon hij ruzie te maken. Al had iedereen hem volmondig gelijk gegeven, al waren wij nog feller moslim geweest dan hij, het had niets geholpen. Hij luisterde helemaal niet naar antwoorden. Hij schreeuwde en schold de ander uit. Zijn vrouw, de kinderen en de twee oude mensen bleven stil, lieten het hoofd hangen of huilden. Alleen zijn volle neef ruziede mee. En dat kon hij. De eerste keer dat ik dat meemaakte, keek ik mijn ogen uit. Ik kende van die dikke boterdoos een vochtige zachte kabbelpraat. Nu kwamen er bijtende harde woorden over die vlezige lippen. Hij bleef met spuug praten, maar we moesten hem allemaal gelijk geven. We waren hem dankbaar dat er tenminste iemand inging tegen die idiote argumenten van mijn broer. Wat viel ons te verwijten? Wat konden wij tegen de besluiten van de Gazi en de zijnen doen?

Waarom ging het fout? Ik werd wat ouder. Niet lelijker. Maar ik was geen zeventien meer. En dat ging je zien. Ze duwden me omver bij het gaan zitten. Ik was niet meer een van hen. Mijn zware figuur werd een nadeel. Ik was meer van de aubergine-canapeetjes en de baklava dan van de komkommerextracten en de eucalyptusgeur. Zoetjesaan ging ik me concentreren op het winkelen, maar ik raakte te bekend. Ik had de waarschuwingen ter harte moeten nemen. Het was lang goed gegaan. Hier voelde ik me thuis. Zoveel vage kennissen met wie ik een middag of een avond had doorgebracht. Maar ik hoorde ze achter mijn rug fluisteren. Wie is dat ook alweer? Hoe heet zij eigenlijk? Wat wordt ze dik.

Het moet een van de eerste aangename lentedagen van 1930 geweest zijn na de lange koude winter. Iedereen flaneerde over de İstiklâl. Ik bestudeerde de passanten en de etalages en ik besloot de winkel van Necib Bey binnen te gaan. Terwijl ik daar zat, naast de blinkende toonbank, bleef mijn blik haken aan een prachtige kist, die vanbinnen gevoerd was met zacht heuvelende parmaviolette zijde. Als baby's in een duur ledikant lagen er flessen en potjes en tubes in. Poudre de riz, savon de toilette, crème, lotion, essence, brillantine, zelfs een tandenborstel en tandpasta, alles in het Frans en Arabisch op de etiketten geschreven met de vermelding: 'Nédjib Bey, Constantinople'. Het was zo'n ontroerend gezicht, die kleine slapende flacons in dat kinderledikant, dat ik de verleiding niet kon weerstaan. Dat heet smoorverliefd. Dat is als Golfstroomzeewater. Ik wachtte een geschikt moment af. Niemand in de buurt, en voor ik mij de tijd had gegund alle voors en tegens af te wegen, had ik mijn tas geopend en de doos naar beneden gekeild. Hij kwam precies goed terecht. Het deksel klapte dicht voor hij in mijn tas verdween. De flesjes en dozen bleven keurig op hun plaats geklemd.

Het onverwachte gebeurde. De baas kwam de winkel in. Hij vroeg poeslief of hij mij een plezier kon doen met een kopje koffie. De hitte sloeg bij mij plotseling naar buiten. Ik was heel wat gewend, maar dit vriendelijke gebaar, nadat ik zojuist die dure box van hem had gestolen, maakte mij totaal confuus. Necib Bey posteerde zich tussen mij en de deur. Door de hulpjongen van de winkel was een politieagent gehaald. Ik wilde mijn tas al overhandigen. Een overwonnen officier die zijn degen afgeeft. Noch Necib Bey, noch de agent toonde belangstelling en bijna beleefd vroeg de agent of ik met hem mee wilde gaan. Boven op de vitrine waarin duizenden flesjes fonkelden, gaapte tussen de achthoekige glazen opbouw en de opgestapelde dozen met batisten doeken een gat.

Het politiebureau waar de agent mij naartoe bracht, lag in de bocht van de İstiklâl. Ik dacht: zal ik nagekeken worden? Uitgescholden? Maar er was weinig belangstelling, want de agent liet mij beleefd voorgaan. Op het bureau moest ik in een kamer zitten (geen cel, maar wel een deur zonder kruk) en er kwamen twee mannen in burger. Ze wilden alles weten. Naam, leeftijd, werk, woning, ouders, huisgenoten. Op zo'n toon... Ze schreven ieder antwoord op. Toen kwamen de beschuldigingen. Dat ik verdacht werd van oplichting. Dat ik verdacht werd van verschillende diefstallen. Ze noemden namen. Sommige zeiden mij niets, andere kende ik wel. Ze wisten veel. Niet alles klopte, maar als ze maar een deel konden bewijzen, zou ik het knap moeilijk krijgen. Ik kon me goed houden. Hoe me dat gelukt is. Hoe ik erin geslaagd ben mijn mond te houden, niet in te storten, niet te bekennen, niet om genade te smeken. Ik hield mij groot. Ik bleef de dame die ik was toen ik eeuwen geleden vrij in de İstiklâl Caddesi wandelde.

Een van hen pakte mijn tas en schudde hem leeg. De

gestolen doos. De kleren die ik aanhad toen ik die morgen het huis van mijn broer uit ging. De spiegel en de make-up. Alle bewijzen van mijn dubbelleven. Wat zij ervan begrepen weet ik niet. Zonder twijfel wisten zij een deel en verzonnen zij de rest. Ik was daar niet zo gerust op. Ik weet dat ik toen, ijskoud van vernedering en met een volstrekt besef alles te zullen verliezen, in doodse stilte heb zitten kijken. Een gevoel of ik met charleston-chic schoentjes op een hoge rand balanceerde. Ik had er met een kleine gerichte duw van af kunnen vallen. Maar die kleine duw kwam niet. Want de heren interpreteerden mijn doodstille houding en mijn ijskoude blik als tekenen van minachting en superieure westerse zekerheid en, wat ik later begreep, zij werden zelf onzeker. Ze wisten niet wat ze met die kleren en die parfums aan moesten en hoe ze dat moesten verklaren. Zij wisten niet eens dat ik die kostbare doos zojuist gestolen had. Hoe lang ik daar gezeten heb weet ik niet meer, maar ineens was het afgelopen. Ik mocht gaan. Met al mijn spullen. Geen celstraf wegens oplichting. Geen hand afgehakt wegens diefstal. Alleen: u hoort van ons. Mompelend. Onverschillig. Dreigend.

De onzekerheid duurde twee weken. Toen kwam een van die twee mannen bij mijn broer aan huis. Of ik de volgende dag opnieuw kon langskomen. Dat soort straalt iets uit waardoor iedereen weet dat het oppassen geblazen is. Dat zo iemand bij mijn broer aan de deur kwam en míj vroeg of ik wilde langskomen. Niet een bevel, wat gelijk zou staan aan een anonieme beschuldiging. Een beleefd geformuleerd verzoek. Het maakte mij gevaarlijk en ongewenst. En tegelijk iemand die je niet tegen je in het harnas mocht jagen. Mijn broer durfde niets te vragen. De kinderen en de twee oudjes begrepen het niet. De volle neef toonde zich voor het eerst in zijn leven bang. Hij staarde een tijd naar mij, zittend in zijn normale, luie houding, stond langzaam op en liep zonder een woord te zeggen de kamer uit. Bij de maaltijd heerste er een gespannen sfeer. Niemand durfde wat te vragen. Ik zei niets. 's Avonds vroeg mijn broer of het iets met die kist te maken had. Nee, zei ik. Dat was alles.

De volgende dag ben ik naar het politiebureau gegaan. Ik kreeg koffie en water aangeboden. Ze staken hun verhaal af. Eerst dreigend dat ze mij veel schade konden berokkenen, dat ik beslist een aantal strafbare feiten had begaan. Daarna vleiend en vriendelijk. Dat ze waardering hadden voor de brutaliteit waarmee ik mij zo gemakkelijk in verschillende milieus bewoog. Dat ze een betrekking voor me hadden.

Stomverbaasd en spontaan verontwaardigd zei ik dat ik helemaal geen betrekking nodig had. Zij gebaarden mij te zwijgen en eerst te luisteren naar wat zij te vertellen hadden.

Er volgde een verhaal over een dorp. Aan de Aziatische kant. Een eeuwig eind van Istanbul vandaan. Ver voorbij de Sakarya Nehri. Of ik daarheen wilde gaan. Of beter gezegd, daar móést ik heen. Niet voor een kortstondig verblijf, ik zou daar gaan wonen. Voorgoed. Ik had geen keus.

Toen dat tot me doordrong, voelde ik mij vanbinnen bevriezen. Maag, darmen, lever, alvleesklier: ik voelde plek voor plek kristalliseren. Ik zat daar op die rieten kruk aan die houten tafel en staarde naar een nerf waar iemand in had zitten krassen. Ik hoorde het zelfs. Kras kras kras kras.

De kilte moet mijn geheugen beschadigd hebben, want ik herinner me van het gesprek daarna niets meer. Niets van een weigering of een protest. Niets van het moedeloze besef dat zulke verbanningen tot de gewone politiek en de gewone manier van doen van militairen, politie en politieke bonzen behoorden. Wie lastig was, werd verbannen. Ruimte genoeg. Heel het immens uitgestrekte Anatolië, verpauperd en uitgemoord aan de zinloze fronten van de oorlogen, kon gevuld worden met lastige pottenkijkers. Met criticasters. Politieke tegenstanders. Onrijpe, asociale typen die zich de spullen van anderen toe-eigenden, zoals ik.

Ik moet daar als een standbeeld gezeten hebben, als een neuroot op zoek naar de naam van een van mijn super-deluxe vrienden. Maar die kenden mij alleen oppervlakkig. Waarom zouden ze voor mij risico's nemen en ingaan tegen een politie die kon aantonen hoe onbetrouwbaar ik was. Ik was veroordeeld tot een moerassig, brak dorp met een wantrouwende incestbevolking, waarbij vergeleken mijn achterlijke broer een wonder van tolerantie en van libertijnse esprit was.

En wat ik moest achterlaten was mijn prachtige, onvergetelijke Beyoğlu, mijn betoverende, geliefde Istanbul.

Simon Krisztián is mijn naam

In mijn bestaan zit een knik; of noem het een breuk. Door gebeurtenissen die nog het beste te vergelijken zijn met de dagenlang durende erupties van een vulkaan, is de werkelijkheid van mijn jeugd plotseling afgebroken en ben ik beland in een totaal andere, nooit gewenste, vaak vervloekte werkelijkheid.

Tijdens de eerste jaren van dat nieuwe bestaan heb ik iedere dag gehoopt dat er een einde aan zou komen en dat ik terug kon keren naar het bestaan van mijn jeugd, van Holland, van mijn familie en bekenden, van het bedrijfje van mijn vader, van Leiden, en iedere nacht ben ik in slaap gevallen met het gebed 'dan morgen in godsnaam', maar ik ben er nooit in geslaagd te ontsnappen. Oorlog, gevangenschap, kampen, een frontlinie die een dodelijke grens vormde, verdwaald in een uitgestrekt land, het kind, vooral het kind, en daarnaast het missen van alle documenten, later bovendien een baan, een contract: er was altijd iets dat terugkeer onmogelijk maakte. Nadat ik er eindelijk achter was gekomen dat ik dit nieuwe leven gewoon moest accepteren, was het te laat om de gewoontes van de anderen over te nemen, om van het land te houden, om de taal te leren.

Als mij gevraagd wordt wat de aanloop vormde tot de vulkaanuitbarsting, kom ik steevast bij de boten. Wij, Otto Beets en ik, hadden ons aangemeld bij het Britse leger. Het was 1915.

Op een dag werd ons gezegd dat het afgelopen was met de kleine bootjes en dat we ingedeeld zouden worden op de grote schepen, want we zouden in dienst treden van de Royal Navy; de voorlopige bestemming was Malta.

Wij vormden een onduidelijke groep. Burgerbemanning, zei de een, 'civilian crew'; nee, zei de ander, orders van bovenaf dienden opgevolgd te worden en individueel of onverantwoordelijk gedrag zou volgens krijgswetten behandeld en bestraft worden. Waarschijnlijk vanaf Malta zouden wij dienstdoen op mijnenvegers. Voor de reis naar Malta kregen wij lukraak een plaats aangewezen, ieder als stoker op een oorlogsschip.

Het schip waar ik op terechtkwam, was een middelgroot oorlogsschip, misschien klein in vergelijking met reuzen als de Inflexible en de Agamemnon en helemaal met het ultramoderne vlaggenschip, de dreadnought Queen Elizabeth, maar absoluut niet te verwaarlozen. In de stookruimte was een zootje bijeengepropt: mensen zonder rangen en standen, mensen die ondanks de volijverige werving toch niet in het Britse leger konden worden opgenomen, maar die bruikbaar werden geacht om de goede zaak te dienen en de Kaiser te bevechten.

In het begin werd er nog gezongen: 'Fall in' van de onvolprezen Harold Begbie of 'I'm Gilbert the Filbert, the Knut with a K'. Later waren we te uitgeput om een herkenbaar geluid uit te brengen en werden we dieren, nachtdieren die tussen de buizen kropen. Tijdens de eerste dagen van de reis poogde men elkaar te leren kennen. Er liep een oudere Zuid-Afrikaan tussen, die tijdens de Boerenoorlog gewond was geraakt, door de Engelsen verpleegd was en uit dankbaarheid de vroegere vijand van dienst wilde zijn; een Amerikaan, die beweerde dat hij alleen maar de Fransen wilde helpen; twee Aziaten, die geen normaal woord met de anderen wilden wisselen en die kwaadaardig op de grond spogen als je wat zei; enkele Welshmen, met een ongelooflijke hoeveelheid whisky. Het waren mensen die in de buik van dat schip, in de moordende hitte, een taak hadden; wij vormden een aparte wereld, die diep verborgen in een schip naar Malta voer, dwars door de diepte van de zee, schurend over de koraalriffen, begeleid door inktzwarte, blinde diepzeemonsters en in totale onwetendheid van dag of nacht, van zon of maan, van welk sterrenbeeld dan ook.

Omdat er maar één gezamenlijk doel was, het bevechten van de Kaiser, spookte deze ons onbekende Kaiser in onze dromen. Hij verscheen als reusachtige ulaan, omgeven door vrienden die met hoge falsetstem zijn lof zongen, met de dreigende uitspraak dat hij ons met zijn Badische Anilin und Soda Fabrik allemaal zou vermorzelen, maar gelukkig verscheen onze vriendelijke First Lord of the Admiralty, die leunend op zijn stok en schuddend met zijn hoofd zich tegenover hem plaatste, hem doordringend aankeek en dwars door hem heen liep. Even later dook de Kaiser weer op, gewoon uit zee, als een U-boot die bruisend en waterschuddend uit de golven oprijst.

Wij woonden in de machines naast de vuren. De buizen, die gloeiend heet waren omdat er kokend water door liep, zweetten, zodat wij altijd vreesden voor lekkages. Een scheur betekende dat zo'n buis kon ontploffen en als je het hete water over je bast kreeg, dan verbrandde je levend. De vuren, die in het allerlaagste, allerdonkerste deel van het schip door ons in ijzeren ketels gestookt werden, waren de kracht en de snelheid van het schip en wij droegen de kolen aan die dag en nacht door de vuren gevreten werden. Wij controleerden en wij stonden zwetend te scheppen en wij zorgden ervoor dat de machine liep als een tiet en dat alles tikte en klopte en zoog, zoals het van bovenaf gedicteerd werd.

Aanvankelijk was er in die lawaaiige ijzeren diepte van die boot nog te leven; de lampen waren zichtbaar, de lucht was in te ademen en op de buizen zag je zelfs de verschillende lagen verf zodat er enige kleur was in ons leven. Uit die tijd dateerde het gezang. Naarmate de reis vorderde kwamen we steeds dieper in het kolenstof te zitten, want er was geen mogelijkheid een luik in de bodem van het schip te openen om het zeewater door de ijzeren gangen en hokken te laten spuiten, of om een koker door alle dekken te boren zodat wij naar boven konden kijken en met ons gezicht een zweem van frisse lucht konden opvangen. Hoog boven ons moest toch de dag zijn, of de nacht, of de zonsondergang, een stille, heldere wereld, die we ons wel herinnerden van vroeger, maar waarvan we daarbeneden allang alle benul hadden verloren. Wij leefden verder in immer dalend kolenstof, dat zo dicht om je heen hing dat je soms dacht dat je er met je vinger je naam in kon schrijven. Overal in je lijf zat kolengruis. Je kreeg proppen in je oren, omdat je bij de pogingen het gruis uit je gehoorgang te verwijderen alle stof samendrukte tot zwarte ballen smeer. Je oogleden raakten ontstoken en zwollen op; je oogbol raakte beschadigd en wie eenmaal aan het wrijven ging, kon niet meer ophouden en wreef het hele oog kapot. Je huid slibde dicht en het kolenstof drong zo ver door dat er donkere plekken in de huid ontstonden, die gingen zweren en etteren. Je tanden en kiezen kraakten, je at en proefde kool. Je longen raakten vol; er waren er die piepend ademhaalden en als ze niet meewerkten met hun spieren, kregen ze het benauwd en dreigden ze te stikken. Je fikken waren zwart, je liezen waren zwart, je stront was zwart.

Door de gillende vuren en de slingerende en stampende ijzeren wanden van het schip ging je hallucineren. Je ging geluiden interpreteren; je hoorde achter de klinknagels kindersopranen zingen, helden schreeuwen, vrouwen klagerig huilen; je hoorde je eigen bloed achter de roestplaten rondstromen. Woorden bleven door je geest spoken en kwamen, begeleid door het getrompetter en de mokerslagen op de ijzeren trommel die het schip was, terug in je hoofd en tegelijk met het gestamp klonk dat woord waar je niet van af kon komen: Kaiser, Kaiser, Kaiser. In eindeloze herhaling op het ritme van het vuur, het scheppen van de kolen, het stampen van het schip, het bonzen van je eigen bloed tegen de koolproppen in je oren en keel.

De lucht begon te flikkeren. Waar dat aan lag kon niemand verklaren. Iedereen dacht dat het aan zijn eigen ogen lag, maar omdat anderen zeiden dat ze het ook zagen, moest het een objectief verschijnsel zijn. Het was alsof het kolenstof dat overal in de lucht hing af en toe spontaan vonkte. Midden in de ruimte ontstond een zwak knetterend verschijnsel dat met uiterst venijnige vonken gepaard ging, dat even aanhield en dan plotseling verdween. Als er veel licht was omdat de vuren hoog brandden, zag je het nauwelijks, maar in het halfduister, de kleppen voor de vuren en de lampen laag, kon je het verschijnsel duidelijk waarnemen. Het leken ons waarschuwingen van een onbekend soort, alsof een macht passeerde die wij slechts deels konden waarnemen: een dreigende godheid, die zich manifesteerde in vormen die voor ons brein raadselachtig en onverklaarbaar waren, in dimensies die geleerden hoogstens vermoedden maar niet konden verklaren. Wij konden onze ogen er niet voor sluiten, want het openbaarde zich altijd plotseling, niet ver van ons hoofd vandaan. De vraag of door dat ontvonken niet het hele schip in de lucht kon vliegen omdat onze stookruimte zou kunnen ontploffen en dan de ruimte met de cordietgranaten ook vlam zou vatten, met alle onvoorstelbare gevolgen, kon niemand beantwoorden. Iemand zei dat we helemaal geen cordietgranaten aan boord hadden, maar wat wel wist hij ook niet.

We hebben de overtocht naar Malta allemaal overleefd, wat een godswonder was. Hoeveel van ons de oorlog overleefd hebben is mij onbekend; ik heb geen enkel contact meer met deze dappere kerels. Wat was in godsnaam hun motivatie om dit beulswerk te verrichten? Zonder ons was het schip geen zeemijl vooruitgekomen, maar wat was dat voor idealisme dat ons blindelings de opdracht deed uitvoeren die boot naar de andere kant van Europa te brengen en daarmee longen, ogen en leven te riskeren. Natuurlijk waren wij schakels in een geheel; niet iedereen kan admiraal zijn, de lage posten moeten ook bezet worden. Je vormde in die ellende stevige kameraadschappen. Je deed het gewoon voor elkaar, omdat de ander het ook moeilijk had. Als een deel van die ploeg die onder in dat schip zorgde voor vaart en vuur de oorlog overleefd heeft, dan hoop ik dat ze in gunstige omstandigheden verder kunnen leven, zonder leed om het ellendige verloop van die oorlog. Ik weet er niet het fijne van, maar dat het anders is gelopen dan wij dachten, dat lijkt mij zeker.

Op een dag bereikten we Malta; de vuren minderden, de buizen zwegen en wij konden in kleine groepen naar boven om adem te halen.

❨

Ik moet het een en ander vertellen over de wereld van mijn jeugd, over het leven dat ik geleid heb vóór de ontploffing en dat, hoe kort het ook was, rondspookt in mijn gedachten, nachtmerries en dagdromen.

Mijn vader was leidekker. Hij had een niet al te groot bedrijf. Meestal had hij drie of vier man in loondienst, jonge en oude kerels. Samen met mij en hemzelf was dat aan-

33

tal groot genoeg om de meeste klussen aan te kunnen. Hij werkte veel voor kerken en kloosters.

Leidekken is een merkwaardig beroep; de handeling zelf is betrekkelijk eenvoudig: drie roodkoperen nagels per lei. De keuze tussen de rommelige, levendige oud-Duitse dekking en de keurige, regelmatige sjablonendekking, de keuze tussen rechtsdekking en linksdekking bij de schubleien: daar zit weinig romantiek in; wat ons werk bijzonder maakt, is de positie waarin we ons tijdens het dekken bevinden. We bevestigen de leien tegen daken die een helling van ongeveer zestig graden maken; voor je gevoel is dat bijna loodrecht.

We gebruiken speciale laddertjes van ruw hout, die weinig wegen maar die zeer stevig zijn en goed ondersteunen; daarop zijn de krukjes, zoals ik ze noem, bevestigd en de dwarsplanken. Sommigen werken zittend op die planken, anderen staan graag. We werken van onderen naar boven, omdat de hogere leien met leihaken of met nagels over de lagere leien moeten schuiven; we klimmen als het ware tegen het dak op tot we de hoogste rand of spits hebben bereikt. Wij hebben werk met uitzicht, zeggen wij gekscherend. Je staat in de rukwinden en de beginnende regenvlagen. De jonge knechten, die nog niet zo gewend zijn, snotteren en zijn steeds verkouden, tot ze merken hoe ze zich het beste tegen regen en windvlagen kunnen beschermen.

Mijn grootvader, die vóór mijn vader het bedrijf bezat, bleef doorwerken toen mijn vader allang het bedrijf had overgenomen. Als mijn vader in de schuur of de werkplaats bezig was, nam grootvader zijn kans waar en klom hij, zo oud als hij was, tegen het dak op.

De grote liefhebberij van mijn vader was het loodwerk, zowel felswerk in bladlood als de ornamenten en de pirons. Hij moest dat een tijd overlaten aan mijn grootvader om te voorkomen dat die het dak op ging, maar het liefst stond mijn vader zelf in de werkplaats houten mallen op maat te maken en het lood rond de mallen te kloppen. Hij bracht altijd zelf de trotseerloodjes aan; dat was zijn handtekening.

Na mijn schooltijd ben ik in het bedrijf van mijn vader gaan werken. Ik kan goed klimmen; dat is waarschijnlijk een eigenschap die ons van vader op zoon is doorgegeven. Wij hebben geen hoogtevrees. Daarin zijn wij net indianen, zeggen wij altijd.

Ik ben in Thüringen geweest. Mijn vader heeft zijn hele leven geroepen dat hij wilde zien waar die leistenen waarmee hij al zo lang werkte vandaan kwamen. Op het eind van het eerste decennium van de twintigste eeuw kwam hij na een gesprek met de importeur van de leisteen thuis met de mededeling dat hij binnenkort een bezoek zou brengen aan de groeven in Thüringen. Voor mijn moeder van haar verbazing bekomen was en kon zeggen dat dat wel een erg lange reis zou zijn en dat dat toch niet nodig was voor het bedrijf, en meer van dat soort tegenwerpingen waar moeders zo geweldig goed in zijn, zei mijn vader erachteraan dat ik met hem meeging. Mijn moeder gilde: 'Wat moet die jongen in godsnaam helemaal in Thüringen doen?' maar ik zag aan het gezicht van mijn vader dat hij zich niet van zijn plan zou laten afbrengen en ik kon bijna niet op mijn stoel blijven zitten van opwinding. Zoals altijd in dit soort situaties, dat wil zeggen: dat zij geen aandacht kreeg en dat de opwinding niet haar gold maar mij, begon mijn zusje te huilen en te klagen. Ik hield mijn mond dicht.

Wat ik mij herinner, behalve de eindeloze treinreis en de schokkende tocht met paard-en-wagen, is grijs gekleurd. Afgravingen, grote kuilen in het landschap met brokkelige wanden waar stukken steen uit geslagen werden, bergen leisteenafval en gruis. Wat diepe indruk op mij maakte, was het werk in de splijthut, waar de vierkante loodgrijze brokken steen naartoe gebracht werden en waar dikke Duitse reuzen met leren schorten de stenen op een kant zetten en met een beitel en een hamer laag voor laag lossloegen. Alsof het boeken waren, bijbels, door vuur of water aangetast, onder het grijze slib geraakt, waarvan de samengekleefde bladen stuk voor stuk losgeslagen moesten worden voor ze als bladzijden omgeslagen konden worden en platgelegd om te drogen; het waren Mozessen die Gods woord loshakten.

Mijn vader bleek de vreemde taal te kunnen spreken, althans, hij voerde schreeuwerige gesprekken waarbij ik de indruk kreeg dat hij begreep wat er allemaal tegen hem gezegd werd. Hij raakte bevriend met Duitse mannen die hem en mij rondleidden en die ons uitlegden waar het wel en waar het niet 'verboten' was.

In een stad die Lehesten heette en die kennelijk een opvang was voor al die werkers in die steengroeven, stopten wij voor een huis; iedereen sprong van de wagen af, mijn vader duwde mij voort, een deur door, en wij kwamen in een rokerige ruimte, waar muziek klonk en geschreeuw. Na al die grijze dagen meende ik midden in een wervelstorm te staan van roze en rode lichten en van geelwit bier en witte kragen en blauwe ruisende kleding met kant en bloemen en overal blote armen en lachende gezichten, waar ik klem raakte tussen meiden met enorme bladen vol glazen bier, die ze met één hand hoog boven mijn test tilden terwijl ze zich tegen mij aan drukten om mij te passeren. Ze droegen witte bloezen met pofmouwen en een belachelijk lage kraag, zodat ik de halve bolling van hun borsten zag.

Moest mijn vader een heilige zijn? Hij was het nooit; hij heeft nooit moeite gedaan er een te worden. Het was onrechtvaardig van mij op jonge leeftijd te denken dat hij een heilige was. Terwijl in Lehesten onder Duits gegiechel en gelach en met mijn vaders duidelijke bevel 'Keer je dan toch om, godverdomme', gevolgd door het minutenlang ritmisch krijsen van een bed, zijn autoriteit en zijn opvoeding in duigen vielen, bleek hij een zondig mens te zijn. Ik heb nooit iets tegen mijn moeder gezegd. Ik weet dat ik een tijd lang na Lehesten dacht wanneer we samen hoog boven het Hollandse land tegen de top van een kerktoren aan stonden, als duiven geplakt tegen een wand die ons nooit zou kunnen vasthouden als onze kleine steun het zou begeven: mocht jij straks naar beneden lazeren, dan vlieg je regelrecht naar de hel. Maar wij vielen nooit, niemand viel; iedereen gaapte vol bewondering naar boven, hoe wij dat durfden, maar er was geen zak aan.

Ik ben gewend aan hoogte en diepte. Als ik omhoogkijk naar een toren of een ijzeren bouwwerk en ik zie de wolken daaroverheen schuiven, wat de meeste mensen, heb ik begrepen, een gevoel geeft alsof de wolken stilstaan en de ijzeren constructie of de toren beweegt (een misselijk- en duizeligmakend gevoel, leggen ze me uit), dan bereken ik hoe ik de constructie of de toren kan beklimmen, hoe snel ik boven kan zijn en hoe prettig het zou zijn daar hoog over alles uit te kunnen kijken en de wind en het suizen van de stilte te horen en te voelen. Elke vorm van hoogtevrees is ons vreemd.

Ik moet ook uitleggen wie Otto Beets is; ik kan niet net doen of Otto Beets een toevalligheid is, iemand die per ongeluk met mij op drift is geraakt en inmiddels al meer dan twintig jaar mijn leven deelt. Laat ik meteen duidelijk zeggen dat wij bijna alles delen, maar dat wij absoluut geen geliefden zijn; nooit geweest zijn. Wij zijn allebei van harte heterofiel, hoewel wij wel eens gekscherend tegen elkaar gezegd hebben dat wij bij de gedwongen keuze tussen een lelijk takkewijf en een mooie jongen om esthetische redenen de jongen zouden kiezen. In de omgang zijn wij erg gemakkelijk geworden en wij hebben in de loop van die lange jaren de valse schaamte overwonnen. Natuurlijk was onze situatie voor anderen onduidelijk. Zeker voor de dorpelingen, met wie wij niet spraken, niet konden spreken. Het was aan de effectieve en voor alle dorpelingen ondoorgrondelijke politiebescherming te danken dat iedereen in het dorp het zijne dacht, en dat wellicht hardop tegen zijn gezin en vrienden zei, maar dat ons nooit enig kwaad klinkend woord, enig scheldwoord, zelfs niet door kinderen, is nageroepen. Waar wij kwamen werden wij gegroet; ons geld werd aanvaard; wij werden geholpen en kregen vriendelijke lachjes toegevoegd. Zelfs onze volslagen onbekendheid met hun taal, wat na zo'n lange tijd lichtelijk belachelijk werd, was geaccepteerd alsof wij door een heldendaad sprakeloos waren geworden en het niet gewoon verdomd hadden hun taal fatsoenlijk te leren.

Otto Beets is niet alleen mijn vriend en levensgezel, hij is tevens familie van mij. Mijn grootvader Krisztián was een broer van zijn grootmoeder, van moederskant, dus zijn tak is de naam Krisztián helemaal kwijtgeraakt. Otto's vader had een jeneverstokerij, die in het midden van de negentiende eeuw door diens vader in Dordrecht was gevestigd; als ik het goed begrepen heb in een oude olieslagerij.

Mijn eerste contact met de familie dateert uit 1908; ik was veertien jaar. In die tijd waren er bij ons thuis problemen; uiteraard hadden die te maken met mijn zusje en met de radeloosheid die mij beving als ik haar kribbige verwijten moest aanhoren. Het leidekkersbedrijf van mijn vader maakte moeilijke tijden door. Om mij wat afleiding te bezorgen besloten mijn ouders mij voor een korte vakantie naar de familie in Dordrecht te sturen. Dordrecht was een plaats met veel water, vlak bij uitgestrekte natuurgebieden; er zou voor mij genoeg vertier zijn en de familie van neef Beets en tante Virginie was een vrolijke familie, wisten mijn ouders.

De Dordtse kamer keek uit over breed water. Toen ik de eerste avond helemaal alleen voor de nacht stond, tuurde ik naar buiten. De zwarte glans van het water en de lichten die eroverheen dansten betoverden mij zo dat ik mij tussen het warme dikke gordijn en het koude raam wrong en naar buiten bleef kijken, waar in het stikdonker schepen voorbijvoeren. Ik weet dat ik, starend uit dat raam naar de donkere nacht, mij voorstelde hoe het zou zijn als ik van huis wegliep.

De volgende ochtend werd ik wakker van een zacht gekras en geklop op de deur. Ik schoot mijn warme bed uit en schoof stil de knip voor de deur weg. Buiten op de gang stond Nelly, mijn tienjarig nichtje, die ik als enige van de familie al kende omdat ze ooit, een paar seizoenen eerder, bij ons gelogeerd had en die ik gisteravond niet meer getroffen had omdat ze vroeg naar bed was gestuurd. Ik had gehoord dat ze zeer druk was geweest de hele dag en telkens had gevraagd wanneer ik aankwam.

Terwijl ik me afvroeg of ik op de stoel moest gaan zitten of op bed, sprong zij op mijn bed en zei dat ze bij mij wilde kruipen om mij te begroeten; ze wenkte en ik gehoorzaamde. Ze trok het laken los omdat ze het gevoel kreeg dat ze stikte; hoe kon iemand onder zo'n strak laken slapen?

Ik moest verzekeren dat ik haar niet vergeten was. Dat bleek toch wel? Ik moest ook beloven dat ik lang zou blijven. We zeiden een tijd niets, maar ik voelde hoe zij haar hand over mijn pyjama liet gaan en haar vingers onder het elastiek wroette en met haar hand mijn blote bast bereikte, die zij langzaam begon te verkennen. Uit pure angst dat zij te ver zou gaan, draaide ik mij naar haar toe en drukte haar kleine lichaam voorzichtig tegen mij aan. Die beweging gebruikte zij listig om mij liefdevol te gaan zoenen.

Nadat zij lachend de kamer uit was gegaan, viel alle spanning weg; ieder besef dat ik samen met haar een verboden terrein betreden had verdween met haar door de deur en wat overbleef was een vaag gevoel van geluk en avontuur, dat mijn logeerpartij zou doen uitgroeien tot een onvergetelijk hoogtepunt van mijn jonge leven. Ik kleedde mij aan, maakte mijn haren nat boven het wasbakje en ging naar beneden.

Tante Virginie begroette mij vriendelijk en vroeg of ik goed geslapen had. Zij zei dat oom Otto alvast naar de stokerij was gegaan. Mijn neef Otto, een jongen die ruim drie jaar ouder was, een onderscheid dat op die leeftijd zwaar telde, zat verdiept in een krant. Op een vriendelijk bevel van mijn tante schoof hij die ter zijde om mij een snelle en stevige hand te geven. Nelly zei dat wij elkaar boven al gezien hadden; ze zond mij een glimlach toe die mij geheel verwarde en besteedde verder geen enkele aandacht aan mij.

Later vertelde Otto mij dat hun gezin zo'n typisch burgerlijk gezin uit het begin van de twintigste eeuw vormde: de betere burgerij, waartoe leraren, directeuren, ondernemers en eigenaren van winkels en bedrijven behoorden. In Duitsland waren dat de bewonderaars van de Kaiser, in Engeland de traditionele chauvinisten. In Holland vormden ze de hardwerkende middenlaag, die het land vooruithielp en die God en Staat een warm hart toedroeg, legde Otto uit. Ik dacht dat ik zelf ook tot zo'n gezin behoorde, alhoewel mijn vader als leidekker toch minder deftigheid uitstraalde. Het feit dat hij directeur was van zijn eigen bedrijf moest er altijd bij verteld worden.

Tussen Otto en Nelly moeten nog twee broers gezeten hebben; zij zijn allebei gestorven aan een nooit genoemde ziekte. Nooit werd over die twee, die toch ongeveer vijf en acht jaar oud geworden zijn, gesproken. Otto beaamde dat alles wat enigszins aan zijn broertjes herinnerde, radicaal uit huis verwijderd was.

Veel meer kan ik over het gezin waarin Otto opgroeide niet zeggen. Ik heb die mensen slechts enkele keren van nabij meegemaakt en na 1914 hebben Otto en ik taal noch teken van ze gehoord. Misschien leven ze jajem drinkend voort in dat verre Dordrecht, dat aan de andere kant van Europa ligt. Misschien lacht Nelly haar weemoedige grijns bij de gedachte aan die Simon en gaat ze vervolgens in het winderige Holland, langs de wijd ademende Merwede, verder met haar dagelijkse beslommeringen.

Wilde je van dat fraaie huis aan de Merwede naar de stokerij, dan moest je de halve stad door. Het was een genoegen die wandeling met Otto te maken; men herkende hem en groette hem vriendelijk, zelfs beleefd. Otto kon eigenaardige bijzonderheden van de stad vertellen. Hij liet op geen enkele manier merken dat ik zoveel jonger was. Otto behandelde het bedrijf als zijn bezit; hij wees mij achteloos op de lawaaiige stoommachine, op de eiken vaten, op de grote hoeveelheid witte stenen kruiken, op de bakken met wort. Dat waren de alambieken, zei hij in de stookkamer. Hij liet de kiemruimte zien, de maalderij en de kruidenzolder. Ik vond het een vieze bedoening.

Toen ik na twee weken naar huis ging, had ik het vaste plan opgevat Otto in alles na te volgen. Natuurlijk bleef die puberale adoratie maar korte tijd overeind. Wij schreven brieven, we zagen elkaar bij gelegenheid; het leek dan alsof de tussenliggende tijd wegviel, alsof we elkaar pas gezien hadden. Na maanden zonder contact konden wij, als wij elkaar weer zagen, praten als vanouds; alsof we het gesprek van maanden terug vervolgden. Binnen enkele minuten liepen we te lachen en te praten over onderwerpen als de keizer van Duitsland, de grote rivieren, de problemen van het leidekkersbedrijf of de Britse beschaving, een onderwerp waar Otto alles vanaf wist.

In de jaren voor we naar Engeland gingen, leerde ik Otto kennen als iemand die alles beter en eerder snapte dan ik en die alles dolgraag aan mij wilde uitleggen; hij had iets van een onderwijzer.

Hij kon verbazend goed tekenen. Hij maakte geen romantische, grote voorstellingen met licht en schaduw of iets dergelijks, maar hij stelde het tekenen in dienst van zijn redeneringen. Hij legde al tekenend de wereld voor me uit. Wanneer hij over een plant sprak die ik niet kende, tekende hij met een bedachtzame, tamelijk secuur en zonder aarzelen getrokken lijn de plant met blad en bloem; of hij tekende het parlementsgebouw of de St.-Paul van Londen en dan bleek hoe precies zijn visueel geheugen was en hoe goed hij onbeduidende details van wezenlijke kenmerken kon scheiden.

Wij konden alles bespreken. Later merkte ik dat sommige gesprekken in dezelfde cirkels bleven draaien en dat hij steeds hetzelfde onderwerp kon aansnijden, maar dat was in een tijd waarin ik geleerd had dat hij zelf onzeker was, dat de agressie en de scherpe reacties waarmee hij bij tijd en wijle op vervelende wijze mensen kon schofferen, tekenen waren van zelfverdediging, van zwakte en van onzekerheid.

Hij probeerde met redeneringen en met intellect de raadselen van het bestaan op te lossen; wat hij niet kon beredeneren, verwierp hij. Dat leek ten koste te gaan van de emotionele zijde. Ik bedoel dit. Aspecten van het leven die meer te maken hadden met gevoel dan met verstand – verliefdheid, woede, angst, verdriet, verzonnen verhalen, en ik doel hier tevens op iets als heimwee, verlangen en het vage gevoel dat er iets moet zijn in het leven dat alles zinvol maakt maar dat zo slecht benoembaar is – werden door hem in gesprekken bijna als kinderachtig bestempeld en die probeerde hij in zijn eigen leven met verstand op te lossen. Hij meende soms daarin te slagen; hij bespotte dan het sentiment van een ander of triomfeerde over zijn eigen sentiment, maar ik vrees dat hij een armzalige vertekening van een belangrijk gevoel in de plaats stelde van het gevoel zelf. Dat maakte het wel eens moeizaam en zelfs irritant om met hem te praten, hoewel ik toe moet geven dat hij personen die hun gedrag al te gemakkelijk en al te graag verklaarden met mistige gevoelsbegrippen, op een vermakelijke manier voor schut kon zetten omdat zij niet tegen zijn ogenschijnlijk heldere betogen waren opgewassen. Geen wonder dat men hem 'hard' vond, 'hardvochtig' in zijn oordeel en soms onbeschoft in de omgang.

Ik zou het ook anders kunnen formuleren. Natuurlijk erkende hij het bestaan van gevoel en uitingen van gevoel. Zelf was hij een zomer hopeloos verliefd; hij kon vreselijk kwaad worden en echt verdrietig zijn. Alleen kon hij er weinig mee, met die gevoelens; hij sprak zichzelf dan moed in, dat hij niet moest meieren of tobben – woorden van Otto zelf. Als ik zijn karakter vergelijk met dat van anderen, dan constateer ik dat ik weinig mensen heb gekend die zo konden ontploffen. De eerste keer dat ik Otto zag janken, hartverscheurend snotterig janken, was ik geschokt. Bovendien waren zijn vileine uitvallen naar anderen, waarbij hij de logica als belangrijkste middel van triomf bejubelde, eigenlijk uitingen van een sterke emotionele behoefte zichzelf boven die anderen te verheffen; juist de angst voor verliefdheden, die alles omvergooiden, voor die jankbuien en voor die vileine uitvallen, dreef hem

43

naar de veilige argumenten. Met redeneren kon hij zijn gedrag verklaren, ook voor zichzelf; wat hij niet kon verklaren was een duister terrein dat hij liever niet betrad.

Een heel andere trek van Otto, die ik pas veel later ontdekte, was dat hij snel zijn belangstelling voor iets verloor. Ik bedoel niet dat hij op een ongedurige leerling leek, die na vijf minuten wiskundige uitleg al naar buiten kijkt. Dat probleem van die leerling zou hij absoluut willen oplossen. Maar iets dat hij al kende, had zijn vreugde niet, of het nu een café was, een stad of een boottocht. Hij kon onverwachts zeggen dat hij ergens geen zin meer in had, dat het hem verveelde. Dat maakte het moeilijk hem te verrassen of het hem naar de zin te maken, want juist als je ervan overtuigd was dat hij die stad of dat boek of die wandeling zeer aangenaam vond, was zijn stemming omgeslagen en kwam hij aan met bezwaren die hij nooit eerder geformuleerd had. Hij wilde nieuwe prikkels; wat dat betreft heeft hij een moeilijk leven gehad.

Laat ik eerlijk zijn: Otto was altijd een boeiend iemand; ik heb me zelden bij hem verveeld en hij was geestig en grappig en kon ontroerend hartelijk zijn.

Bovendien moet ik een geschiedenis vertellen uit mijn vroege jeugd, want hoe dat verdomde schot zo exact gericht kon zijn, is voor mij nog steeds raadselachtig. Als ik erover droom, voltrekt het zich heel langzaam. Dan heb ik de hoop het projectiel tegen te kunnen houden of terug te kunnen halen.

In mijn herinnering is de lange hete komkommerzomer van 1905 een eindeloos lijkende vakantie, zo'n augustusmaand waarin je je verbaasd afvraagt waarom het ondanks de aanhoudende hitte allemaal zo groen is. Mijn ouders bezochten met mij en mijn jongere zusje een tante, die via een Duitse religieuze orde een aantal jaren naar

Afrika was uitgezonden. Onze tante was zelf geen non; daar was ze ten enenmale ongeschikt voor, zei mijn vader, waarbij hij smadelijk lachte. Zij was een gediplomeerd verpleegster, die in de afgelegen Afrikaanse binnenlanden ongetwijfeld van groot nut kon zijn. Mijn tante woonde in een prachtig huis, dat het midden hield tussen een grote villa en een klooster, fraai gelegen op een landgoed bij Doorn. De hoge ontvangstkamers waren zorgvuldig onderhouden; de meubels waren zwaar en burgerlijk en roken naar de was waarmee het hout was ingesmeerd; alles straalde fatsoen en properheid uit. In de kasten en aan de muren waren ter versiering Afrikaanse kostbaarheden uitgestald en opgehangen: rijk bewerkte stukken ivoor, koperen en houten maskers en vooral veel wapens. Ik herinner mij dat na de koffie de warme maaltijd werd geserveerd, die ik ervaren heb als indrukwekkend en plechtig, hoewel die niet veel meer geweest kan zijn dan wat onduidelijke soep, een hoofdschotel met enkele plakjes vlees en een glibberige pudding. Alles op hetzelfde bord: dat weet ik zeker. Wat het zo indrukwekkend maakte, was de fles wijn die voor mijn ouders was neergezet. Mijn moeder nam een half glas en dronk met kleine, hoorbare teugen; mijn vader liet het zich beter smaken en hij prees vele malen de kwaliteit van de wijn.

Al tijdens de maaltijd moet ik belangstelling voor de Afrikaanse wapens hebben getoond, want de non die ons bediende haakte voor het afruimen van de tafel een speer van de muur los. Het voelde aan als een plechtig moment toen ze mij het wapen overhandigde. Mijn moeder en mijn tante, die in een enigszins argwanende stilte hadden toegekeken, barstten los in een luid commentaar hoe hun zoon en neefje een dergelijk monster van een wapen toch handig vasthield en hen, de volwassenen, ongetwijfeld zou beschermen tegen onnutte indringers. Ik poogde eruit te zien als een naakte, zwarte stamoudste, wat mij vooral lukte dankzij mijn donkere blik en mijn gestulpte lippen.

Er ontstond een spanning tussen mijn houding als oplettend krijger en mijn wens alles te horen, want mijn tante schetste voor mijn geschokte ouders een beeld van de Afrikaanse eerstehulppost, waar zij, bij gebrek aan voldoende artsen, meermalen de operatieschaar en -zaag had gehanteerd. Mijn zusje zat wat apart aan tafel en las kinderachtige boekjes; ze had opgekeken toen ik de speer kreeg aangereikt, maar ze had weinig belangstelling getoond.

Toen iedereen opstond voor een wandeling in de tuin, zei mijn tante iets tegen de bedienende zuster, die de speer van mij overnam en mij een boog gaf: een taai stuk hout, waarvan het middendeel omwonden was met donker, bijna zwart touw of vezel. Ik probeerde de pees uit te rekken, maar dat lukte niet. De non bracht enkele pijlen mee, lange dunne houten schachten met een metalen punt, niet eens zo scherp; wat mij tegenviel was dat de weerhaken ontbraken. Mijn zusje, dat verstoord reageerde toen ze hoorde dat iedereen naar buiten moest, wilde ook iets dragen en zij zeek net zo lang tot ik moest toestaan dat zij de pijlen droeg en ik de boog. Als ik een pijl nodig had, zo legde ik geduldig en met fluisterende stem uit, moest zij er meteen een aanreiken. Het grind knerpte toen we het bordes afdaalden; de volwassenen kozen een bospad. Wij sleepten met jachtmateriaal uit donker Afrika, zoals de non het werelddeel genoemd had.

De vogels zagen hoe onschadelijk en kinderlijk de hanteerders van pijl en boog erbij liepen en zij kwetterden schaterend en spottend hun onderlinge klets. Ik begreep dat een wapen zin had als het schietklaar gedragen werd en op geheimzinnige toon eiste ik een van de pijlen op. Mijn zusje protesteerde niet eens, alsof ze de voorwerpen telde en allang gezien had dat zij er vier droeg en ik slechts een, en bij een verhouding van drie tegen twee was zij nog steeds in het voordeel.

Of ik van mijn zusje hield? Ze was er gewoon en op een of andere manier hoorden wij bij elkaar. Mijn zusje was niet liever dan andere kinderen; zij had een karakter dat soms meegaand was, maar dat haar meestal voorschreef dat ze moest jengelen om haar zin te krijgen en als dat haar niet lukte, kon ze uren bokken. Ik merkte dat mijn moeder daar rekening mee hield en haar voortrok. Eigenlijk kon mijn moeder niet tegen haar op. Wij sliepen thuis in verschillende kamertjes, die wel met elkaar in verbinding stonden omdat de deur tussen de kamertjes uit de sponning getild en in de kachel opgefikt was. Een enkele keer kwam ze in de winter of in een heel treurige bui naar mij toe en dan kroop ze bij mij in bed om zich te warmen of om troost te vragen – iets waar wij niet sterk in waren en waar wij de woorden nooit voor konden vinden – en dan voelde ik haar kleine mollige lichaam tegen mij aan kruipen, vreemd en toch vertrouwd, anders en toch familie. Ze was een onhebbelijke voortzetting van mijzelf, jonger, dommer, minder getalenteerd.

Waakzaam liep ik achter de anderen aan. Ik lette scherp op elk geritsel in het gebladerte; ik begreep dat de plotselinge verandering van zonlicht op een valstrik kon wijzen. De boog was tamelijk zwaar. Wat mij irriteerde was de onmogelijkheid de pees uit te rekken. Ik stelde me voor dat ik de boog hoog boven me hield en richtend op het blauwe azuur de pijl oplegde en de boog spande; in een soepele beweging en ver naar achteren. In schrijnend contrast met mijn fantasiebeeld stond het rukje dat ik aan de pees kon geven, waarbij hij hoogstens een handbreed werd uitgetrokken. Mijn zusje sloeg met de pijlen stiekem de brandnetels plat. Het was prachtig zomerweer.

Ik richtte de pijl op een denkbeeldig doel, trok de pees

naar me toe en liet los. Ik had verwacht dat de houten pijl de brandnetels in zou vluchten en met een zucht in de grond zou blijven steken, maar tot mijn verbazing schoot de pijl met een behoorlijke vaart weg en met een doffe slag trof hij een boomstam, waar hij trillend in bleef staan in plaats van clownesk naar beneden te tuimelen. Van ontsteltenis bleef ik doodstil staan. De pijl zat te hoog voor mij om erbij te kunnen. Met een stok kon ik hem misschien losslaan. Mijn zusje riep naar mijn ouders en gelijktijdig draaiden de drie volwassenen zich om. Met grote stappen liep mijn vader op ons af. Ik dacht dat hij wou slaan en hief de boog al om me te beschermen, maar hij volgde de wijzende vinger van mijn zusje, zag de pijl en wilde hem pakken. Merkwaardig genoeg keek hij tegelijk om naar mijn tante en naar mijn moeder, met als gevolg dat hij niet helemaal stevig stond; terwijl hij de pijl greep, maakte zijn lichaam een slingerende of draaiende beweging. De pijl bleef zitten; mijn vader maakte een gebaar alsof hij zich verstapt had. Toen hij de tweede keer een poging deed en het hem wel lukte de pijl uit de boom te trekken, zag iedereen hoe diep de pijl de bast was binnen gedrongen en hoe hard mijn vader, die door al het werk op de daken van kerken en hoge gebouwen reuzesterk was geworden, moest trekken om dat ding eruit te krijgen. Hij gaf mij de pijl terug, terwijl de verbazing nog op zijn gezicht te lezen stond.

Of ik wel voorzichtig met die dingen was, zei hij. Hij had evengoed het advies kunnen geven langzaam te schieten. De kilte die pas later die dag mijn lichaam binnen drong en mij deed beseffen hoe dodelijk gevaarlijk deze Afrikaanse souvenirs waren, had beter eerder bezit van mij kunnen nemen; ik werd in beslag genomen door vragen als: krijg ik mijn pijl terug? Is de pijl onbeschadigd? Pakken ze de boog niet van me af?

Wij liepen verder en opnieuw groeide de afstand tussen de volwassenen en de kinderen. Ik had de pijl gecontroleerd: geen beschadiging, geen krassen. Mijn zusje liep met de drie pijlen, waarmee zij nog steeds een getalsmatig overwicht had. Zij huppelde het pad af, dat naar beneden ging. Twee of drie kunstmatige heuvels lieten het pad op een romantische wijze slingeren; de drie volwassenen liepen in een ernstig gesprek gewikkeld; de helling was bekleed met mos van zo'n helle kleur dat je dacht dat de nonnen hier een felgroen tapijt hadden neergelegd. Ik stelde mij verdekt op, kneep één oog dicht en loerde met het open oog naar wie daar zou passeren. Wat ik mij precies heb ingebeeld weet ik niet meer; het zal een kinderlijke variant op een verhaal van goed en kwaad geweest zijn. Ik wist dat de vijand zou passeren. Ik had de pijl opgelegd en trok de pees uit.

Precies bij het verschijnen van het eerste kledingstuk aan de andere kant van het groene tapijt, slaakte ik mijn kreet, niet helemaal geluidloos, zodat zij opkeek. Ik voelde de kracht in mijn vingers wegglippen; mijn toppen lieten alles los en een zoevend geluid was het enige wat op de plaats waar de pijl gelegen had achterbleef. Enkele seconden duurde de dodelijke stilte, waarin de bladeren hun lispelende draai abrupt afbraken, de mieren hun kop in verbaasde stilstand opstaken, de vogels hun geluid lieten verstommen en alert opzij uit hun kraalogen keken, waarin de nonnen huiverend ademhaalden tussen de psalmregels, waarin zelfs het mos ophield met groeien en de drie volwassenen hun stap inhielden voor ze zich omdraaiden. Toen mijn zusje heel hoog en jankend, niet eens zo heel hard, begon te gillen, begreep ik waar de pijl gebleven was. Na een eeuwigheid en een eindeloos gegilde klacht naar de blauwe hemel bracht ze haar handen naar haar gezicht. Ik hoopte dat, zoals mijn vader de pijl uit de boom

trok, zij de pijl uit haar hoofd zou trekken en gewoon verder zou huppelen, maar ik zag het bloed tussen al haar vingers tevoorschijn komen en toen zij in de volgende seconde haar handen van schrik en pijn uitspreidde, bleek haar
hele gezicht vuurrood geverfd.

In het vroege voorjaar van 1912 had Otto gevraagd of ik
zin had met hem mee te gaan naar Londen; zijn vader,
oom Otto, moedigde die reis sterk aan want de jeneverstokerij had behoefte aan Engelse contacten. Otto was een-
entwintig jaar. Mijn ouders vonden dat ik al vroeg in het
leidekkersbedrijf was terechtgekomen; ik mocht er best
eens uit.

Ik probeerde ze enthousiast over mijn aanstaande bezoek aan Londen te vertellen, maar tot mijn irritatie bestond er weinig belangstelling; mijn ouders luisterden niet
lang naar me en verzuchtten dat ik ook daar zou merken
dat het overal moeilijk was.

De bootreis naar Londen verliep rustig, hoewel ik zenuwachtig van Otto werd, die een paar maal de grap uithaalde dat hij een ijsberg zag; twee weken eerder was de
reusachtige, splinternieuwe Titanic op een ijsberg gelopen en vergaan. De grap was zo ongepast dat ik mijn hoofd
rood voelde worden en vervolgens naar het koude water
keek of hij niet de waarheid sprak.

We bereikten dankzij een onvermoed kaartleestalent
van Otto snel ons hotel. Vanbuiten een mooi huis met een
trapje en twee pilaren, maar vanbinnen louw loene: een
reeks kleine kamers met kale bedden en een smerig be-
hang vol vlekken. We waren in Londen en we begrepen
dat we van ons geld niet in de grote sjieke hotels konden
logeren.

We vonden een pub in Fleet Street, waar Otto een drank-
je bestelde, dat hem beviel: hij nam er vijf van. Hij scheur-

de een bierviltje in vieren en paste de stukken naadloos aan elkaar.

'Kijk,' zei hij, 'daar hebben we alles compleet. Echter,' zijn toon werd toneelmatig, 'dit geheelde viltje is niet precies hetzelfde als waar ik mee begon. Dat eerste viltje is de losse delen plus nog iets; en dat nog iets, wat is dat? De samenhang? Het onderling verband? Een inwendige eenheid? Kijk, daar gaat het om in het leven: om dat nog iets; dat is belangrijk, onthoud dat, leidekker.'

Als grap maakte hij luidruchtig en lacherig de bezoekers van de pub uit voor tuig van de richel; ik rekende af en trok Otto mee de pub uit.

Otto was gek op boeken, vooral boeken met plaatjes; hij was geïnteresseerd in boeken over feiten. Hij wilde weten hoe de wereld in elkaar stak, wat de evolutietheorieën precies inhielden, hoe dieren reageerden. Liepen we langs een boekwinkel of een antiquariaat, dan aarzelde Otto, snuffelde snel in de bakken en mompelde dat hij een ogenblik binnen wilde kijken. Van de tientallen plaatwerken die we op die manier oppakten en inkeken, waarbij Otto wees op een fraai detail of het boek snuivend van minachting terugzette, herinner ik mij een merkwaardig exemplaar. Otto bladerde lange tijd in een plaatwerk waarin allerlei voertuigen stonden afgebeeld, bestaande voertuigen, voertuigen die wel ontworpen maar nooit uitgevoerd waren en tevens gefantaseerde voertuigen, die in die vorm nooit vooruit zouden kunnen komen: ontwerpen van Leonardo da Vinci, van de broers Montgolfier, een trapfiets van Ernest Michaux. Otto bleef lang naar één tekening kijken en legde mij daarna tal van details uit van een luchtschip, met humor en spot in 1790 getekend door Balthasar Dunker. Het schip onder de ballon bevatte tal van voorzieningen, waaronder zelfs een kooi vol gewillige meisjes, een orgel en een kanon; het luchtschip heette Pro

Bono Publico of Pro Bono Gusto of zoiets. Ik vergat al die plaatjes snel, Otto niet.

We namen de motorbus, waarbij Otto wees op het grote bord met bestemmingen, boven het servicenummer. We lazen alle reclames. Otto maakte me er fijntjes op attent dat het bijna allemaal reclame voor drank was, dat bottelen het beroep van de toekomst was: Dewar's Whisky, Bloggs' Brewery, Schweppes, White Label, Afternoon Tea, Soda Water, Ginger Ale. De stad denderde op ons af en vanaf onze zitplaats op het dak van de gemotoriseerde bus, achter de reclame van Pears' Soap, voelden we ons wereldreizigers. We bezochten kermissen en shows; op een kermis reden we rond in een wibble-wobble.

We zochten de wijken op met de fabrieken. Het leek of we ons op een kentering van de tijden bevonden. We zagen een tafereel met houten karren die van ellende scheefzakten, met materiaal te zwaar voor de twee vermoeide paarden die voor de kar gespannen waren, en met mannen rond een houten hijskraan. Iets verderop zagen we een fabrieksterrein waar het glanzend staal vanzelf leek te rollen, waar machines stampten en waar paarden ondenkbaar waren. In een smerig en rokerig deel van de stad liepen we hallen binnen. Zolang de industrie geen militair doel diende, legde men ons verbazingwekkend weinig in de weg; zelden vroeg iemand wat wij daar in godsnaam kwamen doen. Ovens gingen open en dicht; vuurwerk van prachtige vonkenregens benaderde in majesteitelijke bogen een natuurverschijnsel. We konden soms nauwelijks wat zien door de rookontwikkeling. Overal hoorden we de heldere klank van metaal op metaal; het vuur spetterde in onze ogen. De draaiende en rijdende en schuivende kranen en bruggen leken de fabrieken een beweging te geven in een onvermoede richting, alsof alles wat tot nu toe had gebrand en gepuft en vonken had verspreid, ineens werd gedraaid, knarsend, ijselijk scheurend over metalen rails, en in beweging kwam, schuin omhoog, ondanks het tonnen zware gewicht van de staalplaten en de machines en de ovens. De hele fabriek leek door een scharnier in de nok scheefgetrokken, opgetild en traag maar onstuitbaar dwars over Londen, dwars over de Thames gedragen te worden. Wat konden de bedrijfjes van onze ouders hier tegenoverstellen?

We probeerden zo Engels mogelijk te lopen. We droegen grote petten die in de mode waren en we trachtten onze uitspraak in de pubs en de winkels zo aan te passen aan het plaatselijk dialect dat we niet meer als buitenlanders te herkennen waren. Mijn naam gingen we op z'n Engels uitspreken, die van Otto spraken we scherper, dentaler uit. Eendrachtig luidde onze wens deze reis, die naar ons idee geen vakantie was, eerder een studieverblijf, een studie voor ons leven, zo lang mogelijk te rekken. Ik wees Otto op de schoorstenen en de dakranden en op de smeedijzeren krullende versiering aan de daken; Otto wees mij op de wagens volgehangen met melkbussen en op de manden en tonnen op een brouwerswagen.

We spraken af dat we goed Engels zouden leren; we mochten niet tevreden zijn met het vragen naar de goede weg en het bestellen in restaurants. Nee, degelijke zelfstudie en gedisciplineerd woordjes leren waren vereist; hij kende een Engelsman die in de jeneverstokerij werkte.

Otto leerde de taal vrij snel en sprak die geweldig goed uit. Dat snelle leren heeft mij altijd verwonderd, want net als ik had hij weinig gevoel voor vreemde talen; hij had er geen geduld en geen belangstelling voor. Taal was een hulpmiddel om je gedachten te ordenen en gedachten vond hij interessanter dan het hulpmiddel. Wel was hij vrij precies in zijn eigen taal als hij zijn gedachten onder woorden wilde brengen en hij kon mensen typeren en belachelijk maken door ooit gemaakte taalfouten of door elkaar gehaalde uitdrukkingen van ze aan te halen. Hij bezat bovendien het vermogen anderen trefzeker na te doen en bepaalde hebbelijkheden van anderen uit te vergroten; vooral deze eigenschap was hem een goede hulp bij het nabauwen van de Engelsen en het leren van de Engelse taal.

Ons laatste kleingeld stortten we in de collectebus van Lord Mayor's Fund Titanic Disaster. Op de boot terug vielen we in slaap.

Mijn ouders hebben mij nooit met zoveel woorden een verwijt gemaakt over dat Afrikaanse schot; alleen schudde mijn moeder altijd haar hoofd en lispelde ze vage woorden als ze mij stil bezig zag met boeken of andere onschuldige dingen. Het schot heeft mijn zusje niet gedood; ze raakte een oog kwijt en droeg tussen haar neus en haar oogkas een ontsierend litteken. Ze had altijd hoofdpijn, zei ze, en ze was altijd verkouden.

Met name de combinatie van het litteken en het foeilelijke kunstoog, dat mijn ouders voor haar hebben laten maken, en het feit dat zij dat kunstoog er op onverwachte momenten uit haalde om mij pijnlijk te verrassen met de aanblik van een zus met een gat in d'r harses, hebben mij doen besluiten het huis te ontvluchten. Ik heb nooit afscheid genomen van mijn zus; ik heb nooit tegen haar gezegd hoeveel verdriet ik heb gehad van dat stomme schot en dat nog stommere toeval. Hoe ik met haar meeleed als ze weer voor een of ander hersenonderzoek opgenomen moest worden of in een ooglijdersgesticht ondergebracht was.

Het verblijf in Londen was een heerlijke tijd; eenmaal terug thuis merkte ik hoe ongenietbaar mijn zusje was. De driftbuien kwamen op als een dreigend onweer en bleven lang narommelen. Zij was zestien jaar, maar zag er in haar achterlijke kloffie nog steeds uit als een trutje van twaalf. Alle moderne technieken ten spijt weigerde zij een fatsoenlijke prothese en ze liep vaak met bloot gezicht rond, het rood ontstoken gat diabolisch triomfantelijk naar mij gekeerd. Als ze een driftbui kreeg, dan smeet ze wat ze in haar hand had, een schoen, een schotel, een vork, gevaarlijk door de kamer, volgens mij in de hoop daarmee een ander in zijn gezicht te treffen, en daarna begon het gillen en stampen. Dat geluid was zo angstaanjagend dat in het begin buren kwamen aanlopen met de vraag of ze konden helpen. Mijn vader moest haar vasthouden en mijn moeder haalde een melkkoker met koud water, dat ze in haar gezicht pletste. De eerste keer was iedereen zo verbouwereerd dat Eenoog prompt ophield met elk lawaai en overging op een heftig slikkend en ademend hijgen en ik van de zenuwen in de lach schoot. Ik merkte hoe mijn ouders gebukt gingen onder het moeilijke karakter van mijn zusje, maar ik nam het hen kwalijk dat ze haar zo haar zin gaven. Bij de tweede of derde hysterische driftbui zei ik dat ze haar moesten laten uitrazen, geen aandacht aan schenken; dat viel in slechte aarde, en na een opmerking van mijn vader over dat verloren en weggeschoten oog werd ik kwaad en we kregen een ruzie die een hele dag duurde, gevolgd door twee dagen van koppig zwijgen.

Mijn vader en ik deden nog wat kleine, oninteressante klussen met het bedrijf; de rest van het jaar zaten we een beetje de opdrachten af te wachten. De kerken lieten de daken de daken en gebaarden gul naar de vogels dat zij in de vele gaten mochten nestelen; het was een goede tijd voor zwaluwen en kerkuilen.

Mijn moeder werd ziek, genas, werd weer ziek, moest worden opgenomen in een ziekenhuis, maar niemand kon of wilde mij vertellen wat haar mankeerde. Volgens mij leed ze aan de aanstellerij van Eenoog.

Otto had het druk, de jeneverstokerij van zijn vader draaide op volle toeren. Er werd jenever gekocht door arbeiders en door mijnwerkers, die voor ze de schacht in gingen koffiedronken en hun bekers spoelden met een flinke slok. Toen er in mei 1914 geen werk was en ik de sfeer in huis zo verschrikkelijk vond dat ik de hele dag op straat was, kondigde ik aan dat ik een week naar Dordrecht ging. Oom Otto verwelkomde mij hartelijk, zei dat Otto er niet was, dat die over twee dagen terugkwam, en of ik genoegen wilde nemen met de kleine Nelly; dat was een schat van een meid geworden, zestien jaar, en als ik toen niet weggegaan was, wie weet wat het geworden was tussen ons. Het waren twee leuke dagen, waarin zij met mij door Dordrecht wandelde.

Tot mijn vreugde was Otto bereid opnieuw naar Londen te gaan, niet meteen, dat kon niet, maar over een paar weken zouden we wel kunnen.

Toen we in juli overstaken rommelde het in de Balkan en was betrekkelijk kort na de koning van Portugal en de koning van Griekenland ook de kroonprins van Oostenrijk-Hongarije doodgeschoten. In Londen was het prachtig weer; het was heerlijk in de dierbare city te zijn.

Otto en ik verbleven een week in ons hotel, toen er een bericht werd afgegeven dat Eenoog een ernstig ongeluk was overkomen. Ik dacht meteen aan een zelfmoordpoging, een poging de aandacht op zich te vestigen; wat er precies gebeurd was, bleef onduidelijk. Het was bovendien de vraag of mijn ouders bedoelden dat ik terug moest komen of niet. Otto bracht dit ter sprake; ik zei direct dat ik dat niet wilde doen; het was te dol voor woorden dat ik voor mijn zusje het verblijf in Londen zou afbreken. Ging ik hier weg, dan kon ik die zomer niet meer terug naar Londen en zij zou mij grijnzend duidelijk maken dat ze haar zelfmoordpoging zo geënsceneerd had dat mijn ouders geloofden dat ze als door een wonder op het nippertje gered was, maar dat haar in feite niets mankeerde. Anderhalve week later ontving ik een expresbrief met de schokkende mededelingen dat mijn zusje na een onvoltooid en half (!) leven helaas gestorven was, dat mijn moeder in een diepe depressie geraakt was en dat mijn ouders het zeer betreurden dat ik niet gereageerd had op hun eerste signaal. Ik bestudeerde de brief zeer nauwkeurig, maar vond geen enkele omschrijving waaruit bleek wat er precies gebeurd was. Voor mij was alles duidelijk. Mijn eenogig maar verder kerngezond zusje had zich in een aanval van hysterie zo verwond dat ze niet lang na deze actie aan bloedverlies of bloedvergiftiging of inwendig letsel was overleden. Als ik nu naar huis ging, zou het verwijten regenen: dat ik haar vermoord had, dat ik haar het leven zuur gemaakt had, dat ik haar verminkt had, dat ik de schuld was van het ongeluk van mijn ouders. De verwijten waren in mijn ogen onrechtvaardig, de poging dat aan te tonen had geen enkele zin; de verwijten zouden blijven komen, in een zwartgallige en onstuitbare stroom somberheid. Het was niet zozeer dat ik uit recalcitrantie van huis wegbleef, ik durfde gewoon niet terug; ik durfde niet.

Tegelijkertijd was er om ons heen iets anders op gang gekomen; er ontplofte iets of iemand in de Balkan. De Oostenrijkers bedreigden Rusland; Duitsland bemoeide zich overal mee; Frankrijk kon aangevallen worden – enfin, Otto had daar hele theorieën over. Toen trokken de Duitsers het neutrale België binnen en Groot-Brittannië verklaarde op 4 augustus 1914 de oorlog aan Duitsland. De menigte op Trafalgar Square juichte en vierde feest en wij deden lustig mee. Overal werd gediscussieerd; niemand had een duidelijk beeld van waar het om ging; waar België lag, waar Holland; waarom de Duitsers door dat kleine België moesten trekken om bij Frankrijk te komen; Duitsland had het hoog in de bol; Duitsland had die verschrikkelijke, militante Kaiser. Het Britse leger gebruikte de openbare weg om te marcheren, te exerceren, te schieten – al bleef het schieten beperkt tot richten, omdat er geen kogels verspild mochten worden.

Er werden weddenschappen afgesloten. De een wist dat ons leger uit zes divisies bestond, de ander dacht veertien. Vergeet de Landstorm niet, en de Reserve. De sabels moesten naar de wapenkamer omdat ze geslepen moesten worden. De paarden werden verzameld. Elke held kreeg het Victoria Cross; nee, dat was de Distinguished Service Medal. Iedereen wist iets bij te dragen. Iedereen had een mening: wie schuldig was, wie aanvaller, wat Engeland moest doen, hoe er gevochten moest worden. De Fransen werden aangemoedigd en er werd gesist bij de vermoedelijke sterkte van de Russische legers. Dan sloeg de stemming weer om en werd er op de oorlog gekankerd: onrust, slecht voor de banken en de zaken. Amerika zou maatregelen nemen. Zwartkijkers werd de mond gesnoerd: de Duitsers waren op de terugtocht, ze zouden wel uitkijken zoiets nog eens te proberen. Franse en Britse legereenheden hadden Duitse ulanen een verpletterende nederlaag toegebracht. Hey, hey, wat dacht iedereen van de Britse vloot?

Te midden van dat optimisme en die tevredenheid kwam zondag 30 augustus.

De zondagseditie van *The Times* scheurde alle geruststellende praat aan flarden: hoe bloedig de gevechten waren, hoe zwaar de verliezen. Een Duitse Taube had Parijs gebombardeerd; de Britten hadden moeten terugtrekken; sommige onderdelen, bijvoorbeeld de Gordon Highlanders, bestonden niet meer omdat allen gesneuveld waren. Namen was veroverd; Dinant verwoest; Leuven verbrand. Alles lag in de as, schreef ene Richard Harding Davis in de *New York Tribune*. De oude, waardevolle bibliotheek was verwoest, net als een gotisch stadhuis en de St.-Pieterskerk met Diederic Bouts. Dat leverde weer verhalen op over de dappere held, luitenant Bouts.

Namen, Visé, Dinant, Leuven: Otto vertelde dat hij die plaatsen heel goed kende en dat hij er verschillende kennissen en jeneverklanten had wonen. Overal op straat verschenen posters met aansporingen en adviezen, dat mannen de gaten in de gelederen moesten opvullen, dat sportieve jongens naar Berlijn moesten gaan, waar het goed prijsschieten was, dat iedereen moest zien of de uniformpet paste.

Ik weet niet meer wie op het idee kwam: ik wilde een excuus om niet naar huis te hoeven terugkeren; Otto was een avonturier en hoe hij ook inzat over het lot van zijn Belgische relaties en vrienden, hij zag de hele onderneming toch vooral als een bloedstollend avontuur. We hadden geen flauw idee wat dat inhield, meedoen aan de oorlog. Het was voor een goed doel: we hielpen dat kleine, dappere België. Die strontvervelende Duitsers konden we laten zien dat ze te ver waren gegaan. De rijen bij de London Recruiting Offices werden langer en langer. We vroegen naar de verwachtingen van degenen die zich vol enthousiasme opgaven, daar werden we niet wijzer van. De een had het erover dat het allemaal zo afgelopen zou zijn, dit kon niet lang duren, die Duitsers waren niet gek, ze liepen Frankrijk onder de voet en dan hielden ze op. Een ander zei telkens dat het ze zou berouwen dat ze België hadden geschonden. Een derde wees met een samenzweerderig gezicht naar de Verenigde Staten. Alles hing van Amerika af.

Otto en ik overlegden. We wilden wel, maar we moesten nog veel regelen, vonden we zelf. We durfden niet, zeiden we na drie weken. Toen namen we diezelfde avond het besluit ons de volgende dag aan te melden. Na een uitgebreid ontbijt gingen we naar het Recruiting Office in Shepherd's Bush; we stonden een uur of twee zwijgend in de rij en toen waren we aan de beurt.

Maar wij waren helemaal geen Britten.

Nee, Hollanders.

Holland was neutraal.

Was dat belangrijk? Op een slagveld? Ze hadden toch mensen nodig?

Dat wisten ze niet, of dat kon, Hollanders in een Brits leger.

Iemand merkte op dat het geen fuck uitmaakte, als ze maar een geweer konden vasthouden.

Nee, zei een superieur. Regels zijn regels, daar was Groot-Brittannië groot mee geworden.

Iedereen kreeg een shilling met het portret van de koning erop. Iedereen legde de eed van trouw af. Merkwaardig genoeg kregen Otto en ik ook een munt en moesten wij een hand omhoogsteken.

Wel godverdomme, na de eed van trouw konden ze ons toch accepteren?

Onze namen werden genoteerd, met geboortejaar, familiegegevens, nationaliteit. We kregen het adres waar we ons moesten melden voor een keuring. Onderweg vroegen we ons af of we het verstandig aangepakt hadden of juist niet.

We moesten ons melden bij een Grammar School, waar artsen in burger ons de maat namen, vragen stelden, ons op de knie en op de rug klopten en naar onze huig en voorhuid keken. De arts die de lijsten invulde had handen die onder het eczeem zaten en bij elk antwoord van ons schudde hij het hoofd alsof dat antwoord bijzonder teleurstellend of stompzinnig was. Ook hier waren ze verbaasd over het feit dat we geen Engelsen waren maar neutrale Hollanders. Misschien konden we samen met de Indiërs en de Nigerianen in een soort vreemdelingenregiment komen; was Holland deel van het British Empire, naar wij wisten?

Otto begon te lachen en zei dat wij nog oorlog tegen Engeland hadden gevoerd.

Oorlog tegen Engeland? De arts legde zijn pen neer.

Of hij nog nooit gehoord had van Michiel de Ruyter?

De man fronste zijn wenkbrauwen. Was die Hollander eigenlijk wel geschikt voor dienst in het Britse leger, zag je hem denken. Hij schoof de hoed die voor hem op tafel lag naar de andere kant van zijn papier. Het stoffige schoollokaal was warm. Ik had de poster vier keer gelezen. *Sons of Britain! There is fighting to be done. To arms!*

Hij begon een heel verhaal: dat ze iedereen mits gezond van lijf en geest konden gebruiken, dat de Duitsers moesten worden teruggeworpen, maar dat dit een probleem was dat hij niet een-twee-drie kon oplossen, dat er eenheden waren waar buitenlanders zonder probleem werden opgenomen maar dat hij niet wist welke, dat we wel de shilling hadden ontvangen, dat we de eed van trouw hadden afgelegd. Hij zuchtte diep. Dat Michael de Rutter hem op een idee had gebracht; hij zou ons naar de havens sturen, waar de Royal Navy altijd mensen nodig had.

Of we in dienst zouden komen van de British Navy.

Op den duur zeker, maar voorlopig zouden we betaald werk krijgen als burgers in loondienst. Daarmee werd het gesprek beëindigd.

Zo waren wij in Londen op de schepen terechtgekomen; zo brachten wij de tijd door met het vullen van bunkers van stoomschepen. Terwijl steeds meer grote oorlogsschepen van de British Grand Fleet op olie voeren, bleven veel gewone, kleine stoomschepen op kolen varen. De bunkers vullen was een werk waar we geen speciale training voor nodig hadden.

In de vroege ochtend roeiden wij in een klein houten bootje door de havens naar het schip. Wij, dat waren vijf arbeiders die als vijf blanken in de ochtend heen roeiden en als vijf zwarten terugkwamen. Je moest maar zien hoe je de volgende morgen als blanke herkend kon worden. Het najaar van 1914 viel na de prachtige zomer verschrikkelijk tegen. We zaten dik ingepakt op die stinkende Londense waterplas maar tegen al die regen hielp niets en onze kleren waren smerig, koud en nat voor we bij de bunkers arriveerden. We droegen hoeden, die we tijdens het werk in het bootje achterlieten, niet voor de deftigheid maar ter beschutting. Op de terugweg waren de riemen van ons bootje zwaar door de vermoeidheid, en lijzig roeiden we tussen de krakende houten meerpalen door. Ons gereedschap, de schoppen, de touwen en de manden, stond tussen ons in en zweeg beschaamd om onze zwarte koppen. In het begin probeerden Otto en ik handen en gezicht te wassen met het zeewater van de haven, omdat we bang waren dat we aan de wal uitgelachen zouden worden om onze zwarte giechels. We werden niet uitgelachen, want we bleken deel uit te maken van een leger arbeiders waar iedereen allang aan gewend was. Het zeewater van de haven gleed van onze handen en van de vette kool af en er was geen enkele mogelijkheid ons te reinigen voor we bij ons onderkomen waren. Daar bleek de zeep onvoldoende en wij kregen ruzie met de andere kamerbewoners, die onze wasgewoontes verspilling en onze privédouches hinderlijk en vochtig vonden.

☾

Otto had de reis naar Malta op een ander schip meegemaakt. In Malta was het een drukte van belang, maar iedereen bleef bij de haven rondhangen. Wij vonden elkaar na een dag turen terug; we schreeuwden begroetingen en bonkten langdurig op elkaars schouders. Otto had eenzelfde ervaring als ik achter de rug en we begrepen dat we de rest van de oorlog beter samen, zij aan zij, konden vechten. We werden verwezen naar een kantoor waar ze de bemanningen opnieuw indeelden en we hadden het gevoel dat we een avond vrij van het front waren. Dat hadden we dik verdiend. De boot waarmee we naar de echte oorlog zouden varen, zou dienstdoen als mijnenveger. Op de mijnenvegers zat vaak een civilian crew, geronseld onder werkloze visserlui, en daar zouden wij aan toegevoegd worden; wij begrepen dat we daar weinig over te zeggen hadden. Ons werd duidelijk gemaakt waar het schip lag en we besloten te gaan kijken.

Het was het juiste nummer en het was de juiste kade; lange tijd geloofden wij niet dat dit waar kon zijn. Voor ons lag een trawler met een onuitspreekbare naam, maar het was niet de naam die ons het meest verbaasde. Het schip had zo'n idiote vorm – het had een motor, pijpen en alles, ook zeilen, onhandige zeilen leek ons – dat wij zelfs twijfelden aan de zeewaardigheid. Het moest een omgebouwd wrak zijn uit de begintijd van de stoom, de tijd dat motoren nog niet helemaal werden vertrouwd en er zeilen bij gezet werden. De naam zou wel een Maltees woord zijn.

'Herinner jij je die tekening bij die antiquaar?' vroeg Otto. 'Dunker heette die vent.'

Ik herinnerde me geen antiquaar Dunker.

'Nee, de tekenaar heette Dunker, een Zwitser. Die had zo'n luchtschip getekend, zo'n onmogelijk voertuig, een ballon met een schip eronder. Hoe heette dat schip? Bono en nog iets.'

63

Bono! Verdomd, ik begreep wat Otto bedoelde. Dat boek vol zottigheid en malle uitvindingen bij een Londense antiquaar.

'Behalve de kooi met hoeren en het orgel is dit schip precies de Bono. Dit hier heeft dezelfde onbenulligheid, dezelfde gekte; met zo'n schip weet je zeker dat het niks wordt.'

We liepen over de kade, er was niemand op het schip te zien. We hadden de tijd. De bedrijvigheid in de haven en de grote hoeveelheid schepen brachten de oorlog dichtbij, maar als je de andere kant op keek, zag je een exotisch vakantieland. Achter ons schitterden de mediterrane heuvels en een stralend blauwe lucht. We slenterden door het stadje en sloegen een weg in die naar boerenland leek te leiden. We werden drie keer aangehouden: wie we waren en wat we hier deden? Coalers? Dan moesten we niet die kant op maar die kant. Een keer werden we uitgescholden. We keerden terug.

'Het is net zo idioot om met dat schip ten strijde te trekken als met die malle luchtballon van Dunker,' opperde Otto.

'Mijnen vegen,' zei ik. 'We doen niets anders dan mijnen vegen; iedere trawler is bruikbaar.'

'Wat bent u? Mijnenveger op de Bono,' zei Otto en hij salueerde.

Zo gek was overigens de vergelijking met de Bono niet. Behalve het merkwaardige feit dat ons schip net als dat schip op de tekening een klein kanon voor op het dek had staan en dat de Maltezer naam van het schip wel een onbegrijpelijk woord was maar in elk geval begon met Bo, waren er meer overeenkomsten. Ik herinnerde me de tekening als een satirische grap, die de spot dreef met de vooruitgang en de wilskracht van mensen die iets onmogelijks trachten te bereiken. Ik wilde er niet te lang over nadenken, maar ik kreeg het idee dat onze oorlog verdomd veel weg had van een poging iets onmogelijks te doen en wie met deze schuit de oorlog in voer, kon zichzelf het beste beschouwen als een satirische bespotting van die oorlog. Misschien deden we er verstandig aan de heuvels in te trekken, onze pegels op te maken en vervolgens gewoon terug naar huis te gaan, maar we waren met z'n tweeën en telkens wist een van ons wel argumenten te bedenken waarom we dat nu juist niet moesten doen of waarom het gewoon niet kon. Otto bleef het schip de Bono noemen en ik nam die naam over.

Later op de dag, toen er overal een gehaaste beweging op gang was gekomen, meldden we ons op de Bono. We legden uit wie we waren en dat we op dit prachtschip ingedeeld waren. Otto deed gevaarlijk cynisch, ik hoopte dat de boots zijn spot niet zou horen. Er werden lijsten nagekeken, de namen klopten; wat dan in godsnaam onze taak was?

Coalers.

Coalers? Die had hij niet nodig. Hij vatte het zo op dat we zouden meevaren en dan bij Turkije aan andere schepen zouden worden uitgeleend voor de smerige klussen. Op de Bono konden we een redelijke vrijheid krijgen, als we maar niet in de weg liepen.

We konden de volle zee zien zonder dat we diep in het schip over de bodem van de zee schuurden en in vuren keken in plaats van naar water. Ik zag de golven deinen, ik zag de vreemde kusten wiegen; ik begreep niet meer wat we aan het doen waren.

'Otto, wat hebben we hiermee te maken?'

'Hoe bedoel je dat? Rustig nou.' Otto probeerde mijn paniek de kop in te drukken.

'Doen we dit voor dat fucking België? Dat ligt hier helemaal niet, godverdomme. Wat kunnen mij die Turken schelen?'

65

'Jongen, dat maakt niet uit. Ze kunnen niet alle soldaten in Berlijn droppen om persoonlijk de Kaiser uit te dagen. Wij zijn kleine jongens, maar we doen wel mee.'

De Bono werd onze thuisbasis. Soms zaten wij op een
ander schip; we keerden steeds terug naar de Bono. We
maakten de oorlog mee op de Bono. Onze oorlog wás de
Bono.

Met de Bono voeren we van Malta naar Egypte, waar we
ons bij de andere schepen voegden, en uiteindelijk stoom-
den we op naar Mudros. Het was ongelooflijk wat daar in
de haven lag: alle soorten schepen waren daar verzameld.
Griekse plezierboten, veerboten, trans-Atlantische sto-
mers, colliers, trawlers; de Queen Elizabeth, de Agamemnon, kruisers, de Russische Askold, de Franse Henri iv.
Het zag eruit als een regatta, als het feest van Venetië: honderden schepen van ijzer, grijs en dreigend, met rook uit
honderden pijpen. Toen de vloot uit Mudros wegvoer, zei
Otto profetisch dat dit misschien wel onze laatste blik op
Europa was. Uiteindelijk kwam de Bono eind juni bij de
landengte van Gallipoli.

De Dardanellen-engte, werd ons wijsgemaakt, was ongeveer zestig kilometer lang en vier tot zelfs één kilometer
smal; er lagen mijnenvelden, dus de grote schepen konden
niet dicht genoeg naderen om de kanonnen op de hoge
rotskust uit te schakelen en de mijnenvegers konden hun
werk niet doen omdat ze telkens door die kanonnen be-
schoten werden. Het was bekend dat landingstroepen op
de kust een bivak hadden opgeslagen, maar wat die precies uitvoerden wist niemand.

Het verbazingwekkende achteraf was dat de hele Dar-
danellen-campagne voor Otto en mij niet heeft bestaan
uit ontbering, ellende en vechten. Wij hadden best willen

vechten; het werd door het opperbevel kennelijk verstandiger geacht dat wij kolen schepten. De hele oorlog, die voor ons enkele zomerse hittewcken op zee duurde, plus een eeuwigheid gevangenschap natuurlijk, bestond voor ons uit woorden. We werden uitgeleend, we schepten kolen van het ene schip in het andere, we deden mee aan de oorlog, maar wij zaten in een ruim in de ijzeren diepte, omgeven door enorme hoeveelheden zeewater, en wat daarbuiten gebeurde, dat werd ons verteld.

Er werd verteld over de donkere zee en de vijand die hoog op de rotsen onzichtbaar wachtte, over de ontschepingen tijdens stille ochtenduren, die plotseling ontploften in een geweld van mitrailleurvuur, zodat alle soldaten die veilig op het strand dachten te komen neergemaaid werden en de golven op het zand roodgekleurde lijnen achterlieten. Op het ene schip hoorden we over Süleyman de Grote, die uit zijn graf verrezen was en hoog in goud afgetekend tegen de grauwe ochtendhemel de Turken aanvoerde en naar de overwinning wees; op het andere schip dook de figuur van Wilhelm op, de toneelspeler, de snorrenman, het pikzwarte kleinkind van onze gezegende koningin Victoria, de ijzeren aanvoerder van de helse legerscharen, der Kaiser. Er werd verteld over de hitte, de dorst en de laag stof, die enkele meters dik als een mistbank over het land lag en het ademen moeilijk maakte, over de tongen van de mannen, die zwart kleurden.

Alles bestond uit woorden. De oorlog was er, met alle dreiging en angst, maar de realiteit moest voor ons eerst vertaald worden en dan pas begrepen wij het krijgsgewoel boven ons en op het land.

Hoog boven ons wisten wij de smalle ijzeren trappen, de puzzel waardoor wij zo'n schip konden verlaten, als we daar toestemming voor kregen. Daar, klem in die diepte, kregen we te horen over soldaten die op de stranden van Anzac Cove en Suvla Bay en Cape Hellas en hoe ze die onbekende gebieden allemaal mochten noemen, leden aan claustrofobie omdat de stranden zo smal waren en de rotsen steil en hoog. Boven op de rotsen konden de Turken hun mitrailleurs naar beneden richten en, zo werd ons verteld, de Britten en Fransen en Australiërs hadden het gevoel dat ze gevangenzaten in een muizenval, tussen de Turkse houwitserbatterijen en de roodgekleurde zee.

Ons bereikten verhalen over de volle zomer, over de zachtpaarse bloemen van de wilde tijm, de trossen van de oleander, maar ook verhalen over het stof, over het zand, dat een woestijn van de omgeving maakte; over de zon, die zo fel scheen dat er nergens verkoeling te vinden was, dat alles van metaal niet meer aan te raken was en dat het vlees in de blikken bedierf terwijl je het blik opende. In het niemandsland tussen de verschansingen en de loopgraven, onbereikbaar voor Turken en Geallieerden, lagen en stonden de duizenden doden; soms draaide een dode zich langzaam om, strekte zijn arm naar de zon, aanbad de zon met een snerpende stem en gaf met gebaren en woorden te kennen dat hij en wie weet hoeveel anderen nog niet dood genoeg waren maar slechts gewond. Iedereen leed aan diarree en dysenterie, alles werd bedekt met vliegen: gezichten, handen, het eentonige eten zodra dat uit de verpakking gehaald was; men at *beef* met vliegen, pruimenjam met vliegen, men dronk thee met vliegen; op de wonden zaten vliegen; in oren en neus zaten vliegen. Wij zaten niet onder de vliegen maar wel onder het kolengruis, alsof de vliegen uit de werkelijkheid tijdens de overgang naar het verhaal op een of andere wijze veranderd waren in gruis. Wij hoorden dat het leven op schepen veel schoner was dan het leven daar op het strand.

Precies op het tijdstip dat Otto en ik, weer terug op de Bono, op het dek stonden om adem te halen, op zo'n plaats dat we niet gewond zouden raken, misschien als enigen van de hele Bono-bemanning, ontploften met een hemelhoge, oranje kolom en een oorverdovende herrie alle woorden. Wij duikelden in de andere dimensie en het eerste wat we in die nieuwe wereld gewaarwerden was een zee vol brokstukken, vol lichaamsdelen, vol brandende voorwerpen, vol lijken.

Wij zijn aan land gekomen. Wij zijn bewusteloos geraakt. Wij zijn gevangengenomen.

Die ontploffing is altijd een raadsel gebleven. Zijn wij geraakt door een granaat, zijn wij zelf op een mijn gelopen die we over het hoofd gezien hadden, is het schip van binnenuit ontploft, of zijn wij slachtoffer geworden van een torpedo, afgevuurd door een Turks schip, dat uit het niets opdook, vermomd als een zwerm vliegen? We weten het niet en we zullen het nooit weten. Aan wie moeten we het vragen? In het begin werden we in isolement gehouden. Later kwamen we in contact met Engelsen, maar ook die waren gevangen. Zij wisten nooit meer dan wij.

Wij hebben in een land dat ons vreemd was, tussen mensen van wie wij de taal niet spraken, een bestaan proberen op te bouwen. Het bestaan dat wij achterlieten was een totaal ander. Tot die onbereikbaar geworden wereld behoorden Dordrecht, Leiden, ouders, het dode zusje Eenoog, Nelly, Londen. Nu is er een andere wereld. Een nieuwe werkelijkheid en daarin hoort Otto, daar hoort Dünya bij en daar hebben we Julia in neergezet.

Tussen die twee, de wereld van vroeger en de werkelijkheid van nu, zit een wand. Waar die wand precies uit bestaat weet ik niet, misschien uit een combinatie van een vermiljoenen ontploffing en een grote hoeveelheid verhalen.

Die twee verschillen voor mij evenveel als het heden en het hiernamaals, waar de wand van de dood tussen zit.

Tegelijk horen wij, Otto en ik, evenzeer thuis in de ene werkelijkheid als in de andere en beseffen wij dat, op een totaal ander niveau, de vroegere werkelijkheid gewoon doorgaat.

Ergens anders, in een onbereikbaar universum.

Een Turks luchtschip

Rapport voor de Turkish Aviation Society
Vertrouwelijk   *18 januari 1937*

1. Het militair gezag heeft toestemming gegeven uw vigilante vereniging in te lichten over het werk in onze fabriek.
Ik zal u vertellen wie ik ben. Ik vertel u wie mijn naaste medewerkers zijn en hoever wij gevorderd zijn met het project. U stelt veel belang in het project.
Een speciale koerier zal u een aparte bijlage brengen. Daarin staan de gevraagde lijsten met patenten, naar mijn idee volledig. Bovendien de constructietekeningen van de motorgondels, van het Ruderpfostenkranz (tot mijn korzeligheid moet ik de Duitse term gebruiken; is bij u het woord stuurkolomvelling in gebruik?), van de boegspits en van de knooppunten van het geraamte, vooral het beruchte knooppunt van de voorste lengtedragers.

2. Mijn naam is Paul Grunwald. Dr. Paul Grunwald zal ik mij zelfs noemen. Ik ben geboren op 18 februari 1879 in de Duitse garnizoensstad Augsburg. Die plaats is, zoals u licht weet, altijd nauw verbonden geweest met de luchtvaart. In onze stad was de ballonfabriek van August Riedinger gevestigd. In 1898 haalde ik mijn Abitur, waarna ik een praktikum heb gedaan. Ik heb machinebouw gestudeerd aan de Königliche Technische Hochschule zu Ber-

lin in Charlottenburg en ik heb mijn studie afgesloten met het Diploma-examen. Na mijn studie ben ik in dienst gekomen van de Duitse luchtvaartvereniging in Bohemen. Daar heb ik gewerkt onder de Oostenrijkse fysicus Viktor Hess, die proeven deed met zogenaamde Freiballonfahrten. Hij heeft in 1912 uitvoerig geschreven, als eerste dus, over de straling op grote hoogte.

Een korte tijd was ik werkzaam bij het Königlich Preußisches Observatorium Lindenberg. Zonder twijfelen is mijn beste tijd in Duitsland de tijd geweest dat ik werkte voor Schütte-Lanz. Ik heb daar gewerkt van 1913 tot 1922. De jaren in Rheinau en de ervaring met de bouw van de sl-luchtschepen zijn gewisselijk van zeer grote betekenis voor het werk hier in Turkije.

Na 1922 werd de tijd steeds moeilijker. Ik kwam te werk bij de Dornier Metallbauten GmbH. Daar maakte ik de belangrijke ontwikkeling met staal en aluminium mee. Daarna ben ik in Friedrichshafen gekomen, waar ik de lz-126 en de lz-127 mee heb helpen bouwen. Ik ben privaatdocent geweest en ik heb veel bokmest gebouwd (of kent uw Turks deze uitdrukking niet?).

In 1933 ben ik het land ontvlucht. Met hulp van de Notgemeinschaft deutscher Wissenschaftler im Ausland te Zürich en omdat mijn naam op de lijst van professor Malche stond, kon ik als hoogleraar aan de 'Üniversite' van Istanbul werken. Later werd ik vrijgemaakt in verband met het project in Y. Ik ben Duitser van geboorte. Ik ben een Jood, maar in uw Turkse republiek is dat geen enkel probleem.

Duitsland was mijn thuis en mijn vaderland, maar door de ontwikkelingen van de laatste jaren heb ik zelfs besloten mij te distantiëren van de Duitse taal. Ik spreek zo min mogelijk in het Duits. Ik gebruik die taal alleen nog bij namen van instituten en bij technische zaken waar geen andere term dan een Duitse bekend is. Ik heb uw Turkse taal geleerd en druk mij, met fouten en somwijlen met kromme zinnen en gewisselijk met een accent, uit in het Turks. Een taal goed leren is niet eenvoudig. Ook over het megalomane besluit het Duits uit te bannen, moet u niet te licht denken. Al mijn herinneringen zijn in een Duitse kleur. Alle literatuur die ik gelezen heb, was in het Duits geschreven. De verliefdheden in mijn leven waren op meisjes die Duits spraken. De technische problemen die ik opgelost heb, zijn in het Duits opgelost. Als ik droom, komt de taal terug. Als mijn overleden vader en moeder in mijn dromen het woord tot mij richten, kan ik ze nooit verstaan, maar ik weet zeker dat ze in het Duits spreken. Ik ben een groot bewonderaar van Duitsers als Goethe, Gauss, Kant, Lichtenberg en van sommige moderne Duitse dichters als Rilke en Georg Trakl. Al dat Duits doet mij pijn. Al dat Duits van mijn dromen, verliefdheden, dierbare herinneringen en gedichten: ik wil het niet meer horen, maar ik mis het zo verschrikkelijk. Ik heb al eens gezocht in winkels van Istanbul naar Turkse vertalingen van Duitse poëzie, maar met permissie: het klinkt belachelijk. Ik dacht aanvankelijk dat ik het Duits kon afzweren, maar het bleek niet te gaan. In mijn vak is het bestuderen van technische teksten in het Duits onvermijdelijk. Zoals ik zei: het Duits zit in mij en ik kan het er niet uit snijden, zoals ik mijzelf niet kan beroven van mijn longen of mijn hart.

3. Wij werken heden aan een luchtschip dat een iets verkleinde kopie zal zijn van de SL-serie. Uiteraard een aantal verbeteringen; uiteraard aluminium.

Om een idee te geven van het indrukwekkende formaat van het Turkse luchtschip, laat ik hier de juiste maten volgen.

Van de boeg naar de achtersteven lopen 36 lengtedragers. Lengtedragers zijn aluminium driehoekige binten die, over de hele lengte van het schip gespannen, het draaglichaam zijn stevigheid moeten geven. De boegspits en de staart zijn aparte, zeer bijzondere constructies, omdat alle binten daar bij elkaar komen en in elkaar grijpen. De boeg moet extra stevig zijn omdat het schip daaraan verankerd moet kunnen worden. De lengtedragers lopen vanaf de boeg eerst uiteen, maken een sierlijke bocht en komen bij het staartstuk weer bij elkaar. Aan het staartstuk zijn kruislings 4 stabilisatievinnen bevestigd, plus de hoogteroeren en de zijroeren. Dit is het Ruderpfostenkranz. In het midden vormen de lengtedragers een cirkel van ongeveer 24 meter doorsnee. Als het toestel op zijn zwenkwielen staat, is de grootste hoogte 25,7 meter.

Op afstanden van steeds 8 meter zijn hoofdringen aangebracht. Zij worden altijd van achteren naar voor genummerd. 15 ringen, die samen met de boegring en de staartring het toestel in 16 compartimenten verdelen. In ieder compartiment een gascel. De totale achterboeg is 32 meter lang, de voorboeg 16 meter. Het schip in zijn geheel meet 129 meter en 16 centimeter.

Alle gascellen zijn 8 meter dik, rond van vorm, als emmentalers. Zij hebben verschillende middellijnen, van bijna 24 meter voor de grootste tot 7 meter voor de kleinste. Die laatste heeft de vorm van een kegel.

De buitenste jas, die over de aluminium structuur en de gascellen is aangebracht, bestaat uit dunne, waterdicht geïmpregneerde katoen, pegamoid geheten. Met verschillende verflagen en met aluminiumpoeder is het pegamoid tegen zonnestraling behandeld. De slanke, gladde vorm geeft het schip vaart en stroomlijn. De kolos is wit geverfd, maar de bovenzijde moet, in verband met het gevaar van ultraviolette straling, rood geverfd worden. Deze rode kleur loopt door over de zijstabiliseringsvin. Op dat vlak, dat aan de achterzijde groot en fier de lucht in steekt, is in wit het Turkse vignet, de maansikkel en de vijfpuntige ster, uitgespaard. Hij wordt rechtop gehouden door de houten stellages en de metalen dwarsbinten van de hal zelf, maar stelt u zich voor hoe hij straks glanzend en sterk in het koele ochtendlicht zal staan.

Het schip heeft voorlopig de codenaam HV-1, maar zal straks met de plechtige maidentrip een naam krijgen. Die moet op het pegamoid geschilderd worden. Er gaan geruchten. Het zou de naam zijn van een van de aangenomen dochters van de president. We denken Afet of bijgeval, tweede kans, Sabiha.

Soms werd de keuze van onderdelen bepaald door de mogelijkheden. Niet alles konden wij hier in Turkije bemachtigen. Dat heeft onbetwistbaar met de aanvoermogelijkheden te maken. En natuurlijk met de heersende armoede. Zo konden de Maybach-zescilindermotoren om een of andere reden niet geleverd worden. Noodgedwongen hebben we moeten kiezen voor Siemens & Halske Sh-14A-motoren. De driebladige stalen propellers kunnen naar mijn mening voor problemen gaan zorgen.

4. Het luchtschip dat we bouwen is iets kleiner dan de huidige Duitse LZ-schepen. De hal is groot: bijna 50 meter hoog en 140 meter lang. Ik vergelijk: een voetbalveld is 108 tot 120 meter lang, dat is de officiële maat. Een ring wordt op de grond, horizontaal, gemonteerd. Aluminium buizen en hoekconstructies worden, steunend op tientallen houten werkbladen, langzaam aaneengeklonken. Als de ring in eerste instantie gereed is, wordt deze in verticale positie gebracht en gemonteerd aan de lengtedragers. De hoogte bedraagt dan ongeveer 25 meter. De arbeiders bovenin staan op smalle aluminium constructies, even hoog als bo-

ven op de steile rode muren van de Aya Sophia. Onlangs zijn de voorboeg en de achterboeg gemonteerd. Die vereisen extra bewerking. Zij hebben lang in een aparte ruimte op hun grootste ring gestaan en bereikten een hoogte van 32 meter (de achterboeg) en 16 meter (de voorboeg). Degenen die daar werkten bevonden zich op of in een titanische kooi van aluminium constructies. Natuurlijk zorgen wij voor veiligheid. De monteurs voor de draadconstructies en de klinknagels kunnen meestal op een veilige steiger staan of op een verrijdbare ladder. Niet overal kunnen wij die voorzieningen aanbrengen. Vooral de hoogste plekken zijn het lastigst te bereiken. U kunt zich dat voorstellen.

5. Ik kom op de bijzondere kwaliteiten van onze constructeur Simon Krisztián. Hij heeft al eerder de aandacht getrokken en hij staat onder de speciale bescherming van het leger. Hij is op uitdrukkelijk bevel van het leger in de fabriek geplaatst. Bij een huiszoeking hadden ze ontdekt dat hij verstand van luchtschepen had. Deze Simon Krisztián kent geen enkele vorm van hoogtevrees. Hij loopt op 20 meter hoogte in de hal net zo gemakkelijk over een aluminium profiel van 10 centimeter breed als u en ik over een kade lopen van 4 meter breed die langs de Bosporus loopt en voor flaneren is gebouwd. Het is een tamelijk harde hond. Zegt u dat zo? Wat Simon Krisztián in een ochtend presteert, zou anders nog niet door vier man in een hele dag gedaan worden. Die vier moeten voorzichtig en langzaam bewegen en zij moeten in elke nieuwe positie hun greep verankeren en hun misselijkheid overwinnen. Er zijn vele klinknagels ingeslagen en staaldraden bevestigd op plaatsen waar we zonder Simon Krisztián voorzeker niet bij gekund hadden. In het begin zagen we Simon Krisztián voor het eerst klimmen en overstappen van

76

het ene profiel naar het andere. Wij, staande op de koude grond, met pijn in onze nek van het omhoogkijken, werden duizelig van zijn stappen op dat lichte metaal. Maar hij stapte niet één keer mis en werkte heel rustig het programma af.

Simon Krisztián is geen Engelsman. Iedereen denkt dat, maar ik heb de informatie uit de goede hand. Simon Krisztián komt uit Holland. U weet wel: een klein neutraal land waar grote schilders als Rembrandt en Vermeer vandaan komen. Waar ze razendsnel kunnen zwemmen en waar een befaamd instituut staat voor buikdanseressen die tegelijk als spion worden opgeleid. Het land zit geplakt als een bol morsige stopverf in een hoek tussen Duitsland en Frankrijk. In Holland bidden ze als krekels tot God. Er is geen enkele reden voor u om Hollanders te haten of het land uit te wijzen. Ze zijn betrouwbaar. Het zijn goede zeelui. Als ze op tijd hun geld krijgen, zijn ze met weinig tevreden. Hun taal is voor Duitsers met enige moeite enigszins te volgen. Simon Krisztián is een Hollander, hoewel zijn naam Oegrisch klinkt. Die naam is afkomstig uit het oude keizerrijk Oostenrijk-Hongarije zoals u paalvast zelf gedacht heeft. Hij beweert nooit contacten met het oude K. und K.-land gehad te hebben.

6. In het jaar 1925 gebeurt er iets zonderlings. Onbetwistbaar heeft de naam Krisztián op lijsten van de militaire toezichthouders gestaan. Licht is de naam opgevallen als vreemd of stond er een vermelding achter zijn naam dat het om een Hollander ging. Licht is er een verkeerde lezing geweest van een woord of een regel en iemand heeft Mühendis, ingenieur, gelezen.

Bij vergissing, ik herhaal bij vergissing, omdat men dacht dat hij ingenieur was, is Simon Krisztián in 1925 een officierscontract aangeboden. Natuurlijk protesteerde

'Ir. Simon Krisztián' niet te heftig tegen de valse voorstelling van zaken. Hij merkte dat er voor hem een paar flinke voordelen aan het contract verbonden waren. Behalve het veel betere salaris kreeg hij het recht een oppasser in dienst te nemen. Hij werd in een aantal onderdelen gelijkgesteld aan Turkse officieren. Maar het is hem wettelijk verboden een uniform te dragen. Wel geldt de plicht zijn contract na te komen; hij moet vijftien jaar dienen vanaf zijn opleiding als officier. Laten we stellen dat het jaar 1924 zijn opleidingsjaar was, dan is hij tot 1940 verplicht in de fabriek te blijven werken. Ik heb u uitgelegd hoe belangrijk hij voor ons is. Hij heeft al jaren zijn nut bewezen. Bovendien moet ik u eerlijk bekennen dat hij zich zo verdiept heeft in de techniek, ook theoretisch, dat de titel van ingenieur niet onterecht zou zijn.

Simon Krisztián vond de oppasser, die hem tegelijk met de officiersrang werd aangeboden en die bij geüniformeerden altijd uit de lagere rangen wordt gerekruteerd, overbodig. Maar het Militair vond het een goed idee in plaats van een oppasser een vrouw te sturen, die wat kon koken en schoonhouden en die tegelijk de gedragingen van de twee Hollanders kon rapporteren. Een spionne dus. Toen volgde weer zo'n merkwaardig militair besluit, net als de toekenning van een officierscontract. Waarom in godsnaam kreeg die man te horen dat er een vrouw in zijn huishouden zou komen en duurde het dan tot 1930 voor er daadwerkelijk iemand arriveerde? Ik kan daar met mijn verstand niet bij. Duurde het zoeken naar een geschikte kandidaat dan zo lang? Enfin, die vrouw die uiteindelijk in 1930 voor hem gevonden werd, heet Dünya Şuman. Zij had Duitse banden. Dat gaf bij de keuze waarschijnlijk de doorslag. Waarom? Omdat ze bij het Militair dachten dat zij als Duitse zijn taal sprak. Maar zoveel lijkt het Nederlands ook weer niet op het Duits en bovendien spreekt

Dünya Şuman helemaal geen Duits. Zij is getrouwd geweest met een ambtenaar die van Duitse afkomst was. Zelf heeft zij niets met Duitsland te maken.

De positie van Dünya Şuman als Turkse was dus zeer merkwaardig en vrij hopeloos. Maar Dünya Şuman sprak redelijk Engels en in die taal kon zij praten met de twee mannen. De dochter van Simon Krisztián is behalve Nederlandstalig ook Turkstalig opgegroeid – onze eeuwige dank gaat uit naar vader Simon. Dünya Şuman kon dus aan de slag.

Naar mijn vaste overtuiging schrijft Dünya Şuman in opdracht van de militaire controleurs alles op wat ze daar ziet en hoort. Maar zoals het altijd gaat: dat soort vrienden van ons heeft wel aandacht voor de kleinste sporen van verraad, samenzwering, insubordinatie, desertie en ondermijning van het gezag, maar niet het minste benul van familietrots, liefde, de verhouding tussen vader en dochter. Als u mocht denken dat de militairen alles weten uit de beschrijvingen van Dünya Şuman, dan heeft u het hoogstwaarschijnlijk mis. Van de gevoelens, de wrok en de verongelijktheid, die alle ontheemden kennen, weten de militairen absoluut niets. Neemt u dat maar van mij aan.

Tot voorlopig slot. Waarom heb ik al die kwaliteiten van die man zo voor u geschetst? Omdat Simon Krisztián mijn lotgenoot is. Omdat Simon Krisztián een buitenlander is, een vreemdeling, een ontheemde. Dat ben ik ook, maar ik ben hier op wetenschappelijke uitnodiging en hij is een voormalige gevangene. Ze houden hem in de gaten. Ze eren hem zolang ze hem kunnen gebruiken en als er iets misgaat, laten ze hem vallen. Mochten er echte problemen met het luchtschip komen, dan is hij de eerste die daarvoor zal moeten boeten. Misschien beseft hij dat zelf niet eens, maar onthoudt u dit maar.

7. Er is een lijst met aandachtspunten opgesteld. A: de echte problemen, B: de onderdelen die na een eerder falen een nadere inspectie behoeven en C: de voorzieningen die tot nog toe ondergewaardeerd zijn en waar we goed naar willen kijken. Die lijst zal u zo snel mogelijk toegestuurd worden.

Een probleem dat ik al met de militairen besproken heb, heeft te maken met het gewicht van de cellenstof. We gebruiken Metzeler- en Continental-materiaal in verschillende verhoudingen. Het is beproefd materiaal en daar zou ook geen enkel probleem mee moeten zijn. Waarschijnlijk is bij de bevestiging van de overdruk- en manoeuvreerventielen een zwaardere stof gebruikt, of een extra versterking aangebracht. Wij naderen een kritische grens. Wij dachten dat het onmogelijk was dat bij deze stof elektrostatische lading zou optreden, maar helemaal zeker zijn we daar niet meer van. Daar komt nog iets bij en daarom heb ik met de militairen hierover geredetwist. De stof aan de buitenzijde, het pegamoidkatoen, is al verschillende malen beschilderd, eerst vanwege de technische eisen en later omdat er een militaire order kwam de buitenzijde te beschilderen in Turkse patronen; daarom dreigt ook die stof een grens te overschrijden.

Het grootste probleem heeft te maken met de propellers. Er zijn vier nazimotoren geleverd. Siemens & Halske. De begeleidende, fascistische technici waren onaanvaardbaar onbeschoft. Na enkele weken waren die godzijdank weer opgerot. De motoren drijven drievleugelige stalen propellers aan. Tot nu toe zijn we er niet in geslaagd de propellers goed uit te balanceren. Er treden vibraties op. Het effect is moeilijk te berekenen. Sommigen willen de propellers nu al vervangen, maar dat zou vertraging en uitstel van de proefvlucht betekenen.

Van het succes van de proefvlucht hangt het slagen van

het hele project af. Dan zal blijken of alles wat op papier uitgerekend is, ook in de werkelijkheid klopt. Bovendien zal vanaf die dag het project openbaar zijn. Wat wil het Militair eigenlijk? Iedereen die te dichtbij komt blinddoeken? Alle berichtgeving verbieden? Mensen die vinden dat ze zojuist de bijzonderste verschijning in hun leven hebben gezien, zullen hun mond niet houden. Enfin, ik hoop dat het luchtschip en de fabriek geheim kunnen blijven, want aan nieuwsgierigen hebben we hier niets. De ergst denkbare combinatie is, vanzelfsprekend, algemene bekendheid en een mislukking. Er zijn veel puzzels op te lossen, maar over vrede, vreugde en eierkoeken hoef ik u geen rapporten te sturen.

8. Wat zijn de afspraken?

De belangrijkste afspraak is dat de proefvlucht, die in de ochtend van 7 mei 1937 moet plaatsvinden, alleen zal dienen om de problemen te registreren, niet om ze te verhelpen. Later zullen meer proefvluchten volgen. Verder is afgesproken dat iedereen bij start en landing ingezet zal worden bij de ankertouwen.

Uiterlijk op 1 mei worden de stalen gasflessen geleverd. Het leger zorgt voor transport en opslag van de flessen en heeft al een plaats aangewezen waar de flessen gelagerd moeten worden. Er zijn verschillende berekeningen gemaakt hoe de gascellen van het luchtschip gelijktijdig gevuld moeten worden. Het is duidelijk dat alleen al het vullen van de gascellen met de warklomp van slangen, ventielen en tussenstukken, een operatie van reuzen zal zijn. Ik heb bepaald dat de gascellen voor zeventig procent gevuld moeten worden in de hal. Het bijvullen moet op 7 mei in de vroege ochtend buiten op het veld plaatsvinden. Het is mogelijk met minder waterballast het luchtschip eenvoudig uit de hal te laten glijden op de zwenkwielen.

Daarna worden gas en water bijgevuld om de juiste verhouding te krijgen.

Mij bleek uit de tekeningen dat de militairen een podium wensten. Zonder overleg te plegen hadden zij een plaats bepaald. Als president Atatürk kwam, wilden ze een plankier bouwen. Hij kon wat gemakkelijker lopen en hoefde niet door de kluiten aarde te baggeren. Dat klonk redelijk maar het ging om de plaats. Aan een opperste militair die zich nogal driftig maakte over onze bemoeienis, maakte ik duidelijk dat dat plankier en dat podium best waren, maar dat de plaats onmogelijk was.

En waarom ik dacht dat deze plaats voor de president niet kon?

Omdat de president dan wel op het podium zou staan maar tevens gruwelijk in de weg en omdat wij het luchtschip niet voldoende konden draaien.

Dan draaiden we het luchtschip maar ergens anders.

Of de generaal wilde aanwijzen waar wij wel konden draaien. Maar dat hij ongetwijfeld zag dat dáár de hal was, met dáár de grote deuren, dat dáár het luchtschip uit kwam en dat de manoeuvre dus hier moest beginnen.

Hoeveel meter ik dacht dat de president achteruit moest gaan (met hoon, maar wel tot mijn opluchting). En toen ik een plaats aanwees, was het opnieuw: onmogelijk.

Het werd erger toen er een rookveto ter sprake kwam.

De Gazi zou ongetwijfeld zelf op het verstandige idee komen dat roken hier minder gewenst was, maar om dat van tevoren te verbieden, wie dachten wij wel dat we waren?

Ze moeten mij geen stenen in de weg leggen. Dramatisch wees ik op de plaats van de gasflessen, die daar in lange rijen in lage houten loodsen klaar zouden liggen. Ik merkte op dat als de Gazi één trek nam van een sigaret, iedereen, de Gazi inhoudelijk, in de lucht zou vliegen en in vele kleine stukken weer neer zou dalen. Ik eiste de plaats van het podium een flink eind terug en een rookveto voor iedere bezoeker, ook voor de Gazi, op het hele terrein. De militair was buiten zich woedend maar ik liep weg en zei dat dit mijn laatste bod was. Ging de generaal er niet mee akkoord, dan ging de proefvlucht niet door.

9. Uw vereniging bloeit. U heeft de bescherming van de machtige president van de republiek. Voor u wordt gecollecteerd. Voor u worden geld en sympathie verzameld. Jaren geleden, voordat ik naar dit land kwam, is er al een grote loterij ten bate van de luchtvaart georganiseerd. Op alle religieuze feestdagen verkopen kinderen blikspeldjes voor uw vereniging. Als boven de dorpen de vliegtuigen verschijnen, klappen de mensen. Niet voor de piloot, want dat die het applaus niet kan horen, begrijpen de dorpelingen ook wel. Maar ze klappen voor zichzelf want dankzij hun bijdragen is dit supersnelle buldergeraas tot stand gekomen.

Maar u moet in uw positie van belanghebbende bij het machtigste en modernste wat de republiek te bieden heeft, de menselijke maat niet uit het oog verliezen.

Moge de Allerhoogste, die u Allah noemt, uw Halâskar Gazi, Mustafa Kemal Atatürk, en u allen beschermen en behoeden.

TWEEDE DEEL

Het land

Simon Krisztián

Het kleine kamp bij de zee, waar we terechtkwamen toen we de gevangenis mochten verlaten, was niet eens zo'n slecht kamp. De behandeling was redelijk; het eten ging wel. De ene dag kregen we een soort rijstsoep, de andere dag aten we brood dat erg oud was; vaak waren er bonen of linzen. Wie het eten niet lustte, gooide het maar terug in de metalen emmers. Om het kamp met de krijgsgevangenen stonden kapotte en misvormde rotbomen, die spottend een scala van vergroeiingen en verwondingen toonden; krom, grillig, als stille veteranen stonden die pijnbomen op de hellingen. De gehavende Krim-den noemden wij dat soort en we vonden het een mooie Jac. P. Thijssenaam.

Als je over een smal pad naar boven liep en op een bepaalde plek ging staan, kon je tussen de gehavende Krimdennen door een mistig stuk verte zien, waarvan sommigen beweerden dat het de zee was. Hoe Otto en ik ook tuurden, het lukte ons niet om in die heiige verte golven te zien, of het zeil van een Cyprische bark, laat staan een oorlogsschip. Het kamp bestond weldra uit gelovigen, die zeker wisten dat ze daar op die top de zee konden zien, en sceptici zoals wij, die concrete verschijningen van golven en boten verlangden en die met argumenten probeerden aan te tonen dat dat stukje wazige verte evengoed een mistig dal kon zijn of een blauw weerkaatsend gebergte of zelfs een muur, in een verleidelijke kleur geschilderd en dichterbij dan wij vermoedden.

Van eenzelfde goedgelovige instelling getuigde het verhaal dat er in de buurt bereidwillige meiden liepen. Nooit was er een bewijs of zelfs maar een goed gedetailleerd verhaal dat een van die wijven de wijde, stoffige Turkse broek daadwerkelijk had laten zakken en de hijgende westerling na jaren van onthouding van haar haremkont had laten genieten. De verteller suggereerde; de verteller had het slechts gehoord van anderen. De inlandse meiden hoefden niets te vrezen, want de pleuris zou uitbreken als er wat met de bevolking gebeurde. Bovendien zou het niemand van ons lukken met zo'n meisje aan te pappen. Voor een verfijnde kennismaking ontbrak ons de mogelijkheid iets vriendelijks in het Turks te zeggen, en voor recht op en neer ontbrak ons de lichamelijke conditie. Hoe je je als geraamte overeind houdt tegenover de hunkerende blik van zo'n Turkse wilde, ik zou het niet weten.

Opnieuw verdeelde de groep zich in gelovigen en sceptici. Ik moet zeggen: de gelovigen hadden het het gemakkelijkst. Omdat zij dat verhaal met zichzelf en de Turkse schoonheid in de hoofdrollen geloofden, was daarmee de kous af. De sceptici zaten met de vervelende verplichting de onzin van dat geloof aan te tonen, steeds te verzinnen wat wél de moeite waard was. Zij moesten de ruwe werkelijkheid tonen, dat namelijk diezelfde meiden, die door de andere mooie geile jonge wijven genoemd werden, in feite verlepte boerse vrouwen waren, die nooit iets met een vreemde zouden willen uitvreten.

Wat absoluut niet op geloof berustte en waar ook geen enkele vorm van scepsis bij nodig was, was het idiote feit dat een van de gevangenen in de wond van zijn been, nog dieper dus dan in de lappen die dat halve been verbonden, bijna in de restanten bot en vlees gestampt, een doosje verborgen bleek te hebben, dat, nooit gecontroleerd, nooit opgemerkt, nooit afgepakt, drie sigaren van Amerikaanse tabak, White Owl Brand, bleek te bevatten en een aantal marshmallows, merk Angelus. Als het diepste geheim haalde hij ze tevoorschijn, liet ze aan een kleine kring bewonderaars zien en verborg alles weer in de stomp. We mochten aan de sigaren ruiken, we mochten de marshmallows aanraken, maar altijd stopte hij ze weer weg. Het bezit was belangrijk, de consumptie onmogelijk.

We waren met achtentwintig gevangenen toen de twee Schotten nog in leven waren; we werden dagelijks geteld, maar we konden geen kant op. De militaire bewakers verveelden zich. Als ze een auto ter beschikking hadden, vermaakten ze zich met het van de weg af knallen van schildpadden. In de schemer zag je over half verharde wegen jonge schildpadden schuifelen en als je zo'n beest met het autowiel raakte, dan hoorde je óf de knal waarmee het schild van het beest uit elkaar spatte óf een korte tik: dan was de band net over de rand van het schild gerold en werd de schildpad weggeschoten, een paar meter verderop het struikgewas in. Scheurde je goed hard en raakte je hem precies, dan vloog hij met een geweldige vaart en een prachtige boog naar een eind verderop. Wij zochten ze later op omdat ze eetbaar waren, en als het schild in stukken was gebroken kon je gemakkelijk het vlees eruit peuteren.

Wekenlang heb ik in dat kamp last gehad van een geluid dat minuten aan kon houden. Een soort machientje, een snorrend geluid, dat aanzwol en afzwakte, alsof het langsvloog.

Later werden we naar het oosten getransporteerd. We moesten lopen en passeerden dorpen waar zwijgende en verbeten vrouwen de colonne vreemdelingen zagen langstrekken. Na een dag of drie konden sommigen niet meer en toen het gevaar dreigde dat die mensen zomaar werden achtergelaten, weigerde de hele groep verder te trekken. Er kwam een boer langs met een wagen; op de houten bodem, tussen de vier grote wielen en de rechtopstaande, met gevlochten twijgen versterkte rekken, lagen twee runderen met uitzonderlijk lange horens, die met hun kop aan de rekken gebonden waren en in paniek hun ogen over de weg lieten dwalen. De boer werd aangehouden, waarna een woedend protest volgde. Scheldend klom hij van zijn kar, trok het achterste hek naar beneden en begon de runderen los te maken. De beesten werden de wagen uit getrokken, wat een angstig moment opleverde omdat we dachten dat een van de poten kraakte. De zwaksten van ons werden op de kar gehesen; een militair zette zich op de bok en we gingen verder met achter ons de boer, die zijn koeien over de weg begon te trekken en gedurende uren nog zichtbaar bleef met zijn schonkige, dwars bewegende beesten. Zo kwamen we na twee weken sjouwen en met drie boerenwagens, zodat we het idee hadden dat we traag en comfortabel het land onder ons door zagen rollen, bij een plaats waar een station was en waar verschillende andere groepen krijgsgevangenen wachtten.

Hé, fuck, Britten. Wat die hier deden. Waar de pub was. Of zij ons nog wat extra Lemon Jelly Marmalade konden lenen. Fuck, fuck.

Bij die anderen zaten een paar chagrijnige bewakers, die de groepen uit elkaar begonnen te slaan. We moesten wachten en we probeerden wat te slapen, maar steeds schrokken we wakker van het gillen van mannen die in hun slaap alsnog geëxecuteerd werden of een vijandelijke aanval opnieuw beleefden. Het duurde vijf dagen, waarin het steeds kouder werd en waarin we bijna geen eten kregen. Toen er een trein kwam, bestond die uit een speelgoedlocomotief en acht goederenwagons van houten bakken op een ijzeren onderstel, gaas voor de openingen en platte, bemoste daken. Iedere groep kreeg een wagon of een deel daarvan toegewezen; wij kregen plaatsen boven op het dak van de derde wagon.

Het vroor in het begin niet hard, maar reizen op het dak van een trein is in alle weersomstandigheden een verschrikking. De wind en de rook die in je gezicht slaan veroorzaken een constante, steeds erger wordende gezichtspijn. Als je met je rug in de rijrichting gaat zitten, is het of er met planken op je rug geslagen wordt en de wind draait om je capuchon en vindt alsnog je al ontstoken ogen. De vorst bleek op onbeschutte plaatsen van een strengheid als in een hooggebergte. Sommigen bonden doeken om hun harses, anderen gingen tegen elkaar liggen en bewogen niet meer. In de hoek stak een luchtpijp uit het dak; de lucht uit de stampvolle wagon onder ons was behaaglijk en wij sjorden degene die het het hardste nodig had naar de metalen uitlaatklep, zodat de kou voor de stumper getemperd werd. Soms scheen de zon, dan was het alsof er overal vrede was, terwijl dat schitterend witte land aan ons voorbijgleed, maar als de avond viel moesten we ons wapenen tegen de verschrikking van de nacht.

Het ergste was de Liverpudlian eraan toe, die een half been had verloren. Zijn wond was opengegaan, zijn verband waardeloos geworden, hij leed pijn. In het diepst van de winter ontdekte hij dat de marshmallows verloren waren gegaan; misschien waren ze klevend aan een smerige lap van de trein gegooid. Hij was bereid zijn wond verder open te rukken om dat pakje Angelus-marshmallows terug te vinden. Wij konden hem tegenhouden, maar toen hij bij deze voor iedereen zichtbare inspectie – alsof hij het heiligste, intiemste geheim van zijn leven boven op de trein in de volle zon openbaarde – bovendien ontdekte dat de White Owl Brand-sigaren met bloed doorlopen waren en opgedroogd en verkruimeld bleken, begon hij zacht jankend te murmelen. In de schemer liet hij zich van het dak van de wagon rollen. Dat murmelen stopte abrupt toen zijn lichaam tegen een korte paal naast het spoor smakte, bijna dubbelvouwde en in een onmogelijke houding tegen een struik bleef liggen.

Hoe lang we oostwaarts gereisd hadden, viel niet na te gaan, niet in de dagen daarna en ook niet zoveel jaar achteraf.

Bij het zoveelste oponthoud, omdat de rails opgebroken waren of omdat een brug vernield was, zodat wij opnieuw moesten omlopen, stuitten wij op een Duits legeronderdeel, een bevoorradingstransport met een complete veldkeuken. In een land waar iedereen de hongerdood dreigde te sterven, zagen wij moffen met een veldkeuken in bedrijf; het rook alsof ze over een klein uur de Kaiser verwachtten. Ze hadden natuurlijk een paar schapen gestolen. Vier, vijf koks stonden met een groot mes in hun hand naar ons te kijken terwijl we langs sjokten.

'Otto! Duitsers! Zullen we het proberen?'

Ondanks een ogenblikkelijk opklinkend protest liepen Otto en ik als op een afgesproken sein uit de rij, naar de veldkeuken. Er werd een geweer gericht en wij werden in het Duits gemaand te blijven staan. Otto en ik spraken samen niet meer dan tien woorden Duits, maar we hoopten dat ze ons Hollands zouden herkennen; tot ons onuitsprekelijk geluk was een van de militairen daar, een Duitse officier, in staat wat Turks te spreken. Hij zei iets en de Turkse bewaker zei wat terug. De officier vroeg wat we wilden.

Hoe we het deden weet ik niet, maar het lukte ons die Duitser aan het verstand te brengen dat wij voor Engelsen werden aangezien, dat wij krijgsgevangenen waren, dat dat helemaal niet kon, dat we Hollanders waren, dat

92

Holland neutraal was. Intussen braadde dat schaap daar en moest iedereen achter ons doorlopen en stonden wij in die hemelse geuren.

Enkele Turkse officieren kwamen langs en bemoeiden zich ermee. De Duitser legde het probleem uit, waarop een van de Turken tegen ons ging schelden. Dat pikte die mof niet, die wilde de zaken netjes afhandelen. Van beide kanten werden er hogeren bij gehaald; Otto en ik werden gesommeerd apart te gaan staan. Wat wij wilden, werd ons gevraagd.

Dat wisten wij wel: vrijheid natuurlijk, vrij, naar huis terug.

De Turken zeiden dat wij met de Engelsen hadden mee-gevochten.

Dat ontkenden wij glashard. Wij hadden niet gevoch-ten.

Wat deden wij hier dan, vroegen de Duitsers.

Helpen. Wij waren van het Rode Kruis.

Dat was een briljant idee van Otto. 'Rote Kreuz.' Later hebben we erom gelachen, maar tussen die Duitse auto's en die treurige Turkse stoet klonk het volslagen vanzelf-sprekend; geen Red Cross, maar Rote Kreuz, alsof we onze diensten alleen of voornamelijk aan de Duitse zijde aan-boden.

'De Turken zeggen dat zij jullie willen overdragen als wij jullie als krijgsgevangenen accepteren. Gaan jullie daarmee akkoord?'

Wie zou dat niet: overstappen van een meester die al-leen rotzooi had en ons in krotten onderbracht met lui-zen als voedsel, naar een meester met tenten en auto's die schapenvlees stond te braden. De Turken trokken verder, de Duitsers lachten om ons; we kregen de smakelijke res-ten van het schaap. We zaten op een houten bank en een van die Duitsers kwam ons wat verlegen een nogal lelijke wond laten zien. Otto legde uit dat alle verband was afgenomen, maar verband hadden ze zelf wel en dokter Otto Beets verbond het been, genas de wond en wij werden vereerd als Jezus Christus en zijn goddelijke broer. Wij bleven ongeveer drie weken bij die Duitsers en toen kregen we te horen dat we vrij waren; ze waarschuwden nog dat er overal geteisem rondzwierf, gedeserteerde Turkse militairen die zich in radeloze groepen door het land vochten.

De stad die wij na de zomer bereikten maakte op ons een verlaten indruk. Het geluid dat normaal opsteeg uit een stad, een vrij constante brom of zoem of een dooreenvloeien van stemmen en boven alles uit het vrolijke geschreeuw van kinderen, dat geluid ontbrak. Het was stil op het waaien van de wind na, die ergens een zeil of een doek deed klepperen; voor de meeste huizen en winkels waren houten, rechtopstaande latten getimmerd. In de verte loerden een paar mensen naar ons vanachter een houten uitbouw bij een huis, een kleine veranda met een golfplaten dak, maar toen ze merkten dat wij die kant op kwamen, schoten ze weg. De kleine veranda was vuil, lag vol met rotzooi en het leek alsof er in jaren geen mens had gezeten.

Overal in Turkije heerste wetteloosheid, de maatschappij was volkomen ontwricht. Wij liepen daar rond in de veronderstelling dat we naar huis zouden trekken, een boot konden oppikken die ons naar huis zou brengen. Wat wisten wij van de wereld? Wat wisten wij van dat enorme land waar we in vastzaten? Ik herinner me niet precies wat we in zo'n stad verwachtten. Waarschijnlijk zochten we een station, een plaats waar mensen vertrokken, een kantoor van waaruit je brieven kon zenden, maar er was niets van dat alles; in plaats van communicatie, vervoer en service vonden we anarchie, het recht van de sterkste, ongastvrijheid, bedreiging, honger.

Tegen zonsondergang hoorden we plotseling het geluid dat we de hele middag al gemist hadden: we hoorden
mensen praten, stemmen door elkaar heen. Via een sleuf
kwamen we in een smalle ruimte tussen twee muren van
brokken klei. Voor ons zagen we een open ruimte en het
leek alsof de hele bevolking zich hier, op dit plein, had verzameld.

De bodem van het plein was opengehakt en overal lagen brokken grond en rotsblokken. Dwars over de ruimte
hingen koorden, waarover witte lappen gespannen waren
om overdag de werkers te beschermen tegen zon of regen.
Aan één kant stroomde wat vuil water door een goot; op
het plein waren mensen bezig met emmers en vaten. Vooraan, op een stoel die dwars over de smerige waterstroom
geplaatst was, zat een oude man die met eerbied werd behandeld en die af en toe een aanwijzing riep. Er werd vuur
gemaakt en de rook die daarbij vrijkwam bleef onder de
witte gespannen doeken hangen, zodat er een spookachtig
schimmenspel ontstond van mensen die druk in de weer
waren, die water overgoten van de ene in de andere ton of
kuip en die zichtbaar werden omdat de rook optrok of in
vlagen de andere kant op geblazen werd. Werd het wei-
nige eten dat er was, klaargemaakt op de vuren en eerlijk
verdeeld?

Toen kwam dat besef, waarmee alles als bij toverslag
voor onze ogen veranderde. Dat wil zeggen, er veranderde
niets voor onze ogen, of bijna niets, misschien een detail
net buiten ons blikveld. De verandering zat veel meer in
de interpretatie.

De oude man op de stoel, zwevend boven dat riool, leek
op een bewaker van een hel, die met harde stem iedereen
aanvuurde. Er zat een patroon in de bewegingen: men trof
voorbereidingen, de vuren werden heter gestookt dan voor
een maaltijd nodig was. Iedere keer als de wind de rook

een andere kant op woei en de verhitte gezichten met de verontwaardigde trekken tevoorschijn kwamen, drong het tot ons door dat dit niet de plaats was waar vreemdelingen met eerbied werden ontvangen. Wie niet hoorde tot de stam en het geloof van deze mensen, moest voorzichtig zijn.

Alsof die ouwe op die krakerige stoel zat te regisseren, kreeg alle chaos plotseling richting. Een van de jongens nam een aanloop, sprong tegen een gevel op en greep zich vast aan de dakrand; terwijl de stemmen hem aanmoedigden, hees hij zich op en kroop naar een dakraam. Hij trapte de constructie kapot en liggend op het schuine dak liet hij zich een fakkel aanreiken, die hij naar binnen gooide, en toen nog een, en een derde.

Steek de fik in de Armeniër, de christen en de Jood; want de eerste had de Rus geholpen; de tweede had ons land aangevallen en bezet, en de derde had onze meubels en kleren en sieraden opgekocht.

Er ontsnapte een jonge vrouw uit het brandende huis; gillend rende zij rond in haar wijde donkere kleren en zij probeerde de grijpende en slaande handen te ontwijken. Er ontstond een vechtende kluwen en tien tellen later zagen wij hoe de opgejaagde vrouw nu spiernaakt haar rondjes draaide.

In die herrie, waarin bovendien nog een deel van het dak naar beneden viel, speelde zich vlak voor onze ogen een bizar detail af.

Een meisje had bij het meedansen, of bij het gillen, of vermoorden, of bij het in brand steken van haar buren, ongemak van het kleine pakket dat ze moest meezeulen. Ze rende naar de ouwe, die op zijn stoel zat te gebaren. Ze legde het pakketje bij hem neer en verdween. Het moest een kind zijn, in een lap gedraaid en zorgvuldig vastgebonden

zodat het als een bundeltje gedragen kon worden. De ouwe had er nauwelijks belangstelling voor en had met een
ongeduldig gebaar de plaats aangewezen waar de kleine
neergelegd kon worden.

Precies op het moment dat die ouwe moeizaam van zijn
stoel af klom, bijna in het sijpelende riool viel, en zich naar
de vaten bewoog, precies op het moment dat iedereen in
beslag genomen werd door de brand omdat de ernaast gelegen krotwoning vlam vatte, zei Otto dat we weg moesten. Een sprong van misschien tien meter en de meeste fu-
riën waren onzichtbaar omdat ze zich in een dichte zwa-
velrook bevonden. Ik stond op, rende gebukt naar voren,
hoorde nog de waarschuwende kreet van Otto, greep het
kind, zag dat de ouwe zich weer omdraaide en de rook uit
zijn ogen wreef en ik schoot met het bundeltje weer de
smalle steeg in waar we ons verstopt hadden.

'Gek! Wat doe je?' riep Otto.

'Wegwezen,' zei ik, en klemde de kleine tegen mij aan.
We moesten over een kleine versperring stappen. We renden door een doodstille straat, zagen bij een hoek de rook
hangen, schoten een straatje in langs een kleine moskee,
zagen de brug in de verte en vonden de weg om veilig de
stad uit te komen. Niemand kon ons hebben waargeno-
men. Die ouwe kon niet meer dan een schim gezien hebben, een schim die hem waarschijnlijk onverschillig liet
omdat het leven zich aan de andere kant afspeelde. Daar
waren de wraak en de gerechtigheid te vinden. De schim
die het kind meenam was even vaag als de jonge vrouw die
hij onverschillig had gewezen waar ze het kind kon achterlaten. Toen we het kind voorzichtig uitpakten, zagen we
dat ik een dochter had gekregen.

Dünya Şuman

Ach, mijn tragisch gestorven man. Natuurlijk heeft hij mij een grote liefde proberen bij te brengen voor het land dat lange tijd onze trouwste bondgenoot is geweest. Buren en anderen wisten het niet precies. Hoe lang zijn familie al in het Osmaanse Rijk ingeburgerd was. Zij dachten soms bij het horen van zijn naam dat hij de Duitse nationaliteit bezat. Dat hij een zimmi was. Zo'n beschermde christen of Jood. Toen ik, net zeventien jaar oud, vlak voor het uitbreken van de oorlog, met hem huwde, kreeg ik zijn Duitse naam. Maar ook zijn gevoel van verbondenheid met dat verre vreemde land. Het strekte zich uit van de koude IJszee in het uiterste noorden tot de warme kusten in de buurt van Venetië. Een land van ijzer en muziek. Aldus mijn man. Mijn naam Dünya betekent 'Wereld'; nu ben je een vrouw van de wereld, zei mijn man.

In de zomer en de winter dat wij getrouwd waren, voordat hij die verschrikkelijke tocht tegen de Armeniërs moest voorbereiden, heeft hij mij veel wetenswaardigheden verteld over het grote rijk in het midden van Europa. Dat het, net als het Osmaanse Rijk, zo groot was dat er verschillende volkeren bij hoorden. Die allemaal het christelijke geloof aanhingen met eigen varianten. Die allemaal dezelfde taal spraken, ook met eigen varianten. Wat dat betreft is er weinig nieuws onder de zon. Hij vertelde dat de mannen in het ene deel van dat rijk in leren broeken liepen en in een ander deel in blauwe hemden. Dat vrouwen in het zuidelijke land wijde zwarte rokken droegen, die Schwalm werden genoemd, uit te spreken met een vette tuitkanbeweging van de lippen, waar hij heel goed in was, in dat uitspreken van Schwalm. Maar alle Duitsers hadden hetzelfde geldstuk en dezelfde keizer.

In het begin van ons huwelijk droomde ik van de Duitse keizer. Dat komt omdat ik de zeer jeugdige keizer op een fotografie in onze kamer had staan; als ik alleen was, staarde ik lange tijd in gedachten verzonken naar dat portret. Mijn man vertelde in de avonduren over de keizer. Hoe die als klein kind iedere dag in een ijskoud vertrek opgesloten werd, waar hij de namen van alle Duitse koningen en keizers uit zijn hoofd moest leren. En daarna de data van alle veldslagen en huwelijken en staatsbanketten. Hij mocht niet aan de feestelijk verlichte tafel zitten, maar hij moest aan een apart tafeltje eenvoudig zwartbrood en koolrapen en bremzoute surrogaatworstjes eten. Geblinddoekt, opdat hij niet door de luxe overweldigd zou worden. Hij moest slapen onder een dunne paardendeken en met een wacht voor de deur die Duitse soldatenliedjes zong. 'Der stürmische Morgen' en 'Die Nebensonnen' kende mijn man nog. Als ik aan zo'n klein kind dacht, liepen vooral bij het laatste lied mij de rillingen over de rug. Maar toen zijn vader stierf, werd hij als de nieuwe keizer prachtig aangekleed en voor de belangrijkste mannen en vrouwen van Duitsland gezet. Hij zei dat hij de naam Wilhelm II zou dragen en hij hield al de eerste dag van zijn keizerschap een belangrijke redevoering over de plicht, die hij Heilige Pflicht noemde, en men begreep dat deze jongeman behalve keizer ook een groot filosoof was en men prees zich gelukkig met deze keizer.

Gut, ja, ik was erg jong toen we trouwden.

En toen kwam de oorlog. We streden zij aan zij met de Duitsers en met de wereldberoemde generaal Liman von

Sanders aan onze kant tegen de Engelsen, die onze boten gestolen hadden. En tegen de Russen, die onze islamitische landgenoten in Kars en Trabzon en Erzurum vermoord hadden. En helaas ook tegen de Fransen, die ons niets gedaan hadden en die, waar later de Karlmann Pasajı kwam, een Bon Marché dreven.

Die Fransen hebben de eerste twijfels gezaaid, maar o ja, er was nog iets anders. Omdat mijn man deel uitmaakte van het hoge regeringsapparaat en veel mensen met een beroemde naam goed kende, had hij een scherpe kijk op de kwaliteiten van die mensen. En het was bij hem mooi niet zo dat een hogergeplaatste automatisch een goed en degelijk en betrouwbaar persoon was. Een van de belangrijkste mensen in het land sinds de Bab-ı Alî-coup was Enver Paşa. Enver was Duitsgezind en heeft mijn man een aantal keren om raad gevraagd. Mijn man vond Enver een verwaande kwast, een arrogante, zelfingenomen vlegel, die niets gaf om de mensen in de straat en alleen eigen glorie nastreefde. Voor mij begon iets van de ergernis die wij voelden ten opzichte van de ijdele Enver af te stralen op de bondgenoot, de aanbeden keizer van alle Duitsers, de opvolger van de Byzantijnse imperators, van de keizers van het Heilige Roomse Rijk, van alle Duitse vorsten, koningen en hertogen, der Kaiser Wilhelm II.

Ach, soms herinner ik mij de prentjes en de versierde eerbewijzen die ik verzamelde in de eenzame nadagen van mijn huwelijk. Mijn man had de Britten verslagen bij Gallipoli. Wij gingen de oorlog winnen, samen met de Duitsers. Ik maakte een boek met ansichten over de grote keizer. Uit mijn huwelijksjaar is niets bewaard. Een vrouw moet kiezen. Zij kan niet alles bewaren. Niet én haar huwelijk én de tijd dat zij zich als allemansvriendin vermaakt en zich aansluit bij schuinsmarcheerders en onbetrouwbare charmeurs. Soms komt zo'n ansicht, met lichtweerkaatsende microgouddeeltjes, als een herinnering naar boven. Een herinnering aan een onwezenlijke maar niet ongelukkige tijd. Dan zie ik een fotografie voor me van de jonge keizer, ambitieus, vlammend, duidelijk op weg naar de positie van held of halfgod. Zijn jas is versierd met kabels, tressen, epauletten, metalen sterren en sjerpen. Hij vouwt zijn handen omdat zijn linkerhand anders een verdacht eigen leven gaat leiden. Zijn gezicht is het gezicht van een poseur. Om zichzelf moet hij vaak gelachen hebben. De adelaar op zijn helm draagt de kroon die hij zelf niet meer op kan, omdat hij al een glimmende helm op het hoofd draagt. De snor is met pommade in Germaanse juichstand gezet. In Arabisch schrift heb ik erboven geschreven dat Allah hem moet beschermen. Ik heb een kleurig lint om de foto getekend.

In gedachte druk ik een kus op de foto. Niet omdat ik nog steeds die puber ben, verliefd op een verre, verminkte man die speelde dat hij keizer was. Maar omdat de foto een getuigenis is van een periode in mijn leven die abrupt is afgebroken met de dood van mijn man. Een leven dat nooit verder is gegaan en waar ik ondanks alles gelukkige herinneringen aan bewaar.

Veel later, in de late jaren twintig, raakte ik bevriend met buitenlanders, die honend beweerden dat Wilhelm een oorlogsmisdadiger en een agressieve stoker was en dat zij, Britten, Fransen, Amerikanen, een goede oorlog hadden gevoerd voor nobele doelen. Het had voor mij geen zin een liefde voor Wilhelm te blijven volhouden. Ik wist niet hoe snel ik moest draaien. Al die lekkere kerels die goed van betalen waren, allemaal waren ze tegen de Duitsers en vooral tegen Wilhelm. Ze kenden allemaal mensen die gesneuveld waren. Ik had mijn uitgaansavonden in Beyoğlu wel kunnen vergeten als ik mij als Duitsvriendelijk had gepresenteerd. Ik hield mijn verhalen voor me. Zij niet. En luisterend bedacht ik dat die Wilhelm mij toch minder kon schelen dan ik altijd gezegd had.

Mijn man heeft mij op een van de avonden van ons huwelijk een verhaal verteld over een beroemde Duitse schrijver, een zekere Goethe ('Faust!' riep mijn man er altijd bij), die een groot bewonderaar was van de Franse keizer Napoleon. Dat was tot daaraan toe, zolang die Napoleon veldtochten maakte naar Italië of Egypte of Holland, maar Napoleon trok ook naar de Duitse landen en vocht bij Jena, bij Leipzig, in Pruisen. Die Goethe kwam als Duitser met zijn sympathie voor Napoleon in een kil isolement. Want al waren er genoeg mensen die zich niets van die oorlogen aantrokken, vooral de Pruisen waren fel gekant tegen Napoleon. Mijn man beschreef de eenzame situatie waaraan die Goethe (Faust!), hoe belangrijk hij als schrijver ook was, ten prooi was gevallen. Dat heeft mij diep geraakt. Eenzaamheid. Dat was niets voor mij. En bewondering voor Napoleon of Wilhelm of niet, ik koos in de naoorlogse feestelijke tijd partij voor de Britten en de Fransen. Er waren niet eens veel avonden nodig om mijn jarenlang gekoesterde glorie van Wilhelm II te vervangen door een lauwe onverschilligheid. Zijn lamme poot begon me te ergeren. Dat hij nooit meer iets van zich liet horen vanuit dat Hollandse dorp waar hij zijn dagen sleet, vond ik de beste oplossing.

Ach jee, ik had zoveel dierbare herinneringen. Die nachten in Beyoğlu. Een van de mooiste souvenirs was een fotografie. Ik had er zo vaak naar gekeken dat ik elke vlinderdas, elk schoenriempje uit het hoofd kende. De plaat is gemaakt in de Türkuvaz Salonu.

Ik droeg mijn zwarte zijden jurk en mijn kousen die

met zilverdraad waren geweven. Wat konden die super-
chic glimmen. Bij het verzetten van mijn been gaven zij
een extravagante weerschijn. Een splendide broche hing
bij de sluiting van mijn jurk tussen mijn borsten. Er waren
verschillende meisjes. Op de foto zie je veren stola's, zilveren haarnetjes en frappant veel blote schouders. Ik kwam
terecht naast een jonge vrouw met een kostbaar hoofddeksel, dat als een halve zonneschijf rechtop op haar hoofd
stond, en over deze spierwitte sikkelvormige hoed droeg
zij een figuur van geknoopte parelsnoeren, die ook een
deel van het haar bedekte. Verder was ze in het wit gekleed. Haar jurk had dunne bandjes over de schouders, wat
haar vormen sensueel liet uitkomen. Degene die de maaltijd aanbood had ons engelen genoemd en gezegd dat we
ons vrolijk konden gedragen.

Toen alle borden waren afgeruimd en er hier en daar
alleen nog maar een glas stond, kwam een jongen, Selahattin Giz, het gezelschap fotograferen. De tafels werden
verschoven, een paar heren stonden op en posteerden zich
achter de organisator van deze feestelijke maaltijd. In het
midden zat onze weldoener. Aan de voorzijde van de groep,
ongetwijfeld fraai uitkomend op het fotografisch resultaat,
zaten de witte dame met het sikkelvormige hoedje en ik.

Wat voor gedachten gingen door je heen als zo'n foto
werd genomen? Het besef natuurlijk dat dit een uniek document voor de geschiedenis was. Dat wij deel uitmaakten
van die geschiedenis en dat aan ons te zien zou zijn, later,
hoe wij feestvierden en de gedachte hooghielden dat het
leven in Beyoğlu de moeite waard was.

Tegelijk ging er een grote ernst door je heen en dat is
te zien op zo'n foto. Het bewustzijn dat we, wonend in de
oudste stad van dit Europees-Aziatisch land, deel uitmaakten van een elite en als zodanig ook onze verplichtingen
hadden. Anders had Selahattin Giz ons niet hoeven te foto-

graferen. Niemand lachte. Iedereen poseerde ernstig. De heren vastberaden. De dames weemoedig.

Een van de dames staat er vaag op. Nou, wel bekome! Het is haar eigen schuld. Het betekent dat zij als een neuroot heeft zitten draaien. Iedereen weet dat je bij het nemen van een foto stil moet zitten. Zelf zit ik voorbeeldig stil. Het zwart kleedt mij af. Mijn handen houd ik elegant bij elkaar en met de linker ondersteun ik de rechter, waarbij de vingers een weinig gespreid zijn, wat de lengte van de hand ten goede komt en de ringen fraai laat uitkomen.

Er valt een schaduw over mijn wang. Dat maakt mijn gezicht smaller. Er speelt een fraai licht bij het halssieraad. Mijn ene voet steunt elegant voor de andere en door deze houding lijken mijn heupen slank. Van een buik is niets te zien. Krek, ik houd mijn arm er voordelig voor.

Simon Krisztián

Soms zagen wij met het kind kans ergens binnen te blijven; soms konden we een vuur stoken; soms konden we ons hullen in vachten van dode dieren.

Wie toegeeft aan het verlangen naar gevoelloosheid, zal sterven. Wat deden wij om niet te sterven?

Wij bespraken mijn onverwachte ouderschap. Waarom had ik impulsief dat kind daar weggegrist? Had ik werkelijk behoefte aan een klein, afhankelijk wezen dat ik kon koesteren, of was het kille berekening?

Wij bespraken het probleem van twee mannen met een kind. Waren wij nu sociaal?

Wij verzonnen gore moppen ('Komt een temeier van honderd en zoveel kilo...'), spraken woedend over tering-Turken, scholden op die lui die hun buren in brand staken en constateerden dat van dit land geen kloot klopte.

Wij vroegen ons af of het kind van die jonge vrouw was; had zij haar eigen kind neergelegd voor de voeten van die moskeepoetser? Of was het kind van een andere vrouw? Was het kind van een van die dolgedraaide aanvallers of was het uit dat verbrande huis gestolen voor het bij die ouwe werd neergelegd?

Wij snaaiden potten met voedsel uit winkels. Kloten met bloed, leek het soms.

Wij gingen ervan uit dat het kind op de dag dat ik het jatte en tegen mijn lijf drukte om het nooit meer los te laten, ongeveer een halfjaar oud was en wij bepaalden haar geboortedag op 1 maart 1917. Ik was net drieëntwintig jaar toen ik vader werd, Otto was zesentwintig.

Wij vroegen ons af hoe we het kind moesten noemen; we wilden een typisch Hollandse naam.

Typisch Hollands, zei Otto na enig denkwerk, of beter gezegd, Holland op z'n best, was de zeventiende-eeuwse schilderkunst.

O ja? Was dat zo?

Bij Rembrandt hoorde bijvoorbeeld Saskia.

Het zei me niets.

'Ach, dat weet bijna niemand,' zei ik, 'wie er bij zo'n schilder hoort. Het moet bekender zijn, zoiets als Julia bij Romeo, of Victoria bij Engeland, maar dan Hollands.'

We wisten het niet. Ik vroeg Otto nog een beroemde schilder te noemen; misschien dat een nieuwe held de ideale naam kon oproepen.

'Vermeer? Jan Steen? Ruysdael?'

'En Breughel? Pieter Breughel? Dat is hartstikke Hollands; die had van die ijspret en iets met lollige uitdrukkingen.'

'Breughel is een Belg.'

'Weet je dat zeker?'

Het leverde allemaal niets op.

'En iets met boeken? Noem eens een Hollands boek?'

We zwegen en pijnigden onze hersens.

'Vondel?' vroeg ik aarzelend. 'Tja, we hebben nu eenmaal geen Shakespeare.'

We zwegen. Het bleek moeilijk een goede naam te kiezen. Na een tijdje vroeg ik of Shakespeare ook mocht. Otto haalde zijn schouders op.

'Wij zijn toch met de Engelsen meegekomen? Shakespeare staat aan onze kant, zeg maar. Wie hoort er dan bij Shakespeare?'

'Ja, Romeo en Julia dus,' reageerde Otto. 'Julia. Is dat niet iets?'

'Ik ken die twee niet. Die Julia, wat was dat voor een type? Toch niet een of ander kreng? Dan staan we bij terugkomst goed voor schut bij de kenners.'

'Nee toch, het gaat juist om een verliefd stel.'

Ik dacht lang na.

'Esther?' probeerde ik nog, om maar alle mogelijkheden genoemd te hebben.

Diepe verbazing bij Otto. Ik voelde het. 'Esther? Je bent toch geen Jood?'

Ik zweeg een tijd. Julia Krisztián. Ik begon eraan te wennen.

☾

Toen wij laat in het natte najaar van 1917 werden aangehouden en wij bemerkten dat de mongool die dacht dat hij een belangrijke vangst van vijandelijke infiltranten had gedaan, ons beslist niet wilde vrijlaten, konden wij niet anders doen dan ons geestelijk voorbereiden op een zware tijd. We moesten zelf overleven en bovendien droegen wij de zorg voor Julia, die ik voor al het goud op de verzamelde vlaktes van de Eufraat en de Tigris niet zou willen missen. De commandant-mongool brulde, vroeg duizend keer naar papieren, die we natuurlijk niet hadden, en wees beschuldigend naar de kleine, die hij overigens met geen vinger durfde aan te raken want ze stonk en ze huilde. Kon hij ons niet naar de Britten brengen? Of hij dat 'Britten' verstond of niet, hij werd daarop nog luidruchtiger en we waren onze vrijheid voorlopig weer kwijt; Otto merkte op dat we, wat avonturen betreft, langzamerhand de baron van Münchhausen leken.

Wat ons allebei bijzonder verbaasd heeft, was het voorval dat enkele uren later plaatsvond. We moesten in de kamer van de plaatselijke krijgsheer verschijnen, waar we een reusachtige vrouw aantroffen. De commandant beduidde dat we Julia op een tafel moesten leggen, wat ik ronduit weigerde, maar er waren vier militairen die ons vasthielden. De vrouw pakte het kind van ons af en verdween door een deur. Ik begon te schreeuwen, dat ik dit niet accepteerde, dat dit een oorlogsmisdaad was, waarop de chef vlak voor mij kwam staan en zo hard een paar bevelen brulde dat ik stomverbaasd mijn bek hield. Vervolgens zag ik hem sussende gebaren maken. Otto en ik werden op een houten stoel gedrukt.

Het uur daarop duurde vele jaren. Er gingen winters voorbij met joelende spoken in een vriesblauwe kleur; er gingen zomers voorbij met lieflijke gedaantes die mij meevoerden naar een kleine wei opzij van de Vliet, waar op de helling tussen de veulens blote Julia speelde; er gingen lentes voorbij met stille wolkenvelden, die waarschijnlijk veroorzaakt werden door de sigarendamp van de commandant die de stilte liet voortduren; herfstwinden verjoegen alle spookbeelden en de deur woei open en een soldaat trapte de deur weer dicht, wat een scheldende stem opleverde en toen, na dat uur, kwam diezelfde vrouw weer binnen en zij droeg Julia, gebaad, opgefrist, verschoond, warme Turkse kleren van kleurige wol, een lach op het gezicht. Ik zag in de hoekige beweging van haar armpje een zwaai en een groet en ik kreeg het kind van de vrouw aangereikt. Ik had de geplooide, wat harige huid van de verzorgster, die ik een kort ogenblik vlakbij zag, wel kunnen kussen en ik merkte op hoe mooi haar ogen waren; ik keek naar Julia en ik zag dat ze mij herkende, wat een extra getrappel met de ingepakte pootjes veroorzaakte, en toen begon ik te janken.

In het wazige, waar ik me niet eens voor schaamde, bewoog de lachende commandant en om de kleine te plezieren blies hij een extra grote rookwolk uit.

We werden als krijgsgevangenen naar een ander dorp gebracht; men wilde ons kwijt, men schoof de verantwoording af, men stuurde de twee vreemdelingen met kind en al de kou in.

De vorstperiode was dit jaar vroeg begonnen, zodat het fruit aan de bomen bevroor. Veel groente op het land was door de aanhoudende nattigheid verrot, het graan was kapotgetrapt en al die pap bevroor tot een oneetbare aardkorst. De vier militairen die ons begeleidden, twee voor op de bok in een soort leren zak gekropen en twee die met ons samen in de laadbak van de wagen zaten, gedroegen zich onverschillig en wezen naar de lucht. Ze hadden lange uniformjasjes met voor de borst gekruiste banden; drie van hen hadden een geweer; de kleur van hun uniform was grauw en wekte van een afstand de indruk van lompen. Door de sneeuw was de weg nauwelijks te zien: de heuvels waren wit en de weg was wit, een eindeloos golvende witte spookwereld.

Otto stootte mij iedere keer aan als het leek of ik zat te slapen.

'Niet slapen, dat is gevaarlijk. Je moet op Julia letten.'

Het kind zag er geel en levenloos uit, zodat ik voorzichtig begon te wrijven. Na een tijdje nam Otto het over en we wreven haar om beurten warm. Het was alsof wij het kind uit de dood opwekten, maar ik begreep dat dat trucje niet te vaak zou lukken; het kind verzwakte steeds meer. Toen brak de as; de militairen reageerden daarop alsof ze dat normaal vonden. Ze verdeelden de taken: twee gingen met ons lopen, twee reden op een paard vooruit.

Even later liep Otto voor me uit, dik ingepakt tegen de kou, het kind als een bundel tegen zijn schouder aan. In de besneeuwde heuvelige streek met deze slingerende weg die nergens heen leidde, onder een vrieshemel die witte vegen toonde en een wit waas van kou over de aarde leek te spreiden, was dit Bijbelse beeld van Otto met mijn kind van een geweldige kracht. Maar moest ik haar niet dragen, was dat niet mijn taak, tot ik erbij neerviel? En dan? Moest Otto dan zowel mij als Julia verder dragen?

Na een behoorlijke afstand ruilden we. Ik nam het kind over, sloeg mijn jaspand over haar heen en begon de weg af te lopen, achter de twee soldaten aan, die af en toe omkeken en ons tot spoed maanden. Ze wezen in de verte, maar wat daar was bleef onduidelijk.

In de hemel leek de tijd stil te staan; de melkwitte hoogte verkleurde niet en bereidde zich op geen enkele manier voor op het avondlijk licht. Ik verschoof Julia en sjokte verder. Otto bood aan haar weer over te nemen, maar in een belachelijke aanval van heroïek zei ik dat het míjn dochter was en dat ik haar de hele dag en de hele nacht zou dragen, maar na een korte afstand moest ik haar opnieuw verschuiven; mijn armen leken van lood en ik kreeg ze bijna niet meer omhoog om het kind te ondersteunen. Zonder commentaar nam Otto haar over en we liepen de heuvel op. We bereikten een dorp.

Eigenlijk was het een bijgebouwtje bij een kapot bakstenen huis. De winkel was van leem en van hout en achter een deels beslagen en met vriesbloemen versierd raam stond de waar uitgestald. Zes stuks waren het, meer niet, maar het waren wel zes blikjes melk. Otto was stil blijven staan en zei zacht: 'Kijk nou eens.' Ik las dat het Amerikaanse Carnation Milk was, 'importiert von Gruber & Skopnik, Elberfelderstraße 5, Berlin'. Ik voelde me ineens weer thuis: gewoon blikjes melk in de etalage; natuurlijk stonden er blikjes melk in de etalage, er stond thuis wel meer in de etalage. Dit was goede melk, uit Berlijn: die moest kwaliteit hebben, het moest zwaar gesuikerde, gecondenseerde melk zijn, bestand tegen bederf, gezegend met wonderkracht, voldoende voor zeker twee strenge winters. Een ogenblik kwam het me voor als volkomen normaal dat daar zes blikken melk stonden, die eigenlijk steeds groter werden, want aanvankelijk had ik gedacht dat ze klein waren, nu leken het mij bevoorradingsblikken voor een groothandel. Het ogenblik erna besefte ik dat ze onbereikbaar waren, want hoe in godsnaam konden wij hier blikken melk kopen?

De militairen kwamen nieuwsgierig naderbij. Otto kwam in actie: hij liep met grote stappen op de militair af, greep het geweer beet en voordat de trage, door de kou bevangen soldaat van zijn verbazing bekomen was, zagen wij dat Otto, die met zijn linkerhand het kind steunde als beeld van nood waar hij de voeding voor nodig had en met zijn rechterhand het geweer rechtop een meter voor zich uit hield (onmogelijk in die positie te schieten, maar het zag er wel dreigend uit), de deur van de winkel opentrapte en een luide kreet slaakte, waar alleen ik de betekenis van begreep, want in die vrieskou hoorde ik in zuiver Nederlands keihard schallen: 'Hé, boerenlul, zesmaal koeienmelk voor de kleine.' We zagen beweging in de donkere winkel en niet lang daarna een hand die de blikjes een voor een oppakte. Toen kwam Otto weer naar buiten, een grote grijns op zijn gezicht, Julia niet meer rechtop tegen zijn schouder, maar liggend op zijn arm en boven op haar lichaam de melk opgestapeld, nog steeds in zijn rechterhand het geweer. De eigenaar van de winkel kwam protesterend achter hem aan. Otto keerde zich om, maakte een weids gebaar met zijn rechterhand en, ik zag het met verbazing aan, zegende de winkelier, dat wil zeggen, hij hief zijn rechterhand met het geweer omhoog en maakte een kruisteken, dat door de zwaaiende loop een wat exotische vorm kreeg. Daarop viel de man volkomen stil, hij maakte afwerende gebaren met zijn handen, boog een paar keer en glipte als de sodeflikker zijn handel weer binnen. Ik pakte de zes blikjes van Otto over en hij gaf met een dankbare lach het geweer terug.

De winter van 1917-'18 was de langste winter in mijn leven. De blikmelk heeft Julia het leven gered; dat is zeker. Dat Otto de winkelier zegende, was beslist geen ijdel gebaar, want als wonderdoener heeft Otto zijn sporen verdiend. Zonder zijn actie was het kind de eeuwige koude nacht in gegleden en hadden wij het radeloos moeten achterlaten op een helling waar geen graf te graven viel omdat de aarde keihard bevroren was; we hadden stenen uit het ijs moeten wrikken om die op haar teer gezicht te stapelen. Hoe waren we aan een kruis gekomen en hoe hadden we de tekst in de dwarsbalk moeten kerven?

Uiteindelijk kwamen we bij de zoutmeren terecht, een verlaten vlakte waar niets leek te groeien. Er stond een eenzame boom en op sommige plaatsen groeide riet, verder niets. Een enkele keer vloog er een eend of er passeerden wat kiftende meeuwen.

Slechts één keer zagen wij de wonderlijke verschijning van duizenden en nog eens duizenden flamingo's. Zij vlogen over en we dachten eerst dat ze niet echt waren, dat het een trucage van de luchtmacht was waar wij niets van begrepen. Al dat gewiek en geklapper en geklets en al die roze charme en die elegante nekken en die wufte poten in een gebaar van 'Laat mij nu even voorgaan, schat' – dat alles was echter puur natuur. Het bleef maar overvliegen en ik zag Julia omhoogkijken, een en al verbazing over dit wonder; ik hoorde haar kreten slaken en ik wist waarom dit leven toch de moeite waard was.

☾

Tegen het eind van die verschrikkelijke winter werden we, samen met andere krijgsgevangenen, weer Britten natuurlijk, in een barakkenkamp ondergebracht. Buiten het kamp lag een dorp: enkele tientallen lage boerenwoninkjes van klei. Overal liepen kippen rond, die pikkend in de modder probeerden te overleven. De boerenbevolking gedroeg zich in het begin nors en vijandig tegenover ons; de knallende ruzies die tussen onze bewakers en de boeren uitbraken en die keelschrapende scheldpartijen opleverden, waren duidelijke waarschuwingen dat we van de kippen af moesten blijven.

'Niet aankomen,' waarschuwde Otto. 'Dat ga je verliezen.'

Soms stonden er bij de huizen platte houten karren met fantastische droomlandschappen op de zijkanten geschilderd. Hun spoor was zichtbaar, maar als je dat af liep, in de hoop op die manier een weg naar de vrijheid en de beschaving te vinden, merkte je dat het na een kilometer verdween; het splitste zich in drie, vier onduidelijke karrensporen, die als een hersenschim of als gezichtsbedrog in een toevallig patroon van een geul of van enkele stenen veranderden.

Verderop lag een begraafplaats met turkooizen stenen en een paar struiken, waar een kniehoge muur omheen liep die in een hoek omgevallen was en als slordige stapel stenen alleen goed was voor de hagedissen.

Behalve dat dorp en die begraafplaats was er buiten ons barakkenkamp niets. Toen we aankwamen, lag er overal sneeuw: een witte vlakte onder een lichtblauwe lucht waarvan de sluierbewolking naar de horizon toe grijzer en vuiler werd. Bij helder weer zagen wij in de verte de blauwgrijze rand met de witte koppen van bergen. Naarmate de winter op z'n eind liep, werd de grond donkerder en kwam de modderige aarde tevoorschijn; de bodem bleek nogal steenachtig en nauwelijks geschikt om te bebouwen. We zaten in de buurt van eindeloze zoutmeren, in een dorre vlakte, met een schrale begroeiing. De meren stonden vol ondrinkbaar en giftig doods water, dat in de hete zomer verdampte, zodat er een vlakte overbleef die wit en scherp schitterde van de zoutkristallen. Bergen, vlakte, zoutmeren: het waren onoverkomelijke barrières, waardoor de militairen, die met zinloos prikkeldraad het grootste deel van de barakken voor zichzelf afgeschermd hadden, van hun bewakingstaak waren ontheven.

De militairen waren er even beroerd aan toe als wij; zij droegen over hun Osmaanse legerkleding allerlei lappen en dekens om zich tegen de kou te beschermen. Iedereen was ongeschoren en vuil en iedereen droeg een fantasiehoofddeksel dat oren, neus en ogen moest beschermen tegen de vorst. Wie een wapen droeg was militair; naast enkele geweren en pistolen zag je stokken als wapen; een enkeling had een negentiende-eeuws zwaard opzij hangen.

Wij moesten 's morgens in een rij gaan staan en we werden geteld; een van de militairen riep een paar zinnen in het Turks, waar niemand van ons iets van begreep, en dat was het. Verder konden we gaan en staan waar we wilden. Onnodig te zeggen dat de verveling de grootste vijand werd. Wij waren met z'n drieën en langzaam kregen we in de smiezen dat de voortdurende zorg voor de kleine ons redde van de wurgende verveling. Ook Otto, die lange tijd geroepen had dat het waanzin was om zo'n kind dit oneindige land door te dragen, begreep hoe groot het voordeel kon zijn van die kleine.

Otto kreeg het voor elkaar dat wij een min of meer los staande barak voor onszelf mochten inrichten en bewonen. Hoe Otto dat flikte begreep ik niet; hij lulde ze de kop gek met dat bekakte Londense Engels van hem. Ze gaven hem zijn zin, om de absurditeit van het feit dat twee krijgsgevangenen met een baby zeulden, of omdat iedereen onder de indruk was of ontroerd dat twee jongens die verantwoording namen. De aparte barak: toen we dat voor elkaar hadden, was voor ons de verveling afgelopen.

De bouwsels bestonden uit houten wanden van ruw naast elkaar getimmerde planken en hadden schuine daken van golfplaat. De golfijzeren platen waren vijftig bij zeventig centimeter groot en lagen schuin in Rijndekking, zo'n beetje de oud-Duitse variant. Tegen de regen was het min of meer afdoende; tegen de kou bood het geen enkele bescherming. De open driehoek tussen zijmuur en dakpunt functioneerde als raam. Tegen de achterkant van de barakken lag de sneeuw geblazen en dat isoleerde beter dan het hout. De korte wanden waren verstevigd met gestapelde vierkante stenen. De Turkse militairen hadden drie lange barakken bezet, de gevangenen kregen er twee toegewezen. Aan het eind van een van die twee stond onze kleine, aparte barak. Vier meter diep, drie meter breed.

Het eerste wat we voor elkaar moesten krijgen, was een redelijke isolatie. Isoleren met sneeuw had geen zin meer, want de sneeuw begon te smelten. Otto sloopte een uitsteeksel van het dak, begon daarmee op verschillende plaatsen de sneeuw weg te scheppen, onderzocht de grond en kwam terug met zijn handen vol aardkluiten, die volgens hem redelijk kneedbaar waren en als vulmateriaal dienst konden doen. Hij begon de kieren tussen de planken dicht te stoppen en wreef net zo lang met zijn handen over de natte aarde tot het een gestuukte muur leek. Toen hij ertegen bonkte, viel een heel stuk naar beneden, maar Otto hield vol en na een aantal weken had hij de muren overal gedicht. Daarna wilde hij de vloer bekleden en hij kwam steeds aan met zeer kleine takjes, die hij van struiken haalde en die hij recht als stro neerlegde. Als er kleding bovenop lag, veerde het enigszins en was het een slaapplaats die zachter aanvoelde dan de grond.

Op een dag zei hij dat ik Julia moest optillen en moest meekomen. We liepen naar het dorp, ik met het kind op mijn arm, en ik zag enkele wagens met schapen staan. Kennelijk had Otto al met de Turkse boeren onderhandeld (mij was het een raadsel hoe), want ze kenden hem. De oude mannen verdrongen elkaar om naar Julia te kijken en barstten onderling in een onbegrijpelijke discussie uit. Otto ging voor de groep staan, hij deed alsof hij het koud had, wees op Julia en liep naar de kar met schapen. Hij pakte er een bij de vacht en wees met zijn vingers een klein stukje aan: hier en daar een pluk vanaf, dat kon toch wel? Opnieuw leek er een ruzie tussen de boeren uit te breken.

Toen zag Julia de schapen. Ik voelde haar lichaampje draaien en moest moeite doen om haar goed vast te houden. Ik stond daar in die Anzac-legerjas, die we ooit gestolen hadden van een onderofficier die dood langs de weg lag. Julia droeg, zo goed en zo kwaad als het ging, bijeengebonden om haar magere lijfje, een kinderjasje, dat we gevonden hadden voor een woning in een dorp, en godzijdank was Otto zo snel geweest dat hij in één beweging het kledingstuk opraapte, het wegfrommelde onder zijn eigen jas en siste dat we gewoon door moesten lopen. Zo stonden wij erbij, een touw om ons middel, en Julia lachte en wees op de wollen dieren. De discussie hield op; Otto dacht dat het wel zou lukken. Iemand kwam een woning uit met een soort schaar, een rond gebogen ijzeren strip waarvan de punten plat waren geslagen, en even later werden de eerste vlokken wol in een zak gepropt. Zo kreeg Otto steeds meer voor elkaar.

Wij waren ervan overtuigd dat de oorlog zich op het Osmaanse grondgebied uitbreidde. Wij begonnen te vrezen dat de voorspelling dat het Osmaanse leger niets zou voorstellen, niet klopte. De invasie bij de Dardanellen was al een misrekening geweest. Deze vijand was taaier dan in het Westen gedacht werd. Hoe ver de Engelsen waren, wisten we niet.

Wij haalden tijdens stille avonden herinneringen op aan gotische kerken, statige grachten, een haven, een steentjespatroon van het stadswapen in het plaveisel voor het stadhuis. Dan begon Otto steevast te lullen over ontsnappen: als we Istanbul konden bereiken, waren we anoniem en vrij; hier blijven zitten bracht ellende en de stemming van de bewakers kon omslaan. Het bleek onmogelijk: welke richting je ook koos, je zou vastlopen in de ruige bergen of in de onafzienbare zoutmoerassen.

Intussen leefden wij in onze vrijstaande villa met de krankzinnige gezinssamenstelling van twee krijgsgevangen volwassen kerels en een kind van anderhalf.

Julia was een rustig kind en godzijdank had ze weinig huilbuien of periodes dat ze niet tot bedaren te brengen was. Ik hield haar bezig, ik speelde de hele dag met haar; ik lag tegen haar aan in het bed dat Otto geïmproviseerd had en ik probeerde in de donkere ogen van de kleine alles om mij heen te vergeten. Wij leefden als dieren.

In die tijd brabbelde Julia een eigen taaltje. Dat zij achterbleef in haar ontwikkeling was geen onverwachte zaak. Wat gaf dat in deze omstandigheden? Ik probeerde het brabbeltaaltje van mijn kleine meid te begrijpen. Ik tikkelde tegen haar lipjes en zei haar de Nederlandse woorden voor. Soms pruttelde zij als een losgekoppeld motortje na: het liep wel, maar het dreef niets aan. Dan aaide ik over haar wangetjes en probeerde het met andere woorden. Als zij vermoeid raakte, kropen wij samen diep onder de stinkende lappen en was ik degene die pruttelgeluiden ging maken. Soms kwam Otto binnen en vond Julia klaarwakker en rechtop naast mij terwijl ik diep in slaap was, doodvermoeid, want ik was al een paar nachten wakker gehouden door het kind, omdat zij het koud had, omdat ze draaide op de ongelijke ondergrond, omdat ze in mijn armen wou liggen en mijn bloedsomloop bekneld raakte.

Zij vervuilde vrij snel, want de bodem van onze barak was de aarde. Omdat zij zich razendsnel kon voortbewegen, gebeurde het steeds dat wij haar stil in een hoek aarde zagen eten of dat ze in de vochtige grond zat te wroeten. Bovendien slaagde ik er niet altijd in haar op tijd te laten poepen en piesen. Ik paste de wijze van de dieren toe: ontlasting buiten het nest, gewoon het jong naar buiten dragen en niet eerder terug voor alles eruit is. Daarna schepte ik het bij de barak weg en bracht het naar de kuil waar iedereen hurkte.

Otto had een vuurplaats gemaakt, maar de irriterende rook verdomde het om door de open driehoek boven de zijmuur snel het pand te verlaten. We verhitten water in een gamel en terwijl ik het kind uitkleedde en tegen mijn eigen bast hield, doopte ik een lap in het water en wreef het vuil van haar lijfje. Ze protesteerde, maar nooit schreeuwend.

Ze had weinig eetlust. Je deed haar eigenlijk alleen genoegen met een stuk oud zwartbrood; dat vond zij lekker, daar sabbelde ze op tot het zacht en doorweekt was. Men zei dat het eten bij ons niet zo slecht was als in de grote steden; om de dag waren er linzen en een of andere soep waar groenvoer of koolbladen in dreven.

Eén keer kreeg Otto een kip te pakken, een mager, ziekelijk exemplaar, dat langs de weg dood was neergevallen en 's nachts door lijktorren was aangevreten. Terwijl hij stond te kijken kwam een vrouw dichterbij, die het beest opraapte en het met enige aarzeling aan Otto gaf. Otto kwam met het feestmaal thuis en begon de kip te plukken. Toen hield hij plotseling op.

Ze zouden het ruiken, zei hij. Ik begreep hem niet. De anderen roken straks dat wij hier kip zaten te eten. Dat kon problemen geven.

Nou en?

We konden beter delen.

Ik lachte hem vierkant uit. Delen? Eindelijk een buitenkansje en dan delen? Met zestien man? En Julia? Had zij het niet het hardste nodig?

Waarop Otto een monoloog hield van tien minuten, waar niet tegenop te redeneren viel. Ik probeerde het sympathieke van zijn plan in te zien, maar daar ging het hem niet eens om, om sympathie; het was keiharde berekening, het zou ons opbreken als wij het niet deden.

Hij kreeg al gelijk toen hij de kip geplukt had en als een wichelaar de kip opensneed om uit de ingewanden de toekomst te lezen. Of het dier een manke poot had gehad of dat het een vechtkip was, in elk geval had het één dijbeen dat even mager was als de rest en één dijbeen dat een feest was om te zien.

Kijk, zei Otto, dat konden de anderen niet raden, dat dat beest zo'n mollige uithoek had. Dat dijbeen was voor ons. Voor Julia.

Otto maakte de kip zorgvuldig klaar, draaide de stukken om als waren zij het kostbare materiaal van een zilversmid. De geur verspreidde zich; wij voelden hoe ze in de barak naast ons argwaan kregen. Met een houten plank waarop zestien stukjes schamele kip, zestien stukjes van een oude, van nijd gestorven vrijgezellenfreule, die er in de ogen van de krijgsgevangenen echter uitzagen als evenveel stukken van de smakelijkste, vrolijkste, vetste buikdanseres uit de kippenren, gingen we gedrieën naar de Britten. In de verbaasde stilte legde Otto uit dat hij de kip van een boerin had gekregen voor het kind, maar dat hij zijn Engelse makkers niet het nakijken wilde geven en dat

Simon en hij eerlijkheidshalve één poot hadden uitgetrokken en de rest hadden klaargemaakt voor de kompanen. Hij deelde ze allemaal een stukje kip uit, alsof hij nu pas langsging met het feestmaal ter ere van de geboorte van Julia. Het knapperig gebakken vlees werd zwijgend opgegeten, de botten werden gekraakt en uitgezogen en toen werd het kraakbeen, vervolgens ieder gewricht en ten slotte het echte bot langzaam tussen de kaken vermalen. Er heerste een plechtige stilte. Tot de bugel van de militairen klonk.

Het zachte, weke geluid van de bugel: Julia herkende het. De melancholieke opwekking de dag in godsnaam maar te besluiten, deed iedere keer haar kijkers glimmen; ze richtte haar hoofdje op, stak haar vingers in de lucht en brabbelde een onbegrijpelijke klank. Soms gaf ik een bugelimitatie weg en ook dat maakte haar vrolijk. Helaas was de bugel ook het sein voor de bedwantsen om tevoorschijn te komen.

Na een nieuwe winter werd het weer warmer en aangenamer. In de weldadige zon, met alle ontwakende kleuren, accepteerde je je lot veel beter dan in die donkere koude winter. Er schoten planten in bloei, het dorp kreeg een vriendelijker aanzien en als de koude nacht voorbij was en je in de ochtendzon zat, voelde je met de warmte de levenslust en de energie in je terugstromen. Julia liep alle kanten op om de wereld te ontdekken en ik moest soms als de sodeflikker ingrijpen om haar niet kwijt te raken.

Otto versierde de barak. Hij had een tak gevonden die door zijn grillige vorm een figuurtje leek, een dik mannetje met een ziekelijk uitgerekt hoofd en met zwaaiende armen. Hij sneed de tak wat bij, krabde hier en daar de bast weg en daarna was de voorstelling van een pop onmiskenbaar. Julia vond het prachtig, zeulde dagenlang de pop mee, maar liet hem toen in de steek. Otto bevestigde de tak, Bert Bluf hadden we het heerschap genoemd, boven de deur van onze barak. Bert schouwde over de vlakte in de richting van de zoutmeren en leek tevreden.

Een week of wat later vond Otto een dode kraai. Hij timmerde de kraai met wijd gespreide vleugels naast Bert boven de deur. Nu was onze ingang voorzien van een aanwijsbord, wij woonden in Huize De Dode Kraai en we maakten met z'n drieën een dansje. Er kwam een veer bij, die de haan van het dorp had verloren, en toen was het hek van de dam; stenen van verschillende kleur, verroeste of versleten gebruiksvoorwerpen: een lepel, een lekbakje, een schoen zonder zool; de grootste schat: een pop zonder armen, nat en rillerig maar nog levend. We spanden draden vanaf de dakbedekking naar beneden en hingen alles aan die draden. Het rammelde, het bewoog zacht heen en weer: het was een fascinerend gezicht. Zeker vier keer per dag moest ik Julia optillen en dan wees zij iets aan. Zo, als Adam met zijn oudste dochter, gaf ik elk voorwerp in deze nieuwe wereld een naam en probeerde ik haar mijn taal te leren en ontwikkelde zij haar fantasie, want achter al die rotzooi ging een sprookjesachtige wereld schuil, waarin de kromme takken en de scherven in het duister wegvlogen en de restanten van de poppen zich van de draden bevrijdden om een mysterieuze tocht te beginnen. 's Morgens hing alles in de ochtendzon te drogen, bezweet van de rit, starend naar de verte, waar ze vandaan kwamen, en vol weemoed omdat 's nachts de scherven waren gelijmd, de bakjes en de schaaltjes waren geheeld en de poppen en beesten hun ledematen en hun ogen en hersens hadden teruggekregen.

Julia werd vlugger en behendiger. Als ze op mijn schoot zat, kon ze zich met een razendsnelle draai loswurmen en van mijn knie af glijden. Wanneer ik niet wilde dat ze wegliep, moest ik haar goed in de gaten houden of zelfs met een touw om haar middel verhinderen dat ze haar vrijheid tegemoet rende. Dat kon een gevecht tussen ons worden dat ik wel op punten kon winnen, maar dat zij vaak in haar voordeel besliste, want het was een rustig en lief kind, maar als ze wilde kon ze een geweldige keel opzetten.

Op een middag zaten we buiten een spelletje te spelen; ik pakte haar beet, hief haar omhoog, liet haar los en ving haar bij mijn knieën op. Het zag er wild uit, maar dat was het niet, het was tederheid en hartstocht, van haar was het overgave. Eerst zweefde ze met het hoofd omhoog, dan omgekeerd, met het hoofd naar beneden.

Bij een fractie onoplettendheid ging het mis, glipte zij door een onverwachte beweging tussen mijn handen en mijn knieën door en bonkte zij met haar hoofdje op de harde grond.

Ik heb haar in dezelfde seconde weer omhooggetild, als wou ik mijn stommiteit goedmaken. Terwijl zij nog te verbouwereerd was om het op een brullen te zetten, onderzocht ik haar ogen: was ze krankzinnig geworden, had ze een hersenbeschadiging opgelopen, liep het bloed inwendig door haar hersenvlies weg, zou ze mismaakt uitgroeien, stonden haar ogen niet scheel, hadden ze niet een onnatuurlijke draai gemaakt, heel kort misschien maar toch even weggedraaid zodat er alleen maar oogwit zichtbaar was geweest?

Pas nu sloot ze haar donkerbruine ogen en greep naar haar hoofd en begon hard te huilen. Ik drukte haar tegen me aan en suste haar en bood mijn excuses aan en zei dat ik haar het mooiste zou geven wat ik bezat en dat ik altijd voor haar zou zorgen en haar altijd zou liefhebben. Ze was van mij, van mij.

☾

We hadden het er wel eens over gehad, dat ze nog steeds niets zei, en dan vroegen we ons af of ze niet doofstom was, of ze niet achterlijk was, maar ze reageerde normaal en naar ons idee keek ze pienter uit haar ogen. Dat ze laat ging praten, kon verschillende oorzaken hebben: juist op de leeftijd dat kinderen je de oren van de kop lullen, was ze ziek, doodvermoeid, uitgehongerd. Het was mogelijk dat wíj niet opletten en niet anders dan gepruttel registreerden waar het eigenlijk taal-in-wording was. Of ze was gewoon achter omdat ze twee keer geboren moest worden. Vanaf de derde zomer in de barakken bij de zoutmeren ging het snel. Ze leerde per dag nieuwe woorden alsof ze zelf begreep dat het tempo omhoog moest, alsof ze ons onderworpen had aan een proefperiode en besloten had dat wij betrouwbaar waren, dat wij degenen waren aan wie zij haar levenskunsten kon gaan vertonen.

Zij verlangde niet naar luxe die zij niet kende; wij woonden en leefden zó, punt uit. Van dat leven begon zij de vrolijke kanten te ontdekken: een touw dat zichzelf uit de draai trok en het opgehangen voorwerp een malle beweging gaf, het licht dat door de naakte driehoek tussen dak en zijmuur scheen, de eerste lentezon, een pop van takken en stro die Otto voor haar maakte, het aantal vingers van Otto en mij samen dat ineens kon verdwijnen. Julia begon te lachen en leerde ons het leven vanaf de grond opbouwen.

Op een van de zomerdagen drentelde Julia wat verder weg, naar een plaats achter de barak, waar Otto bezig was. Ik lag op de grond en wandelde korte tijd later op de Leidse Groenhazengracht, waar ik mensen tegenkwam die mij bleken te kennen en die mij vroegen hoe het ging. Ik toonde vol trots mijn dochtertje, Julia, dat om mijn been hing en daar capriolen uithaalde. Men lachte om haar, men trok vrolijke bekken voor haar, men stak vingers in oren en neusgaten en wapperde met de handen boven het hoofd. Julia bleef aan mijn been trekken en toen ik wakker werd, zag ik dat een van de rafels van mijn broekspijp zich in een tak had verward en dat ik zelf de struik wat heen en weer trok. Ik schoot overeind. Waar was het kind? Otto gaf geen antwoord. Ik liep snel naar de andere kant, waar ik stilte en een geurend, zonovergoten land vond. Otto lag in de barak.

'Waar is Julia?' riep ik vrij hard.

Hij schoot overeind, klaarwakker. 'Bij jou,' was zijn directe antwoord.

Ik rende naar buiten, langs de barak met de Britten, zag niets, liep weer terug, botste tegen Otto aan.

'Waar kan ze heen zijn?' vroeg hij.

'Die kant, die kant, die kant en die kant,' zei ik met mijn arm in de vier windrichtingen wijzend.

'Oké, niet paniekerig doen,' zei hij. 'Jij gaat daar kijken, ik loop deze kant op.'

Wat schoot er door me heen: zij in handen van een enge Turk, en groeide hier giftig spul? Wat had ze aan? Een soort broekje en hesje van herstelde en weer versleten stof, kleur van het land, de aarde. De volgende keer zou ik een lange stok op haar rug binden met bovenaan een Nederlandse vlag. Ik keerde om en liep terug. Otto stond er al: 'Daar is ze.'

Otto had een scherp zicht en ik geloofde hem. Inderdaad kwam ze aanstappen, maar mijn god, wat was ze veranderd. Ze droeg een donkerrode wijde broek en een zeer kleurrijke, prachtig bewerkte bloes met daaroverheen een turkooizen gebreid vest. De kleren waren veel te warm voor de zomermaanden, maar ideaal voor de winter straks. Op het hoofd droeg ze een wit hoofddoekje met gele kwastjes. De kleren lieten haar onverschillig, maar op het hoofddoekje was ze zichtbaar trots. In een wollen voorraadzak had ze haar oude kleren zitten. Hoe kwam ze aan al die spullen? Julia zei iets dat we niet konden verstaan en toen we het lieten herhalen, begrepen we dat het Turks was. Ze sprak enkele woorden Turks, mogelijk de namen van die kledingstukken. Van wie ze afkomstig waren hebben we nooit geweten, maar in ruil had de gulle geefster Julia wel het beginsel van een Turkse ziel ingeprent.

Weken later stonden twee kinderen, iets ouder dan Julia, allebei meisjes, vanaf een kleine afstand naar haar te kijken met een ernstige, volwassen vorm van schattend keuren.

'Bye,' zei ik in een volstrekt misplaatst Engels. Ze taxeerden me en zeiden niets terug. Julia zat op de grond op een plaats waar ik de begroeiing had weggestoken en wat zand van verderop had gestort. Ze had twee oude kommetjes en het poppetje van Otto en speelde er een ondoorzichtig spel mee; de twee inboorlingen leken veel meer dan ik te begrijpen wat Julia bedoelde. Eerst had ik de neiging ze weg te sturen, maar Julia vond hun belangstelling duidelijk prettig; even later zaten ze met z'n drieën in het zand en werden er beurten verdeeld en werd er bewondering uitgewisseld voor het poppetje van Otto en de kleding van de twee inheemse meisjes.

Mijn oog bleef wakend rusten op mijn lieveling, hoe zij de twee Turkse meisjes als partners accepteerde, hoe zij duidelijk stelde wie de baas was in deze zandkuil, hoe zij één Nederlands woord inwisselde voor twee Turkse, hoe zij een klein vingertje over een Turks handje liet glijden en lachend op het zand sloeg, terwijl de Turkse vriendin peinzend naar haar spelende handen bleef kijken. Ik

overdacht hoe bij iedereen het eigen kind bij het opgroei-
en steeds duidelijker een eigen wil krijgt, een karakter dat
niet helemaal overeenstemt met het jouwe, een intelligentie of een gebrek aan intelligentie dat je verbaast, kortom, hoe dat eigen kind bij het opgroeien vervreemdt en
een ander wordt en wegdrijft de wereld in. Bij mij zou dat
anders gaan. Julia en ik, oorspronkelijk van een totaal verschillende en geheime afstamming, zouden steeds meer
naar elkaar toe groeien en perfect bij elkaar gaan passen.
Toen zei Julia iets tegen het andere meisje in het Turks,
wat dat kind wel verstond en waarop dat kind wat terug-
zei, en van die hele miniatuurdiscussie begreep ik geen
barst en ik moest de neiging onderdrukken die twee Turkse meiden de tent uit te schoppen, want dat had ik Julia
niet kunnen uitleggen.

Vanaf dat moment was het duidelijk dat Julia tweetalig
opgroeide; dat zij met ons steeds beter Nederlands ging
spreken; dat zij zich daarnaast met de dorpelingen kon
verstaan in een taal die voor ons een gesloten boek bleef.
Tegenover haar verklaarden wij die beide kanten van haar
groeiende persoonlijkheid, haar vadertaal en haar moe-
derland, als afkomstig van mij, haar vader, Hollands, degene die haar opvoedde, en daarnaast van haar moeder, korte
tijd liefgehad en toen helaas gestorven, Turks, horend bij
dit land en deze bodem.
  Zij begreep dat en wilde meer horen over de moeder en
wij toverden uit het niets een jong meisje, uiterst aantrekkelijk, avontuurlijk, dat ik had bemind en met wie ik had
geslapen tot er een baby kwam en dat was zij, Julia. Om de
raadselachtigheid van het geheel te vergroten en de treurigheid van het vroege overlijden te verzachten, deden wij
voor hoe Otto bij de ingang van de liefdeskamer op wacht
stond en alle kwade geesten verjoeg die aan kwamen vlie-

gen in de vorm van bedwantsen, kakkerlakken, akelig magere paarden en wolven die een ijzige kou met zich meebrachten.

Gelukkig, vertelden wij met veel onbegrijpelijke toverwoorden en ondersteunende handgebaren, werd Otto geholpen door een vriendelijke geest, die verscheen in een schip. Dat schip hing aan een grote, blauwe ballon zodat het door de lucht kon varen.

'Dat heet geen varen, dat heet vliegen,' zei Julia eigenwijs.

Ja, dat was een soort varend vliegen, vertelde Otto zacht om de betovering niet te verbreken. Die vriendelijke geest heette de Geallieerde Goede Geest en die bestond uit drie gemaskerde figuren die samen optraden en daarom was het één geest. De gemaskerde figuren waren een koning, dat was Richard Leeuwenhart, de koning van het dappere Engeland; een vrouw met grote borsten, dat was Jeanne d'Arc, de maagd van Frankrijk; en een monnik, dat was Iwan de IJscoman, de tsaar van Rusland. Als de Geallieerde Goede Geest ons hielp, hoorden we de strijdkreet 'Pro Bono, Pro Bono!' Als (Otto hief zijn wijsvinger, pauzeerde, herhaalde), als er geen Geallicerde Goede Geest geweest was, dan waren wij door de kwade geesten aangevallen en verdreven en teruggevoerd naar rokende jeneverstokerijen en levensgevaarlijk werk hoog op een kerktoren. Dan had Simon nooit het lieve dochtertje Julia kunnen maken. Dat wist de Gallieerde Goegeest. De Gallieerde Goegeest joeg alle duivels weg en hielp Otto, die streed tegen de duivels, en hij hielp ook het mooie liefdespaar, dat kleine Julia aan het maken was.

Ja, Otto, dacht ik, zo is het wel genoeg.

Hoe zij heette, was de plotselinge vraag.

'Fatima,' zei Otto en ik ben hem nog dankbaar voor deze prachtige vondst, deze naam die om zijn mediterrane klank de islam met het christendom combineerde. Julia knikte en was tevreden.

Een week later zat zij met een papier en een stompje potlood te tekenen. Ik zag dat ze hulp van Otto had gehad, het grootste deel was duidelijk niet door haar maar door Otto getekend. Otto had het satirische model van Dunker geleend. Het schip met de drie gemaskerde figuren onder de grote ballon, zoals hij zelf aanduidde Engeland, Frankrijk en Rusland, oftewel goede geesten, oftewel één geest, hield haar nog steeds bezig. Op de tekening prijkte Dunkers schip, maar ik weet zeker dat Otto ook de Bono bedoeld had, het schip dat ons naar Gallipoli gebracht had, het schip van onze idealen, onze deelname aan de strijd, het schip dat ons naar een totaal onverwacht verloop van ons leven had gebracht. Ik prees haar om de prachtige tekening en gaf haar een zoen in de nek. Ze maakte een afwerende beweging; ik mocht niet storen; ze was met iets belangrijks bezig.

Toen de tekening af was, moest die aan de houten wand opgehangen worden; het was tenslotte de Goede Geest die de komst van Julia mogelijk had gemaakt. Zij had gelijk: zonder Bono geen Julia. 'Pro Bono!' riepen we uit. Julia schaterde en wilde dat we de strijdkreet een aantal malen herhaalden.

In de lente van 1922 lieten ze ons vrij. Met een prachtige pantomime die in een theaterzaal geweldig succes zou hebben gehad, werd ons duidelijk gemaakt waar de frontlijn lag en dat we in dat gebied absoluut niet konden komen. In andere delen was de honger groot en het gevaar van rondtrekkende bendes nog steeds aanwezig, dus bleven we.

Julia was vijf jaar, voelde zich thuis in het dorp en ken-

de daar verschillende kinderen. We hadden haar nooit op-
gezadeld met onze problemen; van gevangenschap en vrijheid wist ze nauwelijks wat af. Wij woonden in de barak
naast de Britten en andere mensen woonden in lemen ge-
bouwtjes, dat was voor haar de normale situatie. Toen ze
hoorde dat wij weg konden gaan, begon in haar hoofd een
alarmklok te luiden.

'Waarheen?'

'Waarheen we willen. Overal. Niet waar het oorlog is
natuurlijk.'

'Wat is dat, oorlog?'

'Dan vecht iedereen.'

'Waarom?'

'Omdat het ene land het andere wil inpikken. Of het
ene land is boos, omdat het andere land ongehoorzaam is.
Of het andere land is te groot geworden. Of het ene land
is boos omdat het andere land de vlag altijd verkeerd op-
vouwt.'

We legden uit dat we in het dorp wilden wonen; dat had
haar volle enthousiasme. Een Turkse bewaker regelde dat
we een leegstaande woning mochten bewonen. Het was
beter dan de barak met de grote gaten, maar om van een
degelijke woning te spreken ging te ver.

Tijdens de twee jaren in dat dorp werkten we mee op
het land; we leerden met een houten akkersleep omgaan;
we leerden hoe we de ruwwollen laadzak, die in een soort
houten draagstoel op de ossenkar hing, moesten vullen.
We hielpen bij het zeven, we hielpen met het laden; we
werkten met de houten ploeg, met de wangaffel en met de
pikhaak; we groeven irrigatiekanalen naar de moestuinen.
Het werk was middeleeuws, de houten gereedschappen en
instrumenten Bijbels, maar de vriendschappelijke banden
tussen ons en de bevolking maakten alles van een ongelooflijke klaarheid en rijkdom.

Soms ging Julia mee naar het land; meestal bleef ze met de andere kinderen achter in het dorp. Zij leerde het Turks en wij hadden zelfs moeite met de namen van onze instrumenten. De sürgü, de orak en de yaba; we gooiden ze steeds door elkaar. Steeds opnieuw leerden de anderen ons dat de sürgü de sleep was en de orak de pikhaak en niet andersom. Het interesseerde ons eigenlijk niets. Wij waren immers tijdelijk; wij zagen te laat dat het tijdelijke zo lang zou duren en zo bestendig zou blijken.

's Avonds zeiden we vol trots tegen Julia (wij! vol trots tegenover het kind in plaats van andersom!) dat we met de sürgü hadden gewerkt en dan keek ze expres de andere kant op en zei dat ze niet wist wat dat was. Dan vertelden we dat dat een houten instrument was om de aarde fijn te maken, een soort eg, en dat dat in het Turks een sürgü heette en dan ging ze over op een ander onderwerp, want daar begon ze niet aan: ons te prijzen omdat wij ook één woord Turks spraken.

Simon Krisztián

Otto en ik hadden geen studie gemaakt van het opvoeden van kinderen. Wij, fuckin' bad parents, wisten niets: niets van de leeftijd waarop een kind moet gaan praten, moet gaan lopen, welke reacties een kind moet vertonen, hoe je een kind tevreden kan stellen, hoe je kan zien dat een kind bang is of boos of dat het pijn heeft, ziektes; het was allemaal onbekend – 'fucking unknown,' zei Otto – en we konden niemand om raad vragen.

Ik denk dat Julia met veel ontwikkelingen in het begin een grote achterstand opgelopen heeft; toen ze bij ons kwam en al een halfjaar oud was (een schatting) moest ze met alles opnieuw beginnen.

Het grote voordeel was dat we tijd genoeg voor haar hadden. De hele dag konden we haar vermaken en onszelf met haar; we verstopten ons, deden spelletjes, telden vingers, zaten elkaar achterna. Otto en ik zongen liedjes voor haar; het repertoire was hemeltergend, maar we zongen het. Julia mocht beoordelen of het lied mooi was en op het repertoire moest blijven. De meeste liedjes waren tweeregelig, omdat we de tekst verder niet kenden. Geliefd waren vooral: 'De uil zat in de olmen', 'Er was een wief dat spon', 'Int groene dal, int stille dal', 'O, wat een prachtige morgen', 'Lang zal ze leven', 'Kleine Jan en grote Jan'. Bovendien had ik de beschikking over de liedjes 'Stille nacht, heilige nacht', 'De herdertjes lagen bij nachte' en 'Oh Tannenbaum'. Ik maakte orkestgeluiden en zong de eerste stem; Otto bespeelde het zelf vervaardigd slagwerk, zong de tweede stem en dirigeerde.

Als we uitgezongen waren, speelden we poppenkast. Daar was Otto goed in. Eerst bewoog hij twee stokjes boven een lap, de lap kwam in een stellage, de stellage werd een kast, de stokjes kregen herkenbare kleuren, de kleuren werden kleren en op een dag zat Otto uit stukken hout poppenkoppen te snijden. We schreven schema's en speelden uitgebreide vaderlandse geschiedenissen. Otto maakte speelgoed voor haar; ik wandelde geduldig met haar over de wijde vlakte bij de zoutmeren.

Moet ik nog iets vertellen over onze pogingen haar zindelijk te krijgen? Het lukte op den duur, maar het was lastig. Als ik me samen met haar in een lap gewikkeld had en ik voelde in halfslaap dat ze zeiknat was, liet ik het zo, maar dan werd ze wakker en protesteerde ze. We hebben het gered, zou ik zeggen. Stinken? Ach, wij stonken zelf net zo hard, want wassen deden we ons zelden; de vossen waren hygiënischer.

Otto vond een dode eekhoorn. Hij spande de huid op een rekje en maakte een pet voor Julia waar de staart van het geelgrijze bontbeestje opzij aan vastgenaaid was. Ze vond het grandioos en stapte wekenlang met bontpet rond. Dit was in de tijd dat ze contact had met mensen in het dorp en ik moest met haar mee. Terwijl ik achter mijn kleine eekhoorn liep, zag ik dat ze precies wist in welke huizen bekenden woonden en ze liep naar binnen of ze klopte op de deur en er kwam een vriendelijke Turkse naar buiten die de handen ineensloeg van verbazing om zo'n prachtige eekhoorn en vervolgens wat stijf naar mij boog. Des te enthousiaster sprak zo'n vrouw tegen Julia, die ernstig luisterde met haar bontoren en die geen antwoord gaf, maar de indruk wekte dat de trots op het prachtige hoofddeksel haar de spraak ontnam en beslist niet de vreemde taal.

Het waren de beste contacten met de Turkse bevolking en met het Turkse land. Voor Julia bestond niets anders: geen herinnering aan Londen, geen herinnering aan Leiden of Dordrecht. Voor ons bestonden die herinneringen wel. Zelfs de smidse, de vismarkt, de wagenmakerij en de jeneverstokerij werden lieflijke plaatsen: zonlicht, een weerspiegeling in water, een werkplaats onder oude iepen en beuken, rust en gezang van vogels. Holland was een land geworden van herinneringen, het land dat ooit opnieuw bereikt kon worden, waar sloten met gele lis omzoomd waren, waar groene weiden de trampoline vormden voor leeuweriken; een land onder gevarieerde, juichende wolkenluchten en vol spierwit bleekgoed; een land van tevredenen.

Waar we in terechtgekomen waren was een land van rook en bloed, een land waar de bodem te zout was voor planten, een land waar de olijfbomen van ouderdom kraakten, een land van schorpioenen, gifslangen, stekelige agamen, gieren en bidsprinkhanen; het was een land van ziektes, honger en kou.

De herinnering aan Holland was even oneerlijk als onze kijk op Turkije, maar zo zat het in ons hoofd. We kwamen er langzaam achter dat dat bij Julia niet zo was, dat het Holland van onze verhalen voor haar het land zou kunnen zijn van kwezels, hardnekkige beweters, zandschuurders en geldverdieners, van giftige fabrieken en smerige stadjes, van onverschilligheid en van Amsterdamse hoogmoed. Turkije kon voor haar het land zijn van zonsopgang en flamingo's, van groene bergen en van oude beschavingen, van melancholieke koepels en van troostende regens over de theevelden. Wij hielden op met verhalen over Hol-

land. De poppenkast werd Turkser; Jan Klaassen werd Ka-
ragöz.

Hoe kwamen wij aan die kist met glazen potten? Otto,
denk ik, Otto kreeg al dat soort dingen voor elkaar.
   Er bleken zesendertig potten met eieren op zuur in te
zitten. Eerst wisten we niet wat die witte ballen waren; we
dachten aardappelen, het bleken eieren en de roze drab
waar ze in dreven bleek een zuur smakend, naar paprika
ruikend sap te zijn. Het was een welkome aanvulling op
het karige maal van linzen, koolsoep en zwartbrood; ei-
ren waren alleen op de zwarte markt verkrijgbaar. We aten
één pot, nog een pot, een derde pot en toen gingen we raden hoe lang zoiets goed bleef. Julia was de eerste die zei
dat ze geen ei lustte. We zeiden dat ze dat zelf moest weten en dachten dat ze bij zou draaien. Julia bleek koppig.
Een trek van haar moeder, zeiden wij en zij hield vol. Bij
een volgende pot vond ik het godgeklaagd: wij hadden eieren; oké, ik vond het ook niet meer de lekkerste trakta-
tie, maar dat kind had die eieren hard nodig. Ze verdomde ze te eten. We zagen het twee potten aan en daarna begon ik op te voeden. Ik pulkte het ei uit elkaar en zei dat
ze zich niet moest aanstellen. 'Eten!' Ze schudde het hoofd.
Ik schreeuwde, iets over dat ei en over opeten. Ik voelde
dat Otto zat te kijken. Toen ze haar handen van haar gezicht haalde, zag ik dat ze zat te huilen; ze dacht dat ik razend was en haar een klap wilde geven. Wat ik overigens
nooit gedaan had en daarna ook niet; nooit heb ik Julia geslagen. Ik was helemaal niet razend en ik kon haar zeker
geen klap geven. Heel langzaam schudde zij het hoofd, dat
ze dat ei niet wilde opeten, en tegen alle opvoedregels in
dacht ik: hou vol, kleine, hou vol, niet eten. Ik wilde niet
meer de andere partij zijn en ik sloot mijn ogen, opende ze
weer, blikte omhoog en hief mijn armen in een theatraal

gebaar van overgave: ik zou wel voor ander voedsel zorgen.

Toen gebeurde er iets onverwachts. Zij, met haar nog geen handvol jaren levenservaring, zij, die bij kinderen in het dorp vaders woede-uitbarstingen had zien krijgen, zij interpreteerde het gebaar volkomen verkeerd. Haar ogen schoten vol schrik. Ze dook naar het ei en met één, twee graaibewegingen pakte zij de stukken en propte die in haar mondje. Ik zag het gebeuren en vroeg me af of ik tevreden moest zijn over mijn opvoeding. Zij bleef een tijd stil zitten, en toen ik haar wilde aaien voelde ik hoe ze zich onder mijn aanraking uit probeerde te wringen.

Een andere keer, op het eind van de ramadan, bezochten de dorpelingen de kleine begraafplaats. Julia vroeg wat ze gingen doen. Ik legde uit dat ze de doden eerden. Ze dacht even na en vroeg toen welke doden daar lagen. Ik legde uit dat dat hun familieleden waren, hun gestorven opa's en oma's en anderen.

Ze trok een ernstig gezicht en knikte.

Een paar dagen daarvoor hadden wij een wandeling gemaakt en op het land hadden we beweging gezien. Heel stil naderbij sluipend, hadden we twee hagedissen betrapt, die in een innige omarming lagen, buik tegen buik, de pootjes op elkaars rug geklemd.

Wat deden die?

Die waren verliefd. Dat dacht ik tenminste.

Julia was niet tevreden.

Dat waren een mannetjeshagedis en een vrouwtjeshagedis en ze maakten kleine kinderhagedisjes.

Of ze dat dan altijd zo deden.

Ik trok een gezicht vol geheimzinnige twijfel.

Of ik haar ook zo gemaakt had.

Ik keek nog eens goed: ongeveer, gaf ik toe.

Ze dacht lange tijd diep na.

De dag daarna had Julia een tekening gemaakt. Ze stond op.

'Ik wil naar de begraafplaats.'

'Oké, ik ga mee. Mag dat?'

Dat mocht. Ze nam de tekening mee en dat had me al moeten alarmeren. We liepen vrolijk naar het turkooizen hek. Het was mooi weer, maar achter het hek, bij al die verse bloemen, werd Julia ernstig; ze liep rond te kijken.

'Wat zoek je?' vroeg ik.

'Waar ligt mijn moeder?'

Mijn god, wat nu weer, was mijn geheime paniekreactie. Uiterlijk reageerde ik lijzig. 'Je moeder?'

'Ja, die is toch dood?'

'Dat klopt, maar die ligt hier niet.'

Ze kromp iets in elkaar. 'Waarom niet?'

Ik zuchtte. 'Dat weet je toch, lieverd. Ze is doodgegaan toen jij geboren werd. En jij bent geboren in het westen, bij de zee. Daar is je moeder begraven.'

'Waarom heb je haar niet meegenomen?'

'Dat kon toch niet? We mochten niets meenemen, alleen de kleren die we aanhadden. Trouwens, een dode neem je niet mee, die laat je met rust.'

Dat begreep ze.

'Ben je er nog terug geweest?'

'Hoe kan dat nou? Het land is gevaarlijk. Er is oorlog.'

Dat wist ze.

'Hoe heet het daar?'

'Waar?'

'Waar mijn moeder ligt?'

'Dat weet ik niet.'

'Dat weet je niet?' Haar gezicht was een en al verbazing over zoveel nonchalance.

'Nee, ze vertelden ons nooit waar we waren. Wij kenden het land niet. We hadden geen kaarten, niets. Aanwijsborden waren er niet. Je zag huizen, bomen en in de verte bergen. Op enkele hoge plaatsen kon je de zee zien, waarschijnlijk.' Ik probeerde iets van de machtcloosheid over te brengen.

'Kan je het tekenen?'

'Denk het wel.'

Ze zwaaide met de tekening, die ze voorlopig niet nodig had, want een wildvreemde dode kreeg die tekening niet. Ze gaf mij de tekening en wees op de achterkant. Met een klein, warm potloodje tekende ik een kronkelig pad, een huisje vlak bij de kust, een dorp verderop en een lijn met kleine kruisjes erdoor.

'Wat is dat?'

'Prikkeldraad. Dat is het kamp. Daar zaten wij gevangen, maar we mochten eruit, we zaten gelukkig niet de hele tijd vastgebonden of opgesloten. Dat is het vissershutje, daar woonde je moeder.'

'Is ze daar begraven?'

'Nee, verderop, op de begraafplaats.'

'Waar was die dan?'

Ik tekende de begraafplaats een flink eind van het dorp af en kraste een pad van dorp naar graf.

De tekening werd op de terugweg nog zorgvuldiger gedragen dan op de heenweg. Thuis werd de tekening op een schone plaats gelegd.

☾

Dat houten akkergereedschap was verdomd handig in elkaar gezet, maar het versterkte tevens het besef dat we onbereikbaar ver van onze eigen beschaving af zaten. Bijna alle mannen van het dorp waren gesneuveld of marcheerden naar een uithoek van de wereld. Wat er aan man restte, was of klein kind of oud en beverig; bij het moskeetje zaten altijd enkele oude mannen met lichtgrijze, waterige ogen die om de zin in een stil verdriet uitbarstten. Geen wonder dat onze hulp welkom was.

Op het eind van zo'n landbouwdag kwam Julia met het bericht dat de Britten weg waren. De Britten weg? Van wie had ze dat gehoord? We gaan kijken, besloten we en we namen Julia mee, die vrolijk de weg op liep naar de barakken verderop.

Waar de werkelijke uitgestrektheid van de zoutvlakte begon, waar de laatste boom ter wereld stond, daar bevonden zich de barakken. Die van ons was iets verder ingezakt. Julia liep er rechtstreeks naartoe, trok de deur open en keek naar binnen. Ze trok haar hoofd snel terug, kneep haar neus dicht en maakte een blazend geluid. Bij de grote barak was het doodstil. We deden de deur open en gluurden in de onttakelde barak, waar een omgegooide tafel en enkele stenen lagen, verder niets.

'Krijg nou wat,' mompelde Otto terwijl hij door de ruimte banjerde. 'Waar zijn die naartoe?'

In de tweede ruimte was natuurlijk ook niemand meer. We stootten de deur open en verwachtten dezelfde leegte, maar toen Otto naar binnen liep, schoot de laatste, pikzwarte, totaal verkoolde Britse ziel vol plichtsbesef en kameraadschapsgevoel op ons af, sprong tegen Otto aan, die achteruit stapte en over iets struikelde, sprong vervolgens in mijn armen, die hem op wilden vangen maar hem niet konden houden, en even later lagen Otto en ik allebei op de grond. Julia kwam de hoek om, begroette vrolijk het jonge hondje en verweet hem kletsend iedereen op de grond te gooien. Het was een jonge zwarte hond, een puppy, zij het uit de kluiten gewassen. Een stuk jute had hem tot verblijfplaats gediend. Hij was kennelijk door de Turkse militairen geweigerd en van het transport weggeschopt.

Toen we weggingen sjokte het diertje schuin achter Julia, die tijdens de terugtocht geen woord zei en stil naast ons liep. De bedrukte stemming sloeg op de hond over, want iedereen begreep welk probleem in zicht kwam. Julia wilde de hond houden, dat was duidelijk, maar hoe moest zij dat vragen? Zij begreep dat het al niet gemakkelijk was met drie rond te komen. Kon zo'n hond daar dan bij? Ik dacht dat Otto de knoop moest doorhakken. Dus die mompelde in de stilte, toen het dorp in zicht kwam, dat we in elk geval nooit bang voor dieven hoefden te zijn als we die hond in huis namen.

In die gespannen stilte waarin een klein meisje liep te turen naar de grond, met vergrote oren om alles op te vangen wat hoop en zekerheid kon bieden, en waarin een kleine hond opkeek naar de volwassenen omdat hij voelde dat hier een belangrijke beslissing werd genomen en hij zichzelf scheldend verweet dat hij die grote lummels tegen de grond gegooid had, zei Otto alsof het een waarschuwing gold: 'Dan moet die hond erg lief zijn voor Julia, en haar altijd beschermen tegen alle gevaar.'

Hij gaf mij een knipoog en trok zijn mond scheef open en een stap veranderde in een huppel en even later liepen Otto en Julia hand in hand, samen met de armen te zwaaien, en de hond bleef staan om die plaats te markeren en kwam heftig kwispelstaartend langszij en voor ons uit rennen.

Alle Britten, vertelde Julia later, hadden het land verlaten; er was geen Brit meer in Turkije. Die hebben de oorlog verloren, was onze conclusie. We hoorden dat de Turken inderdaad de oorlog hadden gewonnen; 30 augustus was voortaan overwinningsdag, hoorden we. Wij namen ons voor altijd en overal te benadrukken dat Nederland neutraal was gebleven. Hoe definitief Duitsland de geallieerde legers in Europa had verslagen, wilden we niet weten.

Lang daarvoor hadden we gehoord dat Rusland de strijd had opgegeven. Toen wisten we dat het hopeloos was, dat de samengevoegde landen van de Entente Cordiale de strijd nooit konden winnen, want, laten we eerlijk zijn, als dat uitgestrekte Rusland de strijd opgaf, wat konden Frankrijk en Engeland dan nog uitrichten?

We hadden in de jaren daarop gemerkt dat de oorlog niet voorbij was en dat voedde onze hoop. Nu had Turkije de oorlog gewonnen; Turkije met Mustafa Kemal aan het hoofd had de tegenstander verpletterend verslagen. Arm Engeland, dachten wij. Moesten wij proberen terug te keren? Waar naartoe? Hoe zag het er daar uit, nu de Centralen, Turkije, Oostenrijk, Duitsland, de oorlog hadden gewonnen?

Het verbaasde ons niet dat na de winter Turkse militairen naar onze aanwezigheid kwamen informeren. Ze liepen door het huisje; het was onduidelijk of ze wat zochten. Een van hen zag de tekening van de Bono, die als pronkstuk aan de wand hing; hij wees de anderen erop en er ontstond een korte discussie, waarbij de leider instemmend knikte. Ze bekeken de tekening goed, moesten lachen om een opmerking van een van hen. In zeer gebrekkig Engels vroegen zij of ik die tekening gemaakt had. Ik wees op Otto. Ze knikten goedkeurend. Ik vroeg Julia waar ze het over hadden, maar die zei slechts dat ze hun opmerkingen niet begreep.

Ze kwamen een week later terug. We moesten verhuizen. Wij benadrukten dat wij vrijgelaten waren, dat wij uit Nederland kwamen, dat Nederland altijd neutraal geweest was. Julia moest tolken.

Ja ja ja, dat was allemaal waar, maar de tijden waren moeilijk. Er heersten honger en schaarste. Het land moest opgebouwd worden. Ze hadden een interessant aanbod:

een vaste baan in een fabriek en een groot huis om in te wonen, plus een goed salaris.

Dit was verbazingwekkend. Overal honger en schaarste en dan voor ons een huis en een baan? Hoe zat dat?

Er volgde een moeizame uitleg, waarbij de kinderlijke taal van Julia de zaak op bijna komische wijze verdraaide. Inderdaad, overal honger en schaarste, maar de republiek moest worden opgebouwd. Republiek?

Wat was dat voor fabriek?

Het bleek om een machinefabriek te gaan; belangrijk voor economische opbouw, hakkelde de generaal in zijn kinder-Engels.

Wat zou er gebeuren als we weigerden, wilde Otto weten.

Wij konden niet weigeren, zei de hoogste militair met grote precisie.

Dan hield alles op, zei Otto.

Hoezo? vroeg ik.

Dan verhuisden we naar dat gat. Ja toch? Als we niet konden weigeren. Wat zanikten we dan? Dan had redeneren toch geen enkele zin?

Er waren veel voordelen, vertelden de militairen. Zeer groot huis. School voor meisje. Hoe heette het meisje?

Julia.

Julia? Dat was een vreemde naam. Zeker een Hollandse naam.

Toen ze opstonden, vroeg ik nog: republiek? Sinds wanneer was het een republiek hier?

Sinds 29 oktober vorig jaar, zei de militaire leider trots en hij noemde de naam van Mustafa Kemal. Julia vertaalde prachtig.

In de week daarop trokken we door het dorp, Otto, ik, Julia en Holland. Iedereen wist dat we weggingen. We werden gezoend door die treurige, dik ingepakte vrouwen, die al jaren met enig fatsoen probeerden te leven en die hoopten op de terugkeer van hun man, hun zoon, hun vader. Die tocht langs die armzalige huizen in dat zoutdorp heeft me de onuitwisbare indruk gegeven dat, of je nou hoort bij de verliezers of bij de winnaars van een oorlog, het leven in een oorlogsland één grote ellende is voor allen die niet als generaal of als fabrikant aan de goede zijde van de commandotafel staan.

Wat hadden wij in dat nieuwe dorp verwacht? Otto zei achteraf dat hij het nooit vertrouwd had. De fabriek bestond uit twee reusachtige hallen, die parallel lagen, en scheef daarop was een veel lagere en smallere dwarshal gebouwd. De fabriek lag zo dicht bij een groot militair kamp dat het niet anders kon of ze werd voor militaire doeleinden gebruikt. Nederland was neutraal geweest, maar konden wij op basis van dat argument werk in een militaire fabriek weigeren? Dat was redelijk laat.

Het huis dat wij konden betrekken was groot, maar het was een grote ruïne. Zoals de meeste huizen in deze streken was het van hout; alles was scheef, dwars, kapot, vol gaten; het bestond uit losse planken, uit gevallen, tot pap vergane en verbrokkelde leemplaten, uit stuk gestoten stuc. Otto en ik stonden met open mond te kijken en Julia en Holland keken naar ons, of wij dit konden goedkeuren.

Het huis had verschillende verdiepingen en een tuin. Een groot, bijna vierkant perceel was afgebakend met een afrastering van prikkeldraad. Nergens hadden we in deze buurt een afrastering van prikkeldraad gezien en om ons huis stond er een. Wat de situatie meer dan treurig maakte, was dat door de regen en de hier veel voorkomende winden flarden papier, verpakkingen, half vergane bladeren, stukken textiel, zelfs restanten van tapijt, meubileringsstof en gordijn tegen het draad waren geslagen en daar onontwarbaar in waren verstrikt. De totaal kapotte en vervezelde uiteinden bewogen in de wind met weemoedige zwaaien of fel klappende wapperingen, maar los kwamen ze nooit. Alsof we op een mestvaalt moesten wonen.

Otto en ik werkten om de beurt in de machinefabriek. We kregen het voor elkaar dat een van ons op de zevenjarige Julia kon passen. We werden bewaakt, we werden in de gaten gehouden, ze vielen ons niet lastig. Als iemand iets aan mij vroeg, maakte ik duidelijk dat ik geen Turks sprak. Op mijn vraag of de ander Engels sprak, werd vrolijk yes geantwoord en dat bleek tevens het enige woord dat hij kende. Ik kreeg mijn instructies van een chef die redelijk Engels sprak en ik werkte samen met een aardige man, die mij handige houdingen en grepen leerde en die mij voordeed hoe de instrumenten het beste op het metaal gezet konden worden.

Ik merkte dat er door sommigen schamper om mij werd gelachen en ik besloot ze de mond te snoeren. In de hal waren op grote hoogte metalen binten aangebracht. Op een drukke dag liep ik direct na het signaal naar de zijmuur met de hoge ramen. Ik pakte een van de zijsteunen en klom gemakkelijk naar boven. Tot mijn vreugde hoorde ik het galmende geluid verstommen. Bovenaan, op een hoogte van ongeveer vijfentwintig meter schat ik, begon een metalen overspanningsbint, dertig centimeter breed, vrij dik en zeker twee meter onder het dak gespannen. Ik stapte erop, hoorde verschillende kreten onder me en liep met groot gemak naar het midden. Mijn voeten plaatste ik nauwkeurig. Het was alsof ik boven op het schuine dak stond van een kerk in een Noord-Hollands of Fries stadje; ik hoorde de stem van mijn vader, die rustig aanwijzingen gaf hoe ik mijn voeten moest zetten. Halverwege vond ik een oud vogelnest, krabde het los en schoof het van de balk af; de takjes en veertjes dwarrelden naar beneden. In de open monden van de Turken, hoopte ik. Ik liep naar de zijkant, pakte de steun, en klom rustig omlaag. Er barstte een donderend applaus los en de kerels lachten en praatten hard, van opluchting dat ik mij niet naar beneden gestort had, van bewondering dat ik zoiets kon.

Waar dit goed voor was, vroeg de chef in zijn merkwaardige Engels. Opnieuw een gespannen stilte. Stomtoevallig stond ik vlak bij een groot stuk van het vogelnest; ik raapte het op en maakte de chef duidelijk dat deze rotzooi steeds op mijn hoofd en zelfs in mijn werk viel. Even duurde het, toen lachte de chef en gaf mij een klap op mijn schouder. Het gelach en applaus daarna betekenden dat ik in aanzien was gestegen.

Het werk in de fabriek vereiste precisie, het gaf voldoening en bracht bovendien wat op. Het salaris was voldoende om in het dorp Y. zoveel te kopen dat we een tamelijk ontspannen leven konden leiden. Bovendien kon Julia naar een schooltje. Zij leek mij een slim kind, maar als ze zo zou opgroeien, zou ze een analfabetische toekomst krijgen. Otto en ik hadden gezegd dat we haar moesten leren lezen, schrijven, rekenen. Dat was een mooie gedachte, alleen liet Julia zich niet dwingen. Materiaal was nergens aanwezig; onze didactische talenten waren nauwelijks ontwikkeld. Otto probeerde haar leesvaardigheid bij te brengen met voorbeelden uit de jeneverstokerij, wat bij haar alleen maar vraagtekens opriep. Ik zei dat hij eenvoudiger moest beginnen. 'Doe het dan zelf.' Hij ontvouwde hele theorieen over onderricht, maar in de praktijk bracht hij er weinig van terecht.

Het schooltje, hoorde ik van de chef, stond onder bijzondere protectie van Mustafa Kemal, zoals de hele fabriek.

In 1925 ging het schooltje van start. Julia was opgegeven als leerling. Julia weigerde.

Het heeft ons een hele avond gekost om haar ervan te overtuigen dat het slim was de lessen te volgen. Zij leerde er rekenen en schrijven en lezen en Engels, wacht nou even, natuurlijk zijn dat allemaal stomme kinderen, alleen jij bent niet stom.

Otto kwam ertussendoor. In hoog tempo produceerde hij sketches, toneelstukjes vol idiotie, allemaal over het thema domheid. Dat toneelspelen was een kolfje naar de hand van Julia. Dat vond zij altijd leuk. Otto pakte de lappenpop, die hij zelf gemaakt had.

'Dit is een dom vrouwtje. Dom vrouwtje ziet sinaasappelman.'

Dan volgde een kolderiek gesprek tussen dom vrouwtje en koopman dit keer met een ingewikkelde rekensom. Otto besloot met de moraal: niet dom zijn, dat kost je geld. Julia moest goed kunnen rekenen. Holland! De hond spitste de oren. Holland was ook niet dom. Hoeveel was vier min twee, Holland? Tweemaal een korte blaf, wat hij altijd deed in zo'n situatie. Ik moest lachen en Julia klapte in haar handen.

Door onze onwetendheid over de toestand in Europa kregen we, als we een enkele keer over Europa konden praten, schokkende feiten en raadsels te verwerken. Zo herinner ik me een gesprek op een avond met een Turkse arbeider van de fabriek die een mondvol Engels sprak. Kwamen wij uit Holland? Wij kregen raki; hij nam er bier bij. Dorst, zei hij, met veel spuug. Duitse keizer, zei hij.

Wat was daarmee, vroegen wij.

Duitse keizer. Leefde. Leefde in Holland, voegde hij er tot onze verbijstering aan toe.

In Holland?

Ja. Kasteel in Holland.

Ik stond op en stootte Otto aan. Ik wilde weg, zei ik. De keizer van Duitsland in een Hollands kasteel. We moesten terug naar Julia, die alleen lag.

In de loop van 1925 moest ik bij de chef komen. Eerst kreeg ik te horen dat ze geen halve krachten meer wilden. Op de aanwezigheid van Otto Beets werd niet langer prijs gesteld. Waarom ik dat moest doorgeven en waarom het hem niet rechtstreeks werd gezegd, begreep ik niet. Waarschijnlijk vonden ze het van geen enkel belang. Vervolgens werd mij gezegd – ga toch zitten man, hij schoof een stoel bij – dat er een grote order van de luchtmacht voor de fabriek was gekomen en dat daarom in de toekomst louter vliegtuigonderdelen gemaakt zouden worden. Ik dacht er het mijne van.

Ik werd bevorderd en kreeg een salaris en een contract die gelijkstonden aan het salaris en het contract van een militair met de rang van luchtmachtofficier. Misschien heb ik gekeken alsof het heel gewoon was, alsof ik vond dat mij zo'n rang en zo'n salaris na alle ontberingen rechtens toekwamen. Ik weet zeker dat na een paar tellen de chef vroeg of ik hem verstaan had. Ik kreeg een stapel papieren mee, in het Turks en in het Engels, die ik moest doorkijken.

❰

De lessen aan de kinderen werden gegeven in een apart gebouwtje op het fabrieksterrein. Ik bracht haar zelf en ze bleef spelen tot ik haar kwam halen. Bij alle kinderen ging het zo; ze hoefde zich geen uitzondering te voelen. Het schooltje draaide vier dagen in de week; er waren negen kinderen.

Julia vond het in het begin verschrikkelijk. De kinderen waren dom, de juffrouw was streng, het was een oma (ik denk dat ze een jaar of vijfentwintig was), en de juffrouw vond alle andere kinderen belangrijker dan Julia. De kinderen waren van verschillende leeftijden en er waren drie jongetjes bij. Iedere ochtend dat ze school had, gedroeg ze zich vervelend en nukkig. Na een paar weken werd dat minder; vrij plotseling ging ze zonder problemen of scènes mee naar school en als ik haar ophaalde was ze bezig met kleine werkjes. Ze liep ernstig naast me alsof ze zojuist een belangrijke dag had beleefd. Voorzichtig vroeg ik wat ze gedaan hadden en ik kreeg te horen dat de juffrouw de kinderen leerde lezen en rekenen en zingen en dat ze vertelde over Turkije en over Mustafa Kemal en over de vliegtuigen.

Wat ze dan zoal vertelde over de vliegtuigen?

Dat wij de beste vliegtuigen ter wereld bouwden.

Werkelijk? Vertelde de juffrouw dat? Ze knikte ernstig, alsof zij verantwoordelijk was voor het luchtvaartprogramma van Turkije. Vond ze het leuk om wat te leren? Weer een ernstige knik. Leuker dan in het begin, hè? Geen reactie. Ik gaf het op. Het bleef een raadsel waarom ze het ineens prima vond naar dat schooltje te gaan.

De school werd een succes: ze werd handiger en mondiger. Ik herinnerde haar er wel eens aan dat ze het in het begin zo moeilijk vond om naar school te gaan, maar ze deed net of ze me niet verstond of ze ontkende ijskoud dat ze ooit een probleem gemaakt had. Ze wist niet beter of ze was altijd met groot plezier naar school gegaan. De kinderen waren aardig voor haar, niemand was de baas, behalve de juffrouw natuurlijk, en als ze wilde tekenen of spelen mocht dat.

Na een maand of vier kwam ik de juffrouw tegen; het leek mij een mooie gelegenheid haar te vragen naar het gedrag van Julia. De juffrouw sprak behalve Turks ook

Frans, maar verder dan 'oui', 'non' en 'papa fume une pi-
pe' reikte mijn Frans niet; na enkele volzinnen moest ik
bekennen dat ik haar Frans niet begreep. In het Engels
dan, maar dat was bij haar beperkt tot drie woorden. Wij
bogen wat, wij knikten wat, wij herhaalden de zes woorden Engels en Frans die we beiden kenden en wij lachten
naar elkaar, totdat de aardige, jonge, knappe juffrouw plotseling zei:
'Votre femme, very good, very good. Mes compliments.
Avec votre femme. Very well.'
Ze boog en greep mijn hand. Ik stond perplex. Mijn
vrouw? Wat was haar op de mouw gespeld? Ik vroeg haar
waar Julia was. Zij wees en brouwde alsnog een volzin in
het Turks. Aan de uitdrukking op haar gezicht te zien zal
het betekend hebben dat Julia een schat was, waar ik mee
instemde.
Op weg naar huis hield Julia haar mond. Ik was haar sa-
men met de juffrouw gaan halen en het was haar kenne-
lijk onduidelijk wat ik met de leerkracht had besproken.
'Hoe was het vandaag?'
'Goed.'
'Wat heb je gedaan?'
'Voorgelezen.'
'Mooi. Wat heb jij allemaal verteld over je moeder?'
'Hoezo?'
'De juffrouw had het erover.'
Ze dacht na. 'Wat zei ze dan?'
'Nee, ik vraag eerst aan jou wat jij hebt gezegd.'
'Niks bijzonders.'
'Wat dan?'
'Dat ik geen moeder heb maar een vader en Otto. Dat
mijn moeder ziek is geweest en toen is doodgegaan.' Ze
dreunde haar lesje op.
'Je hebt vast nog meer verteld, Julia.'

Ze schudde haar hoofd en bestudeerde de grond.

'We kunnen toch geen geheimen voor elkaar hebben? Over je moeder?'

'Waarom niet? Dat moet ik toch zelf weten?'

Omdat ik salaris kreeg, konden we in Y. dingen kopen die tot nu onbereikbaar waren geweest, honing bijvoorbeeld. Julia was gek op honing; ze kliederde het zo dik op haar brood dat het door de grote gaten er weer uit droop en op haar handen, haar wangen en lippen, haar kleren kwam. Als je er wat van zei, begon ze stralend en kleverig te lachen. Om de honinginname enigszins te beperken spraken we af dat ze brood met honing kreeg als ze uit school kwam; niet de andere dagen en niet 's ochtends, zoveel honing was niet goed voor haar. Ze was het ermee eens. Zo was de gang naar huis altijd een feest.

'Gadverdamme, alles zit onder,' foeterde Otto wel eens. Ze wachtte dan tot hij niet meer oplette, sloop achter hem langs en zoende hem op de wang, waarbij ze ervoor zorgde dat alle plak van haar gezicht ook op zijn gezicht kwam. Wrijven hielp niet; hij moest zijn gezicht wassen, wat hij mopperend deed terwijl Julia de grootste lol had.

In een van de herfstmaanden werd ze ziek; ze kreeg vlekken, ze was koortsig en voelde zich lamlendig. Ik ging alleen naar de fabriek, was er met mijn harses niet bij, maakte een paar miskleunen, wat een lacherig Turks commentaar opleverde, en ging vroeg weg. Thuis was alles hetzelfde. Ze wilde niet naar bed in die grote stille kamer en ze wilde niet in de kamer van Otto zitten en niet in de andere kamer en niet op de veranda. Ze hing over een paar kussens. Ik streelde haar haar, wat een korte klacht opleverde. Ik draaide haar om. Ze zakte slap in mijn armen.

'Gaat het niet goed, kleintje?'

Ze kreunde. 'Ik ben ziek,' zei ze overbodig.

Ze wilde niet eten. Ik wreef over haar rug en voelde hoe warm ze was. Hoe ziek kan een achtjarig kind zijn dat er al zeven jaar van getuigd had over een ijzersterk gestel te beschikken? Werd mijn sterke lieveling van binnenuit gesloopt?

Ik zei tegen Otto dat ik wat later zou eten; dat ik eerst zou proberen die kleine naar bed te brengen. Wij hadden geen enkel geneesmiddel, geen middel tegen de koorts; ik vermoedde dat zoiets in heel Turkije niet te krijgen was. Ik droeg Julia de trap af naar onze eigen verdieping en legde haar neer. Even later lag ik op bed, Julia tegen mij aan; ze wilde haar kleren uit en zei na vijf minuten dat ze het koud had, wat mij dwong haar smalle, huiverende lijfje tegen mij aan te drukken en met mijn lichaam warmte te geven aan iets dat aanvoelde als gloeiend zand. Zo bleven we in bed liggen, ik met mijn achtjarige bloterik, die dagenlang een ondraaglijke en op den duur stinkende hitte verspreidde, aan wie ik water toediende en die ik naar de pot bracht. Ikzelf at af en toe snel wat tussendoor.

Even onverwachts als het begonnen was, hield de warmtestraling op; ze lag op haar rug vredig te slapen en haar adem werd naar binnen gezogen met de gewone jeugdige gretigheid en met een teleurgesteld gepruttel weer in de vrije ruimte losgelaten. Zo sliep ze altijd en er was niets meer te bekennen van de amechtige ademstoten van de laatste tijd.

'Was ik erg ziek?' vroeg ze de volgende dag. Ik was zelf zo diep in slaap gevallen, vermoeid door al dat waken, dat zij zonder dat ik het gemerkt had wakker was geworden, in de late ochtend opgestaan en nu op de veranda brood met honing zat te eten. Na alle angst en ongerustheid trof dit beeld van mijn inhalige en sterke lieveling mij diep in

mijn juichende binnenste; ik maakte een paar extra passen voor ik naast haar neerplofte.

'Nogal,' gaf ik toe.

'Was je bang dat ik doodging? Net als mijn moeder?'

'Je had een kinderziekte. Daar ga je niet dood van.'

Ze nam een groot stuk brood en de honing plakte een
tijd haar mond dicht.

'Noem jij dat een kinderziekte?'

'Je bent in elk geval beter.'

Ze lachte geluidloos met volle mond. Ik pakte haar voorzichtig beet en trok haar tegen me aan, wat me een smerige plakzoen opleverde, die ik een tijd lang irriterend liet
opdrogen.

Ik nam van de fabriek een mooie plaat aluminium mee,
waar ik de tekening die Otto en Julia gemaakt hadden van
de Bono, en die altijd op een ereplaats gehangen had, zorgvuldig op plakte; Otto moest lachen, maar Julia was me
dankbaar. Otto en Julia wilden de oude tekeningen sorte-
ren. Op de achterkant van een tekening van de begraafplaats trof Otto mijn schets van het naamloze gevangen-
kamp.

Wat dit mocht voorstellen?

Julia reageerde verontwaardigd. Of hij niet zag wat dat
was?

Nee, zei Otto aarzelend, bang dat hij op een kinderziel
zou trappen.

Dat was het kamp waar wij hadden gezeten en dat was
het huis van haar moeder en dat was het graf van haar
moeder.

Ah. Otto's gezicht klaarde helemaal op van doorbrekend
helder besef. Natuurlijk. Nu zag hij het. Kijk, dit was uiteraard de zee. En hier het dorp. Hoe heette dat dorp ook
alweer? Iets met een a, of een o. Iets met yan of aniye op
het eind.

Wist hij dan hoe het dorp heette?

Ja natuurlijk, maar hij vergat die Turkse namen altijd.

Achteraf moet ik toegeven dat het ontroerend was hoe Otto probeerde zich iets in het geheugen te brengen dat er helemaal niet kon zijn. Wie het minder ontroerend vond, was Julia.

'Otto weet wél de naam van het dorp,' riep ze hoogst verontwaardigd en ze sloeg over dat Otto zei dat hij de naam ooit geweten had en door ouderdom of seniele aftakeling de naam vergeten was.

'Otto weet helemaal niet hoe dat dorp heette.'

'Jawel, toch,' zei hij aarzelend en hij probeerde mij, achter de rug van Julia om, met oogcontact te verleiden tot enige hulp.

'Wij hebben de naam nooit gehoord. Daar hebben wij ons achteraf over verbaasd. Ze hebben nooit gezegd waar we zaten. Dit' (ik wees op de tekening die ik voor Julia gemaakt had) 'is alles.'

Otto trok een somber gezicht, dacht na. 'Het kan zijn dat je gelijk hebt. Ik dacht iets met een o. Met yan of aniye op het eind.'

'Waar je dat vandaan haalt.'

'Zeker verward met een ander dorp.'

Julia had de wat domme discussie over onze herinneringen met groot wantrouwen gevolgd. Het resultaat stelde haar teleur. Zij pakte de tekening en legde die bij haar eigen spullen. 'Jullie zijn domoren. Jullie vergeten alles,' was haar harde oordeel. Wij beaamden het zwijgend.

Later, toen Julia ons niet kon horen, viel ik uit tegen Otto.

'Verdomme, let dan op, man. Dat zijn discussies die we moeten zien te vermijden.'

'Ja, zij kwam ermee aan. Of ik snel en onvoorbereid wilde reageren.'

'Fatima, hadden we afgesproken. Zij heet Fatima. Verder geen namen. Geen enkele naam, niets.'

'Oké, wij weten niets meer,' besloot Otto. 'Fatima. Verder weten wij niets meer.'

'Wij zijn domoren,' zei ik.

De domoren moesten lachen.

☾

Dus zaten wij voor de noodzakelijke taak een moeder te ontwerpen. Otto pakte een stuk papier en schreef 'De moeder' op.

We moesten de belangrijkste vragen onder elkaar zetten, zei hij, en niet te ingewikkeld, dat viel altijd door de mand. De eerste vraag was: wanneer? Hij schreef het woord 'wanneer' op. De tweede vraag was: waar? Dan: hoe zag ze eruit?

Hoe heb ik haar ontmoet? voegde ik er zelf aan toe. Hij aarzelde even, schreef het eronder.

Wanneer en hoe is ze gestorven? Toen stokte het.

'Vijf vragen,' zei hij keurend. 'Laten we als zesde punt opnemen: "noodzakelijke bijzonderheden". Hier hoort bijvoorbeeld bij dat ze wees was.'

'Wees?'

'Ja, ze was niemand verantwoording schuldig, er was geen familie bekend, allemaal dood door de oorlog, heel zielig. Dat scheelt een hoop lastige vragen. Goed, zes gegevens; de rest weten wij niet. Als Julia vraagt naar iets anders, dan halen we onze schouders op en kijken we wazig. Het was oorlog; de ontmoeting was kort doch heftig.'

Hij lachte. Ik protesteerde een beetje: 'Nou ja, doe serieus zeg, het gaat om haar moeder.'

'Wat nou, haar moeder? We gaan toch wat verzinnen?'

Ik vond dat het ingewikkelder lag dan hij dacht. Voor

153

het kind ging het om een herinnering aan haar moeder; wat wij gingen maken, wás haar moeder. Ik begreep dat ik het niet uit kon leggen.

'Dat papier moet zorgvuldig vernietigd worden,' zei ik. 'Het is een bijzonder document.'

Ik zag dat Otto er een satanisch plezier in had; hij stak er de draak mee.

'Goed, komt in orde,' suste Otto. 'Kom op. Wanneer?'

Ik dacht hardop na. 'Haar geboorte was op 1 maart 1917; negen maanden terug; ik kom op 1 juni 1916; klopt dat?'

Otto rekende mee: 'Ja, rond 1 juni 1916. Dat komt mooi uit, dat was een zomer, een heel fraaie luchtig makende zomer; mei 1916, kennismaking en...' hij keek mij schuin van onder aan met lachende ogen, 'hoe noemen we dat?'

Ik zat stuurs te kijken.

'Zeg, doe niet zo moeilijk; we zitten samen jouw probleem op te lossen hoor. Het heeft iets komisch, dat moet jij toch zien.'

Ik gaf hem gelijk en mompelde een excuus.

'Kennismaking en op een mooie avond vergaande intimiteiten,' schreef Otto zichzelf dicterend op. 'Mei 1916 dus. Mooi. Nu: waar?'

'In 1916 zaten we in dat kleine concentratiekamp, vlak bij de kust; weet jij bijzonderheden?'

Otto hakte de knoop door. 'Goed, we houden het vaag. We zaten in een klein concentratiekamp, redelijke vrijheid, helemaal in het westen, vlak bij zee; naam nooit genoemd, naam van het dorp konden we niet onthouden, domme wij.' Otto schreef alles op. 'Hoe zag ze eruit?'

'Gewoon Turks,' zei ik.

'Nee, daar neemt Julia geen genoegen mee,' wist Otto. 'Je moet enkele bijzonderheden hebben. Wat voor haren?'

'Zwarte, krullende haren,' zei ik.

'Goed, jij valt op zwart krullend haar.' Otto noteerde. 'Hoe oud was ze?'

154

'Jong,' zei ik meteen, 'zestien.'

'Seks met minderjarige,' wierp Otto tegen.

'Ik moest tweeëntwintig worden, zestien kan best.'

Otto vatte samen. 'Zestien jaar, zwart krullend haar. Nog één bijzonderheid.'

We dachten na. 'Ik heb eens een hond gezien...'

Otto keek me verbaasd aan.

'Die had twee verschillende ogen: een bruin oog en een blauw oog.'

'Prachtig,' vond Otto, 'niet veranderen; ze had een blauw oog en een bruin oog. Genoeg details. Jij mag haar lief, schattig, charmant, hartveroverend noemen, dat zegt allemaal niets, maar zo is de beschrijving: zestien jaar, zwart krulhaar, bruin oog, blauw oog, verder alles gewoon. Wel een beetje smeuïg brengen als ze ernaar vraagt hoor. Het is tenslotte haar moeder,' zei hij met een grijns. 'Hoe heb je haar ontmoet?'

'Bij de ingang van het kamp.'

'Kom nou, het is geen hoer. Wacht even, perfect: gevallen vrouw. Zij was letterlijk gevallen en jij hebt haar opgeraapt en verzorgd; ze had kleine schaafwonden en jij hebt haar naar huis gebracht. Ik weet het beter, ze kwam niet uit een dorp, dan vraagt Julia of je dat aan kan wijzen op een kaart; ze woonde in een van die losse vissershuizen, die langs de hele kust staan.'

'Kan dat wel? Zestien jaar en helemaal zonder familie?'

'In oorlogstijd kan alles. Jij brengt haar thuis, gaat pleisters plakken, je moet de volgende dag terugkomen om de wondjes te controleren. Zat er nergens anders nog een wond? Laat eens goed zien. Hopla: verregaande intimiteit.'

'Hoe ging het sterven?' vroeg ik.

'Wij zitten gevangen, wij kunnen niets regelen. Af en

toe kan jij langskomen en je hoort dat ze zwanger is, je hoort dat ze een dokter raadpleegt, je ziet dat het niet goed gaat; het is tenslotte oorlog.' Otto zweeg, zat het einde van de zwangerschap te bedenken.

'Ja, en toen?' vroeg ik, benieuwd naar de ontknoping van mijn avontuur.

'Hoe houden we dat eenvoudig?' peinsde Otto.

'Ziekenhuis?' probeerde ik.

'Nee, te ingewikkeld. In dat huisje ontmoet jij de dokter en je geeft de dokter ons laatste geld, maar ze gaat toch dood. We hebben haar nooit teruggezien. De dokter zorgt voor het kind en als wij een paar maanden later wegtrekken naar het oosten, nemen we het kind mee. Dokter wordt hartelijk bedankt.'

'Hoe heette die dokter?'

'Dat weten we niet, dat wilde hij niet vertellen, het was oorlogstijd.'

'Goed,' stemde ik toe. Hij schreef het op.

'Dit is alles en de rest is in de modder van de oorlog verloren gegaan, is dat duidelijk, kolonel? Wat voor rang heb je in die fabriek?'

'Weet ik niet. Hij zei officier.'

'O. Duidelijk, kolonel? Ik vind kolonel hoog genoeg voor jou.'

Veel later, toen we al een tijd in dat vuilnishuis woonden, in 1926 of 1927, stelde Julia op een onverwacht moment een nieuwe vraag over haar moeder. Ik antwoordde automatisch, omdat ik geconcentreerd bezig was. Ik probeerde een klein potloodstompje, ooit van de fabriek mee naar huis genomen, met een mes te slijpen en moest uitkijken voor mijn fikken. Als ze gevraagd had wat voor werktafel ik in de fabriek had, had ik gemeld dat die afgebladderd zwart was, van metaal gemaakt en vastgeschroefd; dezelfde emotionele lading en nonchalante precisie had mijn stem nu ik haar antwoord gaf op de vraag wat voor iemand haar moeder was.

'Zwart krullend haar, zestien jaar, één bruin oog en één blauw oog,' zei ik in een en dezelfde adem. Julia had de vraag gesteld terwijl ze bezig was met een bootje waar iets aan veranderd moest worden. Ik herinner me dat ze het bootje pardoes liet vallen en dat ze mij stomverbaasd aanstaarde. Otto stond met een ruk op.

'Tjonge, jonge, jonge,' zei hij luid en verontwaardigd. 'Kan mijnheer niet even nadenken? Kan mijnheer niet even de moeite nemen een antwoord zo te formuleren dat het geloofwaardig klinkt? Kan mijnheer zich niet even inspannen nu dat kind naar haar moeder vraagt? Kan mijnheer zich niet even zijn vroegere geliefde voor de geest halen en haar zo beschrijven dat ze iets waardevoller lijkt dan een bak met ingelegde zure eieren? Hebben we niet genoeg moeite gedaan, lummel?'

Julia kon onmogelijk begrijpen wat Otto zei en Otto formuleerde alles met snel gevonden dubbelzinnigheid, maar toch schrok ik geweldig van zijn woorden, die in mijn oren als een verboden onthulling klonken waar het kind bij was.

'Houd je kop, ja?' snauwde ik hem toe.

'Mijn kop houden? Waarom zou ik mijn kop houden? Jij moet je doodschamen. Dat kan toch niet, zo'n antwoord: zestien jaar, krullen, blauw oog, bruin oog. Op die toon! Je had evengoed kunnen zeggen: een hoofd, twee benen en de rest er maar een beetje bij verzonnen. Moet je...'

'Otto,' onderbrak ik hem schreeuwend. Ik had hem aan willen vliegen, hem de mond met mijn eigen handen willen dichtdrukken, zodat Julia zijn woorden niet meer kon horen, want al wist ze niet waar het over ging, ik wilde niet dat zulke woorden zich in een hoek van haar geheu-

157

gen zouden nestelen. Otto begreep welke schade hij dreigde aan te richten, want hij zweeg.

Julia zat met grote, angstige ogen naar ons te kijken. Plotseling kwam mij akelig scherp het beeld voor de geest van dat rokerige plein met die bewaker vooraan, die het bundeltje kind onder zijn hoede had. Ik stond op en liep de trap af naar beneden.

Halverwege de trap begon het zelfverwijt: waarom had ik dat gedaan, wat had mij bezield om dat kind zo te antwoorden op een belangrijke vraag, wat was de reden dat ik van het liefste dat ik ooit had bezeten, de moeder van Julia, een volkomen onpersoonlijk ding had gemaakt? Ik had het kind beledigd, ik had Otto beledigd, ik moest mij tegenover die twee verontschuldigen, niet door gewoon sorry of iets dergelijks te mompelen, maar door de moed op te brengen naar boven te gaan, het kind recht aan te kijken en een eerlijk antwoord te geven op haar vragen. Zoals Otto en ik het hadden voorbereid, met alle aarzelingen, denkpauzes, graven in het geheugen, verdriet en herinnerde verliefdheid die erbij hoorden.

Het duurde een halfuur voor de flitsen van het rokerige plein met de opgewonden massa vervaagden en ik de wandeling met Fatima en de gesprekken over de toekomst in haar vissershuisje ervoor in de plaats kon zetten. De dokter die mij met bezorgde blik vroeg of ik zeker wist dat ik voor de kleine kon zorgen; ik kon de kleine achterlaten, want hij en zijn vrouw... Had hij een vrouw, vroeg ik me af en toen pas durfde ik de trap op.

Boven aan de trap hoorde ik dat Julia en Otto zaten te praten. Ik bleef tegen het hek van de trap geleund staan. Julia kon mij zien, Otto zat met zijn rug naar mij toe gekeerd. Ik hoorde hem uitleggen dat Simon, pappa, nooit had kunnen praten over Fatima, die de moeder van Julia was; als iemand ernaar vroeg, iemand van de Engelsen bijvoorbeeld of iemand uit het dorp (dat kon niet, dacht ik, wij spraken nooit met iemand uit het dorp) of iemand van de fabriek...

'Wie van het dorp dan?' vroeg Julia en zij zag mij staan.

...dat Simon dan zweeg en geen antwoord gaf. Of een enkele keer, als zwijgen echt niet kon, dan zei hij alleen: krullend haar, zestien, verschillende ogen. Op zo'n rare toon en verder niets. Dat kwam omdat ik, Simon, zoveel verdriet had omdat Fatima gestorven was, en dat hij, Otto, altijd geprobeerd had Simon aan het praten te krijgen, dan ging het verdriet over; het was niet gemakkelijk voor Simon.

Ik ging bij hen zitten en dat was uiterst lastig, want ik zei hond noch stront; zij ook niet. Otto verwachtte dat ik zou beginnen; Julia barstte van het medelijden met haar vader maar bleef stug voor zich kijken omdat ze het angstige idee had dat zij met haar vraag alles had veroorzaakt. Ik had beneden nog gedacht dat ik moed genoeg had, maar hier, tegenover die twee vreemdelingen, wist ik opnieuw niet hoe te beginnen, hoe het ene beeld op de plaats van het andere te krijgen.

Julia kwam niet lang daarna met een vel papier naar me toe en vroeg of ik JULIA wilde knippen.

Dat kon ze toch zelf, zei ik. Zij kon toch schrijven.

Maar ik kon mooier knippen, zei ze.

Ik pakte het papier aan en bedacht dat ik mooie vette kapitalen moest knippen, tot ik het papier omkeerde en inwendig een eind omhoogschoot.

Alle papier werd door ons zorgvuldig bewaard in een grote kist, waaruit Julia kon pakken wat ze nodig had. Wat ze mij aanreikte was een papier met een reclame van ene Dimitrakopulo, die iets verkocht voor 125 kuruş, en op de achterkant zag ik in Otto's regelmatige handschrift de vragen waarop wij een antwoord moesten vinden en 'Fatima' in sierlijke letters ernaast geschreven. Ik nam aan dat Julia nog niet de moeite had genomen het handschrift te ontcijferen. Ik knipte een onschadelijke strook af en deed mijn best op de letters. Ze stak haar hand uit om het papier weer aan te pakken, dat ze ongetwijfeld terug in de kist wilde leggen, maar ik zei dat ik het zelf nodig had.

'Waarvoor?'

'Even wat opschrijven.'

'Wat dan?'

'Iets voor de fabriek.'

Ze knikte; dat antwoord volstond kennelijk.

's Avonds liet ik het papier aan Otto zien.

Stom van hem. Hij had het moeten vernietigen.

Ze zat haar naam uit dit papier te knippen.

En?

Niets. Ze had nog niets gelezen.

Ik stak mijn hand uit en hij greep hem meteen. We herhaalden een handschudgebaar van vroeger, van toen ik pas logeerde in Dordrecht en wij elkaar kort kenden, een vage herinnering die niet zozeer met ons geheugen opgeroepen kon worden als wel met onze handen. Er was geen enkel woord nodig. Het papier kon weg en Julia kon haar moeder krijgen en wijzelf zouden geen enkele fout meer maken.

Dünya Şuman

In de regentijd van het jaar 1930 werd ik naar het dorp gebracht. Met een militaire vrachtauto, dat wel. Zo ver buiten het centrum reden geen andere auto's. Die stomme
boeren stonden met de pet in de hand langs de weg en lieten ons zwijgend passeren. Ach, ach, wat een somber en
koud weer. Dit zou mij voor de rest van mijn leven in dit
boerenland begeleiden. Ik stelde mij voor hoe onbereikbaar Istanbul werd. Bij dorpen ging ik met mijn gezicht
naar de toekomst zitten en dan zag ik het land op me afko-
men zoals de regen in mijn gezicht en in mijn kleren: kil,
nat, ongastvrij en vuilzwart.

We stopten voor een gebouwtje. Klei met een soort veranda. Ik kreeg een sein en met de grootste moeite klom
ik van de auto af. Ik bood een gênant schouwspel voor die
twee soldaten. Nou, dat kon me geen barst schelen.

Het huis was vanbinnen glad gestuukt. Het had houten vloeren en een plafond van zware balken. Ik zag
een kachel; er was een primitieve keuken. Prima huis,
merkten de soldaten op. Zij wel. Niks gewend. Ze haalden uit zichzelf, zonder dat ik me opnieuw hoefde te ver-
nederen, mijn kist van de auto en vroegen waar ze hem
moesten neerzetten. Ik wees een plek midden in de kamer aan. Toen mijn geheim daar zo openlijk stond, voelde ik me echt verbannen. Ik wist dat de kleren, de sieraden, de parfums en de zepen hier zinloos waren. Ik zou ermee voor gek lopen. Nooit, nooit zou iemand denken dat

ik van goede komaf was en een vrouw uit de betere standen.

Van mijn opdracht kon ik werkelijk de noodzaak niet inzien. Een opdracht die de zeiknatte rit hierheen nodig had gemaakt. Plus de aanklachtloze, procesloze, rechtbankloze en advocaatloze verbanning die mij pardoes was aangedaan, alsof ik een stuk vee was dat verplaatst kon worden als het maar gras te vreten krijgt, alsof ik geen mens was met herinneringen en heimwee. 'Cheerio,' zeiden wij altijd. Nou, ga je gang. Er zouden hier in dit vervloekte dorp twee mannen leven, ex-krijgsgevangenen, buitenlanders, die een zekere waarde hadden en die verzorgd moesten worden alsook in de gaten gehouden. Verzorgen kunnen ze zichzelf en in de gaten houden is jullie taak, had ik zo cynisch mogelijk geantwoord. Ik hoefde niet te klagen, zeiden ze. Het was gemakkelijk werk. Ik zou een redelijk salaris krijgen.

En hop, verder het land in, alsof het niet mooi genoeg was, langs een steenlawine, en toen we een heuvel gepasseerd waren riep een van die militairen naar mij en wees.

Iets verderop stond een groot huis op een stuk land dat met prikkeldraad was afgezet. Door de aanhoudende wind van de laatste tijd was alle troep van een vuilnisbelt in de buurt tegen het draad aan geblazen en aan de scherpe pinnen blijven hangen. Papier, lappen, verpakkingen, speelgoed, kleren, jutezakken; alles kapot, aan flarden, draden. De kleur van dood zand. Regen en wind hadden het er vaster tegenaan geplakt. Een vuilnisbelt uitgesmeerd over honderd meter om het terrein van deze buitenlanders voorgoed te brandmerken.

Het huis had drie woonlagen. Het was niet al te best onderhouden. Er was niemand thuis. Wij liepen de tuin in. Volkomen verwaarloosd. De open ruimte op de begane grond werd gebruikt voor rotzooi. Ze hadden hier luk-raak dingen neergesmeten. Als je het maar kwijt bent. Een deur hing scheef. De trap bleek steviger dan hij eruitzag. De balustrade op de eerste verdieping was kapot. De bovenste verdieping bevatte een verhoogde sofa-ruimte, een stookplaats en enkele kamers. Over de hele verdieping een plafond, ooit prachtig bewerkt met een ruitpatroon. Het dak zat vol gaten.

De week daarop ging ik naar het huis om er eens rustig rond te kijken. Als ik die bajesklanten dan toch moest verzorgen, dan konden zij niet verhinderen dat ik het huis van onder tot boven bekeek, dat ik in hun spullen snuffel-de en dat ik de rotzooi wat aan kant ruimde.

Hoe weinig Turks waren ze, die twee. Dat was het eerste dat mij opviel. En hoe wantrouwend, hoe angstig ook. Misschien, dacht ik bij mijzelf, kunnen we het leven van Dünya Şuman in dit hopeloze ballingsoord nog redelijk aangenaam maken. De jongste was degene die in de fabriek werkte. Hij droeg een overall met een logo. Vooral over hem moest ik verslag doen, begreep ik. De ander keek spottender, brutaler, agressiever. Hij leek me verreweg de gevaarlijkste van de twee. Spraken ze Turks? Ik probeerde het, maar de jongste schudde zijn hoofd en de oudste zei iets in zijn eigen taal terug waar de ander om moest lachen. Ik kreeg de indruk dat ik in de maling genomen werd. Maar spottershuisje brandt ook goed. Ik raapte alle moed bij elkaar en stelde mij in het Engels voor als mevrouw Dünya Şuman, per recueil militaire aangesteld als de mevrouw die jullie zal verzorgen. Wist ik van mijn man. Hadden ze niet van terug.

Kennelijk had niemand de twee gewaarschuwd dat ik zou komen, want alles wat zij uitstraalden was opperste verbazing.

'Verzorgen?'

'Yes. Huis schoonmaken, eten koken.'

'Waarom?' vroeg de oudste.

Ik haalde mijn schouders op. Hoe kon ik iets uitleggen dat mijzelf ook volstrekt onduidelijk was? De oudste herstelde zich het eerst en stelde zich voor met een harkerige, wat formele buiging.

Ik probeerde hun namen te onthouden.

Op de eerste verdieping ging een deur open. Niet eens schokte mij het feit dat er geen twee maar drie personen waren. Ik nam ogenblikkelijk aan dat deze derde persoon geen toevallige bezoekster was. Maar dat er al eerder iemand, een piepjong en slank en zelfbewust iemand, benoemd was om die twee ex-gevangenen te verzorgen, en dat ik dus als tweede was toegevoegd aan een heel huishouden, zodat ongetwijfeld voor mij de zware en vuile karweitjes zouden blijven. Dat schokte mij diep. Bijna had ik mij omgedraaid om weg te gaan en nooit meer terug te komen, mijn spullen in te laden en te vertrekken. Maar hoe? Ik kon immers niet weg. Ik bleef staan en boog naar de jongejuffrouw, die mij nieuwsgierig opnam.

☾

In het begin dacht ik: o jee, wat loopt dit stroef. Dit wordt helemaal niks. Zij kregen de ideale hulp in de schoot geworpen en in plaats van dat ze huis en haard voor mij openstelden, moest ik me eerst naar binnen vechten. Bijna letterlijk. Die oudste draaide om mij heen, verbood mij de toegang tot de kamers en verhinderde mij op allerlei manieren mijn werk te doen. Werken in de tuin: daar hadden ze geen bezwaar tegen. Eilaas, ik wilde best wat bloemen opbinden of een struikje netjes bijsnoeien, maar zij dachten toch niet dat ik bomen om ging zagen of in de aarde ging spitten? En was dat nou nodig, de tuin zo erg te verwaarlozen? Zo als mestvaalt te gebruiken en oude kapotte voorwerpen gewoon tussen de fruitbomen te flikkeren. Een ander woord heb ik daar niet voor.

Voorlopig mocht ik niet eens het hele huis zien. De tuin en de begane grond, daar mocht ik komen, wees de oudste. De twee kamers van de eerste verdieping: verboden terrein voor mij. De grote veranda op de tweede verdieping mocht ik betreden. Bij de kookgelegenheid op de veranda kon ik mijn gang gaan. Verder had ik nergens wat te zoeken.

Ik knikte en dacht bij mezelf dat het hoogstens twee weken zou duren voor ik alle ruimtes van onder tot boven besnuffeld had. En mij de toegang tot bepaalde kamers te weigeren, dat hielden ze nooit vol. Maar momenteel niet moeilijk doen, Dünya Şuman.

Zo kwam ik binnen. Zo schoof ik in hun merkwaardige bestaan. Zo leerde ik de twee mannen kennen die door ons gevangen waren genomen bij Gallipoli, waar mijn man gesneuveld was. Die nooit waren uitgeleverd omdat de Britten niet in Hollandse krijgsgevangenen waren geïnteresseerd. Die trouwens helemaal niet bestonden want Holland deed niet mee aan de oorlog.

Wat mij het meest stoorde in dit huis, was het gebrek aan privacy. In de korte tijd van mijn huwelijk met Şuman had ik de weelde ervaren van een ruimte in huis waar een Duits bad met een toilet geplaatst was. Later moest ik genoegen nemen met de wasmogelijkheden die de mevrouwen mij gunden, maar vaak was ik alleen thuis en dan bracht ik lange tijden door in de spiegelende, glanzende ruimtes die de Griekse en Joodse en Armeense mevrouwen hadden laten aanleggen. Hier was niets. Een nat stinkend hok in de tuin, dat niet eens gesloten kon worden. Dat was het toilet. En jezelf wassen deed je op de veranda met een kan water of verderop bij de rivier. Ik kreeg de indruk dat die twee kerels zich helemaal niet wasten. Ik miste de spiegels waarin ik mijzelf kon bekijken, mijn dikke lichaam dat nog veerkrachtig was en vrij goed geproportioneerd. Ik heb altijd een mooie huid met een egale teint gehad en als ik die zorgvuldig inwreef met crème met verse vijgen en rijstmelk of met avocadozeep, dan glansde ik, dan rook ik mijzelf en ik drapeerde een handdoek om mijn haar, zodat er een beeld ontstond van geurende sensuele schoonheid. Ik mag daar rustig van spreken. De meeste mannen hebben liever een mollig type dan die graatmagere geraamtes, die dan wel de elegante westerse mode passen en showen maar die bij de omhelzing koel en wandelstokachtig aanvoelen. De spanning van mijn huid en de trilling van mijn vlees die met een strakke huivering tot rust komt, zijn geliefd bij genieters.

God moge mij vergeven, maar ik heb in de tweede week alle bewoners van het huis hartstikke dood gewenst. Dat lag aan het volgende voorval.

Ik kwam na een dag of vijf bij het huis. Alles doodstil. Weer niemand thuis, zo kwam mij voor. Een prachtige gelegenheid om alle kamers grondig te inspecteren. Ik liep naar boven; het leek mij het veiligst boven te beginnen. Terwijl ik mij de veranda op hees en langs de houten leuning sloop, meende ik een geluid te horen achter mij. Ik keerde mij om. Achteraf vraag ik mij af hoe lang ik oog in oog heb gestaan met dat monster. De reuzensprong van het beest bracht mijn lichaam uit evenwicht, zodat ik op de planken van de veranda bonkte. Ik kwam onder de kwijlende bek van de hond terecht. Ik voelde niets. Want mijn hart en mijn hersens stonden stil en al was mijn been eraf gezaagd door een kapitein-arts van het oude Osmaanse leger, ik had er niets van gemerkt. Ik had er geen enkele aandacht voor gehad.

Ze zeiden dan altijd dat zo'n hond niets kwaads in de

zin had. Hij sloeg met zijn staart, snuffelde aan mij, blafte kort, wat een afschuwelijk geluid was, en keerde terug
naar de deur van een kleine kamer. In de deuropening
stond dat kind zwijgend naar mij te kijken. Ik drukte mijn
elleboog op de grond, maar hield dat duivelse monster in
de gaten. Kind en hond keken naar een tegen de grond
gegooide, dikke, nog jonge mevrouw, die probeerde op te
krabbelen. Wat een stoffel. Ik stond plotseling zelfs op handen en voeten, benen te wijd uit elkaar, mijn vlezige achterwerk naar het kind gekeerd. Ik sloeg mijn kleren af.
Ik zei niets. Zij zei niets. Toen draaide zij zich om en ging
naar binnen. De hond volgde haar subiet op een nauwelijks zichtbaar teken van haar kinderhand.

Die oudste heette Oto. Oto Beç. Wat mij aan parelhoen
deed denken, maar wat verder geen betekenis had. Hij was
het meeste thuis. Hij werkte niet in de fabriek. Aan hem
zou ik wat gehad hebben als hij niet zo ongenaakbaar was.
Het was net of ik lucht voor hem was. Hij liep weg als
hij me zag aankomen. Hij was vreselijk slordig. Overal
slingerden zijn spullen. Zijn kleren zaten onder de vlekken.

Het zal in de tweede of derde week geweest zijn dat ik halverwege mijn tocht terug naar huis een besluit nam. Ik
keerde om. Ik wilde iets forceren. Ik wilde met die twee
praten. Waarom ze mij niet accepteerden. Wat voor werk
die jongste precies deed. Waarom die oudste altijd van me
wegliep. Wat dat meisje dat daar rondliep voor taken had.
Toen ik de bocht naar de tuinpoort maakte zag ik de oudste in de deuropening staan. Alsof hij van mijn plannen op
de hoogte was geweest. Alsof hij in mijn kop had gekeken
in plaats van naar mijn kont.
  'Ik wil praten.'

'Waarover?'

'Over jullie. Over mijzelf. Over mijn taken.' God, wat was dit moeilijk. Ik zag alleen onverschilligheid. Ik probeerde het op een andere manier.

'Ik wil voor jullie koken.'

Hij trok een gezicht als voorzag hij problemen. 'Dat moet je eerst met zijn dochter bespreken.'

Ik weet heel goed dat ik eerst meende hem niet goed verstaan te hebben.

'Met wie?'

'Met de dochter van Simon.'

'De dochter van Simon?' Ik leek wel een schaap. Hij knikte en deed een pas opzij omdat hij heel goed begreep dat ik er nu langs wilde. Dat was typisch voor Oto Beç, dat hij je gedachten leek te raden.

Ze stonden bij de stookplaats op de bovenste verdieping. Ik zag ook de zwarte hond, die zo gauw mijn kop boven de vloer uitstak, opsprong, veerde, keek en zich uitvoerig ging uitrekken, voorpoten, achterpoten. Simon Krisztián stond bij de stookplaats naast het meisje van twaalf, dertien jaar dat ik als de eigenares van de hond had leren kennen en aangezien had voor een hulp die ze liever hadden dan mij.

'Ben jij zijn dochter?'

'Ja.'

De hond gaapte, ging liggen maar bleef waakzaam. Ik keek. Probeerde de gelijkenis te zien. Begreep het niet. Hoe kon hij een dochter hebben? Ik was zo ondersteboven dat ik totaal mijn voornemen vergat, mij omdraaide, met opgeheven hoofd en tastende voeten de twee trappen af liep en de tuin uit.

Ik bleef twee dagen thuis in de hoop dat de militairen langs zouden komen. Die zou ik de huid vol schelden. Ze hadden me minstens op de hoogte kunnen stellen van de familiebetrekkingen. Minstens. En als er een dochter was, waar was ik dan voor nodig? Er kwam niemand.

Er was een natte krant tegen het hek gewaaid. Van grote afstand viel de naam te lezen. *Cumhuriyet.* Alsof dat vervallen Turkse huis een kleine aparte republiek was.

Terwijl ik op de tweede verdieping de vuurplaats schoonmaakte, hoorde ik in de middelste kamer iemand zingen. Ik klopte op de deur. Even later stond het meisje in de deuropening. Ik veegde mijn hand aan mijn jurk af en stak hem uit. Haar hand was klein en slank. Ze had mooi vol haar. Ze droeg verschillende kledingstukken over elkaar, die slecht combineerden. Alsof het haar niet kon schelen hoe ze eruitzag.

'Ik ben Dünya. Dünya Şuman,' stelde ik mij in het Engels voor. Ik moest het kind voor mij zien te winnen.

'Bye,' zei ze eenvoudig. Ik zag iets van pret in haar ogen lichten. En toen in het Turks: 'Je kunt met mij in het Turks praten.'

Het was de tweede keer dat dit juffertje mij met een bête uitdrukking van ongeloof naar haar deed kijken. Niemand sprak fatsoenlijk in dit huis, maar dit kind sprak Turks. Hoe dat kon? Geleerd op straat. Van de andere kinderen. Schooltje gevolgd. De normaalste manier om een taal te leren. 'Ik heet Julia Krisztián,' zei ze, 'maar dat weet je al.'

Ik wist dat niet. Van pure opluchting dat ik in mijn eigen taal kon spreken begon ik een ratelpraat, die ik alle onbegrijpelijke kanten op liet waaieren en die zij met enige moeite kon volgen omdat haar Turks, begreep ik snel, op een kinderlijk niveau was blijven steken. Ze brak het gesprek snel af. Eigenlijk stopte ze mijn woordenvloed want zelf had ze niet zoveel gezegd. Ze ging gewoon haar kamer in, wat eigenlijk vrij onbeschoft was, maar ze deed het zonder bijbedoeling. En ik had zelf het idee dat ik een stuk verder was. Dat het vertrouwen in mij sneller zou groeien nu ik met iemand in het Turks kon praten en nu ik beter op de hoogte was van alle gezinsverhoudingen.

Misverstand!

Inderdaad maakte ik de dagen hierna grotere vorderingen dan in de eerste weken. Ik knapte de tuin op, ik maakte de opslagruimte beneden wat ordelijker. Ik schrobde de veranda schoon. Op een avond sprak ik met Julia af dat ik de volgende dag voor iedereen zou koken. Ze vond het een goed idee en zei dat ik mijn gang kon gaan. Ze wees vaag naar de stookplaats.

'Kan ik daar koken?' Julia knikte.

Aan de andere kant van het huis, waar de trap op de veranda uitkwam, moest in de laatste kamer ook een schoorsteen zijn. Had ik gezien.

'Hebben jullie daar geen keuken?'

'Nee.' Ze leek verbaasd over de mogelijkheid. 'Daar slaapt Oto. Die wil niet gestoord worden.'

Ik vroeg niet verder. Ik had met de militairen afgesproken dat ze lamsgehakt en eieren en groente voor me zouden halen. Ik maakte er een appetijtelijke maaltijd van. Ik bleef Engels spreken met Oto en Simon, want die hielden bij hoog en laag vol dat zij geen woord Turks spraken. Julia had geen zin alles voor me te vertalen. Dat zei ze mij vierkant in het gezicht.

Toen ik de dag daarop kwam, zag ik Julia en Oto in de verte lopen met de hond. Ze hadden mij niet gezien en verdwenen langzaam in het land. Simon was aan het werk in de fabriek. Ongevraagd is ongeweigerd. Dit was mijn kans. De slaapkamer van Oto en het kamertje van de hond waren in zoverre gelijk dat het bij beide een geweldige rotzooi was. Lappen, een kapotte matras, resten brood, volle asbak. Toegegeven, in de kamer van de hond stonk het erger. De grote kamer in de andere hoek was tamelijk leeg. Ook hier een paar asbakken. Er was een raam gebroken. In de haard was gestookt. Alsof er zwervers gehuisd hadden, die lang geleden weer vertrokken waren. Ik liep naar een etage lager. Dit moet opgeknapt kunnen worden, dacht ik bij mezelf. Ik duwde een deur open naar de kamer. Leeg. Hier zaten ze kennelijk niet. Er was een kamer aan de tuinzijde, die alleen via deze toegankelijk was. Een deur in de tussenwand. Ik opende de deur. Twee ramen keken uit op de tuin, een zijraam keek uit op de overdekte ruimte van het huis waar de trap naar boven liep. Er lagen verschillende lappen van heel dunne stof, waarvan ik meteen al vermoedde dat Simon ze van de fabriek had meegenomen.

Waar ik het meest van schrok was het keurige bed, dat als een oase van rust en opgemaakt fatsoen in de vertroepte woestenij van dit huis lag. Het bed waarin, dat was met één oogopslag duidelijk door de twee ballonvormige kussens en door het kapotte speelgoedbeest aan de ene kant en het Engelse boek over techniek aan de andere kant, vader en dochter samen sliepen.

Voor mij waren er grenzen. Niet dat ik altijd kon aangeven waar die liepen. Kennelijk overschreed ik zelf ook wel eens een grens. Maar een vader die met zijn dochter van dertien in één bed sliep, dat ging mij toch echt te ver.

Iemand met minder ervaring dan ik zou kunnen denken dat zulk beestengedrag bij christenen normaal is. Dat is niet zo. Ik heb gediend bij Griekse mevrouwen en bij Armeense dames. En nooit, nooit heb ik dat meegemaakt. Dat vaders met hun dochter van dertien jaar of ouder in één bed sliepen. Geen wonder zeg, dat ik de kamers niet in mocht.

☾

In de hond, die bij onze eerste kennismaking met zo'n rode wolventong en blikkerend gebit boven op mij sprong,
had ik in een flits mijn vroegere man herkend. Natuur
lijk is het zo dat de doden ons bezoeken. Dat is hun bijdra-
ge om de dodenherdenking wat levendiger te maken. Als
ik het zo mag zeggen. Aanvankelijk heette het dat mijn
man vermist was. Toen dacht ik: vermist? Hoezo vermist?
Je telt je manschappen toch? Later kreeg ik te horen: gesneuveld tijdens de Augustusgevechten op het Gallipoli-
schiereiland, waarschijnlijk bij Büyük Kemikli Burnu, oftewel Grote Haakneus, de plaats die de Anzacs en de Britten aanduiden met Suvla Bay. Allah heeft zijn ziel, denk je
dan. Maar dat is niet zo. Allah heeft niets. Die ziel zwerft
rond, want mijn man is natuurlijk helemaal niet begraven. Daar hadden ze geen tijd voor.

Naar eigen zeggen heeft mijn man, tijdens ons huwelijk van één zomer en één winter, voordat hij het Arme-
niërsprobleem moest oplossen, enkele geluksmomenten
gekend. Toen wij huwden was ik mollig. Zeker niet dik.
Ik herinner me een keer dat hij laat thuiskwam. Ik stond
beleefd op om hem naar behoren te ontvangen. De klap
waarmee de deur in het slot viel had mij moeten waarschuwen. Terwijl ik daar stond en mij verbaasde over de
haast waarmee hij door het huis liep, kwam hij de salon
binnen. Hij schopte de deur achter zich dicht en sprong tegen mij op zodat ik achteroverviel op de kussens van de sedir. Hij rukte grommend de kleren van mijn lichaam. Na
afloop gaf hij mij tikken op mijn blote achterste en hij zei
dat hij heel wat lustte. De dienstmeisjes konden, de hemel
zij dank, niets gehoord hebben. Terwijl hij de radijsjes van
de schotel pakte en een nier in tweeën sneed, zei hij met
volle mond dat hij gelukkig getrouwd was. Ik zat wat on-

gemakkelijk en hij moest lachen. Hij moedigde mij aan flink te eten.

Dat beest sprong op precies dezelfde manier tegen mij op. Denk niet dat het mij geruststelde dat het geen hond was, maar mijn eigen man in die hond, die mij ten tweede male tegen de grond smeet. Er is een goede reden te veronderstellen dat mijn man gebeten op mij is. Zijn ziel zoekt mogelijkheden mij te straffen. In de ellendige tijd daarna, toen hij maar niet terugkwam van het front, marcheerden er in de winter van 1916 levende lijken terug. Niemand wist waar kapitein Şuman was. De kerels keken dwars door me heen en toen er iemand aangewezen werd die kapitein Şuman gekend moest hebben, kon die arme man niets anders doen dan zijn hoofd schudden en zijn handen in een ritme tegen zijn oren drukken.

Het geld raakte op. Het eten raakte op. Ik moest leven. Toen kreeg ik de kans opnieuw op het kantoor van Tokatlıyan te komen werken. Ik mocht terugkomen. Getrouwd, weduwe, miskraam: ze vonden het geen bezwaar. Als ik maar deed alsof ik nog een jongejuffrouw was. Maar de jongen die mij aan de baan had geholpen, begon mij lastig te vallen. Nee, zo mag ik het niet zeggen. Hij was charmant en ik gedroeg mij onduidelijk.

We gingen uit. Hij nam me mee naar het theater Varyete in de Halep Pasajı, waar vroeger het oude Pera Sirki was. Die sfeer in Varyete! Als ik niet verliefd was geweest, zou ik het op slag geworden zijn. De jongen beloofde mij thuis te brengen. Ik wil zijn naam niet noemen, dat is niet eerlijk. Wij liepen een wijk in die ik totaal niet kende. Lange tijd heb ik in die comfortabele kamer het idee gehad dat ik dat niet mocht doen, dat dit te ver ging. Ik wilde iedere keer streng en beslist zeggen dat ik alles van zijn kamer gezien had. Hij kwam mij waarlijk modern en prachtig van inrichting en smaak voor. Dat wilde ik iede-

173

re keer zeggen. Maar zijn handen vonden steeds de plek die mij vanbinnen week als pudding maakte en vanbuiten een hijgende gewillige, die zich aan hem vastklampte. Het waren tovenaarshanden en ik was de betoverde.

De week daarna zag ik hem nauwelijks. Als we elkaar toevallig tegenkwamen, was hij gehaast. Dan deed hij alsof hij mij pas op het laatst opmerkte. Toen veranderde de stemming. Een knul van de receptie lachte als ik langsliep. Een kelner fluisterde beledigingen. In een werkhok heb ik de charmeur duidelijk gemaakt dat hij een wanhopige weduwe op een zwak ogenblik in oorlogstijd getroffen had. Dat ik hem dat niet verweet maar dat ik gemerkt had dat hij praatjes over me rondstrooide. Dat ik hem dat kwalijk nam. De schampere lach verdween van zijn gezicht toen ik hem verzekerde dat ik via mijn man genoeg hoge ambtenaren kende om hem snel op de slagvelden terecht te laten komen. Hij sputterde tegen. Ik draaide me om en liet hem staan.

Door een mevrouw uit het hotel kreeg ik niet veel later een baan bij haar thuis aangeboden. Ik veronderstel dat mijn angstige vrijer zich bij zijn vrienden als leugenachtige snoever heeft bekendgemaakt. Daarmee was ik nog niet in het reine met de ziel van mijn man.

Die ziel is mij verschillende keren verschenen. De eerste keer in een spelend kind. Het kind botste tegen mij aan toen ik moeizaam op pumps met polkadotstrik een steeg afdaalde. De kleine keek mij woedend aan en ik zweer het, wat zich in die hellende straat naar mij toekeerde was het verongelijkte gezicht van mijn man, dertigjarig ambtenaar bij de Hoge Porte, vermist en daarna toch gesneuveld bij de Augustusgevechten op het Gallipoli-schiereiland. Ik ben tegen een muurtje gaan zitten en in een verschrikkelijke huilbui uitgebarsten.

O ja, iets heel anders. Volgens mij hadden die twee kerels, die Oto Beç en die andere, een totaal verkeerd beeld van hoe de wereld in elkaar stak. Zij dachten dat Turkije de oorlog had gewonnen. En dan bedoel ik niet onze oorlog tegen de Grieken. Ik bedoel de Grote Oorlog tegen Engeland en Frankrijk en Amerika. Zij dachten dat Turkije die oorlog gewonnen had. Misschien hebben ze onze twee oorlogen onderling verward. En als Turkije gewonnen heeft, heeft natuurlijk ook Duitsland gewonnen. Dus die jongens denken aan een Europa waarin Duitsland heer en meester is. Geschift is het wel, zulke waandenkbeelden. Ik heb het maar zo gelaten. Moet ik alles gaan uitleggen? Dat kan ik toch niet? Ik weet niets van Europa.

Simon Krisztián

Het zwervende bestaan was tijdens het eerste jaar van Julia zo gebrekkig en armoedig dat het absolute noodzaak was Julia overdag en 's nachts zo dicht mogelijk tegen mij aan te houden. Ik deelde de warmte van mijn lichaam aan haar mee en dat is gedurende verschillende periodes haar redding geweest, net als de blikken melk van Otto; we hebben haar samen in leven gehouden.

In de barakken bij de zoutmeren was het natuurlijk een krankzinnig voorbeeld van Britse wellevendheid dat ze ons de laatste, kleine barak gunden. Alles moest in die ene ruimte gedaan worden en Otto en ik hadden allang afgeleerd ons voor ons lichaam en onze lichamelijke verrichtingen te generen.

Dat werd iets anders toen we in een klein huis in dat dorp konden wonen. Er stond buiten het huis een plee en Otto en ik moesten eraan wennen dat we daar gebruik van maakten; ook Julia leerden we dat dat beter was dan daarvoor een hoek van de kamer te gebruiken, wat ze bij regen en koud weer altijd openlijk en hardnekkig had volgehouden. In dat huis was de ruimte even beperkt als in de barak, zodat het als volstrekt normaal gold dat Julia bij mij in bed bleef slapen. Waar had ze anders moeten slapen?

We verhuisden naar Y. toen Julia zeven jaar was en voor het eerst konden wij in een groot huis wonen, maar bij al die voortschrijdende beschaving is één ding hetzelfde gebleven: Julia en ik sliepen bij elkaar. Voor anderen gold de vraag waarom; voor ons gold de vraag waarom niet. Wij zochten in de koude winters de warmte van elkaar; in de zomer inspecteerde ik haar jonge lichaam en zij becommentarieerde mijn ouder wordend en gehard lijf. 's Zomers sliepen wij naakt en vaak trapten we in de warme nachten alle bedekking van ons af. Een paar jaar na onze verhuizing bracht ze op een avond een ondefinieerbaar, hoofdzakelijk katachtig speelgoedbeest, door Otto gemaakt en door Otto 'Periwinkle' gedoopt, mee naar bed en ze legde dat enigszins plechtig tussen ons in en kondigde aan dat voortaan Periwinkle bij ons zou slapen. Julia moet een jaar of tien geweest zijn. De volgende nacht lag Periwinkle aan de andere kant, waar ze prompt halverwege de nacht het bed uit lazerde; later lag ze vaak klem tussen de kist en de matras of ze lag aan het voeteneind. Periwinkle heeft met ons het bed gedeeld, jarenlang, maar de plaats waar Periwinkle lag was altijd een andere, een willekeurige vaak, en soms lag ze niet in bed maar op de grond.

In 1930 kwam Dünya. Ze keek rond, vroeg wat ze kon doen. Ze kon beneden de boel opruimen, in de tuin kon ze haar gang gaan, trap en veranda moest ze zelf weten, maar niet in de privévertrekken. Of de militairen daar geen genoegen mee namen of dat Dünya zelf een raar stuk vreten was: ze hield zich er niet aan. Ik ging aan kleine dingen merken dat ze in onze kamers kwam: er verschoven voorwerpen, kleren lagen op een stapel, er was een bak met rotzooi geleegd. Op een dag besloot ik halverwege de tocht naar de fabriek om te keren en later naar het werk te gaan. Otto en Julia maakten vaak wandelingen en ik vermoedde dat ik het nieuwsgierige dikkerdje alleen zou aantreffen; ik liep geruisloos de trap op; de deur naar mijn kamer stond open.

Ze zat boven op het bed, schoenen uit, dat wel, voorover geknield, haar knoert van een achterwerk omhoog, naar mij toe gericht. Ik vroeg mij een paar seconden verbaasd af wat ze daar in godsnaam deed, toen ik zag dat ze als een hond kussens en beddengoed berook. Ze snuffelde over de slopen, hield ermee op, verstarde, keek achterom en zag mij staan. Ik zei niets, liet de pijnlijke toestand voortduren. In die stilte kwam zij van het bed af met een onelegante schuifbeweging waardoor het dek werd weggetrokken, dat zij ging gladwrijven om zich een houding te geven; ze schoof haar schoenen aan haar voeten.

'Ik had u gevraagd hier niet te komen,' zei ik rustig.

Ik zag dat ze aarzelde. Ze koos voor de aanval.

'U slaapt hier?'

'Ja, ik slaap hier.'

'En uw dochter slaapt aan die kant?'

'Ja, mijn dochter slaapt aan die kant.'

Ze keek of ik haar gevraagd had zich ogenblikkelijk spiernaakt uit te kleden en mij haar kont gebukt te presenteren.

Ik vroeg nog of ze dat niet goedvond. Zij begreep, nam ik aan, zelf wel dat ze zich niet met zulke zaken te bemoeien had. Ze nam een diplomatieke omweg en vroeg hoe oud mijn dochter was.

'Dertien.'

Ze knikte. 'Mooie leeftijd,' zei ze. 'Dan zijn ze al groot.'

Terwijl ze langs mij naar de deur liep, zei ik in vrij slappe bewoordingen dat de afspraak luidde dat ze niet in de kamer zou komen. Waarop zij stilstond en zich omdraaide. Wie ruimde dan al die rommel op en of ik rekening hield met mijn al grote dochter, die het prettig zou vinden als er wat opgeruimd werd. Ik haalde mijn schouders op en als een triomfatrix ging dikke Dünya de deur door. Vanaf die dag kwam ze op alle kamers, behalve op die van Otto.

Otto kwam nooit in de kamer op de eerste verdieping; hoe het daar verdeeld was, wist hij niet en het interesseerde hem niet; er werd nooit over gesproken. In het begin kwam hij er wel, hij timmerde zelfs een bed en wist dat Julia en ik in dat bed sliepen, maar hij ging er kennelijk van uit dat ik later besloten had Julia alleen in het bed te laten slapen. Toen Dünya al twee jaar bij ons over de vloer kwam, ging een raam op mijn kamer kapot. Of Otto daarnaar wilde kijken. Zou hij doen; of er haast bij was? Nee, doe rustig aan.

Hij kwam toen ik dat hele raam alweer vergeten was. Julia lag nog in bed; de tussendeur stond open. Otto keek naar de scharnieren van het raam.

Of het eenvoudig of ingewikkeld moest en hij bedoelde of ik liever had dat hij het raam gewoon dichttimmerde of dat ik de oorspronkelijke, ingewikkelde manier van openen en sluiten hersteld wilde hebben.

Ik had het liever ingewikkeld.

Ik wou alles aan hem overlaten, omdat ik naar de fabriek moest. Hij keek om zich heen.

Waar sliep ik eigenlijk, vroeg hij.

Gewoon in bed, daar, hoezo?

Oké, reageerde hij kort en ging aan het werk.

Hij begon er een paar dagen later over, toen wij twee alleen op de veranda zaten.

'Jij slaapt samen met Julia in één bed?'

'Ja.'

'Wist ik niet.' Zijn stem klonk onverschillig maar er zat iets in zijn kop.

'Hoezo?'

'Nou ja, wat is ze? Bijna zestien,' overdreef Otto.

'Net vijftien.'

'In elk geval duidelijk geen kind meer.'

179

We zwegen een tijd.

'Heb jij er soms bezwaar tegen?' vroeg ik wat agressief.

'Ach, als Julia er geen probleem van maakt, gaat het mij verder niets aan.'

'Dacht ik ook.'

'Alleen...' Hij liet een stilte vallen. 'Hoe weet jij zeker dat dat kind er geen probleem van maakt?'

'Vraag het haar.'

'Dat is niet eerlijk, denk ik.'

Ik had geen zin in dit gesprek, maar ik durfde het niet af te kappen.

'Otto,' kreunde ik. 'Hou op. Wij zijn eraan gewend en wij willen dit geen van tweeën veranderen.'

'Dat is prachtig.' Weer een pauze. 'Als het waar is.'

'Hoezo, als het waar is? Geloof je me niet?'

'Ik geloof je wel, maar vertrouw je jezelf? In dit soort zaken draai je jezelf gemakkelijk een rad voor ogen.'

'Ik zou niet weten hoe.'

Otto zweeg even. Hij vond mijn weerspannig antwoord ongetwijfeld dom.

'Luister.' Hij probeerde een rustige toon aan te slaan. 'Jij zegt: wij willen dit geen van twee veranderen. Dat jij het niet wilt veranderen, geloof ik wel, maar hoe zeker weet jij dat zij het niet wil veranderen?'

'Dan zegt ze dat heus wel.'

'En als zij dat zegt, dan vind jij dat niet prettig.'

'Waarom niet?'

'Nee, geef eerlijk antwoord.'

'Antwoord waarop? Wat is de vraag dan?'

'Of jij het prettig vindt als zij zegt dat zij niet meer bij jou wil slapen.'

'Dat zegt ze niet.'

'Nee, dat is geen antwoord op de vraag. Of jij het prettig vindt.'

'Nee, dat vind ik niet prettig.'

'Daarom zegt ze het misschien niet.'

'Vraag het haar zelf dan.'

We zwegen. Wat een gezeur om iets dat al zoveel jaar normaal was. We bleven zeker tien minuten zwijgend naast elkaar zitten, elk met zijn eigen gedachten.

'Stel dat Dünya het merkt,' zei Otto.

'Die weet het allang.'

'O ja?'

'Vanaf een van de eerste dagen dat ze hier was.' Misschien wou ik Otto erop wijzen dat zijn opmerkingsgave niet zo heel erg groot was.

'En? Wat zegt die ervan?'

'Ze vindt het niks, maar ze zegt er niets van. Durft ze niet.'

'Durft ze niet?' vroeg Otto, alsof hij mij niet verstaan had.

'Nee, durft ze niet.'

Otto kwam niet meer op dit onderwerp terug. Meer dan na de opmerkingen van Dünya bekeek ik Julia in de nacht met andere ogen. Wat een belachelijk idee dat zij onze situatie zou willen veranderen.

Otto had reparaties en klussen in het huis uitgevoerd vanaf het moment dat hij niet meer welkom was bij de fabriek, maar hij was er steeds gemakzuchtiger mee geworden. Het kon wel wachten; dat had geen zin; hij zou wel zien; daar had hij geen geschikt gereedschap voor. Al die uitvluchten kenden we en het was te betreuren dat de dingen in huis soms zo lang in half voltooide staat bleven liggen. Verder had Otto een Engels-Turkse natuurgids te pakken gekregen – of juister gezegd, die had Dünya voor hem te pakken gekregen – en hij was vaak bezig met het tekenen van vogels en planten die hij in de omgeving zag en dan noteerde hij de naam, datum en plaats, zodat hij een vrij volledig overzicht kreeg van de flora en fauna van deze streek, zoals dat in dat soort boekjes heet. Otto was fanatiek als hem iets echt interesseerde. Hij kon daar uren mee bezig zijn.

Dünya werd, toen zij wat langer bij ons in huis kwam, niet meer aangesproken met mevrouw, maar met Dünya, zoals zij op haar beurt ook Otto en Simon begon te zeggen, hoewel we haar dát nou weer niet voorgesteld hadden. Vanaf diezelfde tijd begon Otto Dünya te commanderen, wat ze duidelijk onprettig vond, en tegelijkertijd groeide er een spanning tussen die twee, vergelijkbaar met een seksuele spanning als dat begrip hier niet volkomen onzinnig was. De opmerkingen en pesterijen van Otto werden door Dünya geslikt, totdat het haar te veel werd en ze er iets van zei. Na de ruzie klaarde de lucht op, het ging even goed en alles begon van voren af aan.

Het waren opmerkingen en pesterijen over haar figuur, over haar pose als mevrouw (opmerkingen die haar volgens mij zeer diep kwetsten), over de middelen die ze gebruikte voor de schoonmaak, over haar manier van koken, over haar opvattingen van een origineel Turks huis, over haar contacten met de militairen, waar Otto niets vanaf wist maar die hij vermoedde, over de lucht die ze bij zich droeg, wat ik nogal intiem vond en wat mij daarom hogelijk verbaasde, over het Engels dat ze sprak, waar volgens mij weinig op aan te merken viel, over haar Duitse afkomst. Otto trok haar naast zich op de bank, hij onderhield haar eindeloos over iets wat haar totaal niet interesseerde: Britse legeronderdelen bijvoorbeeld (King's Shropshire Light Infantry; King's Own Scottish Borderers; Prince of Wales's Volunteers) of de zeventien soorten schildpadden in Turkije; hij maakte kokette dansjes met haar, iets wat ze vreselijk vond. Hij zat aan haar lichaam; hij kneep haar in de wangen, hij liet haar hand niet los, hij kwam vlak voor haar staan als hij tegen haar aan praatte. Otto was hinderlijk, maar het was ook wel komisch om te zien hoe Dünya telkens in verlegenheid raakte.

Het wonderlijke en onverwachte voor mij was dat Julia, hoewel zij gek was op Otto en altijd door hem verwend werd, bijna steeds de kant van Dünya koos, met als gevolg dat die twee, Julia en Dünya, naar elkaar trokken.

Dünya Şuman

Wat een onvoorstelbaar domme streek om mij een huisje toe te wijzen op zo'n grote afstand van het huis dat ik
in de gaten moest houden. Toch zeker een halfuur pijnlijk lopen. En overal diepe plassen regenwater. Die bleven weken liggen, ook als het droog was. Zagen ze mij
soms elegant van de ene steen op de andere springen? In
mijn huisje zou ik op den duur mijn draai kunnen vinden. Bij droog en warm weer zou ik op de veranda kunnen zitten. Kijken naar de kraaien die op het veld voor het
huis een soort legeroefeningen hielden. Maar dat dorp!
Wat een saai, geestdodend rotdorp. Daar zou iemand de
brand in moeten steken. Dit soort boeren zou nooit op een
stormige nacht veranderen in een bende scheelogige be-
haarde schurken die hun truttige boerendochters de vod-
den van het lijf zouden rukken om ze massaal en feestelijk
op het plein te verkrachten. Hier vond je geen familie die
een duivelspact gesloten had zodat het tot in de volgende
eeuw bleef spoken. Zelfmoord? Een tot razernij gedreven
familie? Vergeet het maar. Niets van dat alles. Stilte. Rust.
Vrede. Om gek van te worden.

Ze waren aan mijn aanwezigheid gewend. Ik werd nauwelijks verwelkomd. Ik hoorde erbij. Ik groette uit de hoogte die man Otto, die mij de trap zag op gaan. Ik kon Julia
verleiden mij gezelschap te houden. Zij vertelde het verhaal van de hond. Ik moedigde aan met knikjes en vrien-

delijke lachjes. Intussen bestudeerde ik haar gezicht en haar figuur. Ik had geen verstand van honden. Wat was dat voor een ras?

Dat wist ze niet. 'Groot en zwart. Het is geen ras.'

'Hoe heet hij?'

'Holland.'

'Iedereen is zeker bang voor hem?'

Julia haalde haar schouders op. Simon wilde niet dat ze zonder hond wandelde. Hij kon aan een boomtak hangen. 'En hij vindt alles wat je verstopt. En hij verstaat Turks en Nederlands.'

Ik zag hoe haar smalle vingers bewogen en de woorden elegant probeerden te ondersteunen. Toen ze merkte dat ik naar haar handen keek, schudde ze haar vingers van zich af en ze pakte een stuk hout om iets in haar handen te hebben. Je zag dat ze een goed figuur zou krijgen. Miss Turkije-figuur. Er hing een lucht om haar heen van gras of van milde aromatische kruiden.

'Je moet oppassen in de buurt van de begraafplaats.'

'Waarom?'

'Met die hond.'

Ze begreep het niet.

'Honden graven met hun poten in de aarde. Zwarte honden doen dat graag bij een begraafplaats. Ze geven de zielen de gelegenheid te ontsnappen. Zielen van doden kunnen in een zwarte hond overstappen. Dan kunnen ze gaan zwerven. Zonder zwarte hond moeten ze op hun plaats blijven. Dan kunnen ze niet uit het geraamte weg.'

Julia lachte hard. Ze dacht dat ik een grap stond te maken. Haar reactie schokte mij wel.

'Het is echt waar,' zei ik nog, erg zacht.

'Wat een onzin,' wierp Julia ertegenaan. Wat mij helemaal ontstelde. Natuurlijk. Ik wist ook niet of het allemaal waar was wat mij verteld werd, maar je hield als kind toch rekening met de mogelijkheid dat het waar was. Zeker als een volwassene het vertelde. Zij had kennelijk een rotsvast vertrouwen in haar eigen hersentjes.

Ik wilde het hierbij laten en trof voorbereidingen voor het eten. Julia wilde helpen maar ik merkte dat ze snel afgeleid was. Alsof ze er steeds vandoor wilde gaan.

'Wat is dat? Een ziel?' vroeg ze.

Ik stond versteld. Een kind van die leeftijd wist dat toch. Wat een ziel was.

'Je ziel?' vroeg ik alsof ik haar niet goed had verstaan. Ik wilde tijd winnen. Hoe leg je zoiets uit? 'Je ziel is het kleinste deel waar jij zelf nog helemaal in zit.'

Ze bleef een tijdje voor zich kijken.

Ik vroeg haar of er water was. Ze knikte en pakte een kom. Ze liep naar beneden. Ze kwam voorzichtig boven met een kom vol water.

'Otto heeft net schoon water gehaald,' verklaarde ze.

'Haalt Otto water?'

'Ja, bij de pomp in het dorp.'

'Dat hoeft niet. Er komt een waterverkoper langs. Die brengt het water aan huis. Dat hoef je zelf niet te halen.'

Ze keek me vrolijk aan. 'Bij ons niet. Hier komt geen waterverkoper.'

'Waarom niet? Hij komt overal.'

'Bij ons komt geen waterverkoper,' hield ze hardnekkig vol.

'Dan moeten we dat regelen. Dat de waterverkoper ook bij jullie komt. Otto hoeft niet naar de dorpspomp. Hij hoeft niet zelf water te sjouwen. Daar is de waterhandelaar voor. Om water te sjouwen.'

'Waar zit die dan?'

Ik begreep haar niet.

'Je ziel? Waar zit die dan?'

'Kind, wat een moeilijke vragen.' Ze vond dat een compliment.

186

'Dat weet ik niet, waar die zit. Een ziel heeft geen vaste plaats. Het heeft met je gevoel en je verstand te maken en met wie je bent.' Er schoot mij iets te binnen. 'Heb jij wel eens verdriet?'

'Als Simon boos is.'

'Waar zit dat verdriet dan?'

'In mijn maag.' Ze wist het zeker. Er klonk geen enkele aarzeling in haar stem.

'Dan zit daar ook je ziel.' Ik wilde ervan af.

Het leek of ze een beetje beledigd was. Ze keek stuurs. Alsof ik haar niet helemaal eerlijk had behandeld. Ik sneed de witte kaas in steeds kleinere stukken en mengde alles met de groene kruiden.

We moesten het vuur aansteken.

'Dat doe ik wel,' zei ze en ze begon met buitengewone handigheid de vuurplaats schoon te maken. Houtjes en papier bij elkaar te rapen. Ik mengde het meel en de eieren, zout erbij en een paar pletsen water.

'Als je doodgaat, verlaat je ziel het lichaam. Dan blijft het lichaam zonder ziel achter.'

'Nee hoor.'

Wat gingen we nu krijgen? Dat ze iets niet wist, was tot daaraan toe. Dat ze me vervolgens tegensprak als ik het uitlegde, dat ging me te ver. Ze verklaarde zich nader.

'Daarnet zei je dat ik met Holland niet langs de begraafplaats mocht lopen, omdat de zielen dan op zijn rug springen. Ze zitten dus nog in het geraamte. Ze hebben die lichamen helemaal niet verlaten.'

'Die zielen zijn onrustig. Die zwerven. Die zijn teruggekeerd.'

Dat vond ze flauw. Ik moest mijn ongelijk bekennen, vond ze. Ik moest toegeven dat mijn verhaal niet klopte. Eigenlijk moest ik van haar toegeven dat mijn hele verhaal over die zielen gewoon onzin was.

'Geloof jij dat dan niet, dat je een ziel hebt?'

Ze haalde haar kleine schouders op met een gebaar dat alles van zich afstootte. Het was haar wereld niet. De gedachten die ik had gewijd aan die begraafplaats, aan de geraamtes, aan de zielen van de gestorvenen, aan hun dwaaltochten, aan de ziel van mijn gestorven man, aan onze eigen ziel vol onstuitbaar verlangen naar Istanbul, naar glorieuze avonden toen we nog jong waren en onder zilveren lichten aan feestelijk gedekte tafels de nacht doorbrachten, al die gedachten wierp zij met een achteloos gebaar van zich af als een bontjas die ze even kreeg omgehangen maar die ze van een absoluut verkeerde tint en snit vond en die ze zo gauw mogelijk van haar lijf af wilde hebben. Het was een onverschillig gebaar dat mij krenkte. En tegelijk riep het een diep gevoel in mij wakker om voor dit kind te zorgen. Om dit kind dat nog niets had meegemaakt en in stille Anatolische dorpen was opgegroeid in zeer moeilijke omstandigheden, deelgenoot te maken van mijn herinneringen en van mijn betoverde nachten. Van mijn weelde ook, waarvan de restanten in de kist zaten als levenloze overblijfselen die, geplukt uit de omgeving waar ze hoorden, hun glans, hun schittering, hun bekoring waren kwijtgeraakt. Dat die kleine niet wist wat een ziel was, zeg.

❨

De sneeuwperiode kan in deze streken vroeg inzetten. Hier bij ons valt natte sneeuw, die nooit lang wil blijven liggen. Hij zorgt voor grauwe bruine modder, die langzaam overgaat in een allesdoordringende koude nattigheid. Sneeuw bij ons is niet een stille, gefragmenteerde wereld, die uit een wolkendek valt en onze kleurige wereld kuis bedekt. Sneeuw bij ons is een natte wind die over onze verduisterde wereld giert.

Otto Beets kwam langs. Hij zei dat hij kwam kijken of ik ziek was. Ik was twee dagen mijn huis niet uit gegaan en Otto vertelde dat Julia hem had gestuurd. Dat hij bij dit eerste bezoek zijn nieuwsgierigheid bevredigde, dat begreep ik wel. Dat hij met het verplaatsen van een kussen en met het neersmijten van zijn vieze schoeisel duidelijk maakte dat hij alles als zijn eigendom beschouwde, dat vond ik ergerlijk. Ik had hem er bijna meteen uit gedonderd. Bijna had ik zijn laars gegrepen, de deur geopend en met een wijde boog die laars de sneeuw in gegooid. Met de opmerking dat hij er zelf achteraan kon. Hij zag mijn aarzeling en grijnsde.

Het is mij opgevallen hoe verschillend Otto Beets en Simon Krisztián kijken. Otto is ruwer gebouwd. Hij heeft glad naar achteren gekamd haar en zijn gezicht drukt eerder spot uit dan een lach. Zijn kijken is agressief. Hij kijkt om je zwakke plek te ontdekken. Simon is tengerder. Zijn haar is gekruld en vertoont geen neiging dun te worden. Otto wordt kaal bij de slapen. Simons houding is schuchter. Op Simons gezicht speelt een lach. Zijn kijken is bedachtzaam. Ik zou het nadenkend noemen. Ik voel me meer op mijn gemak bij Simon dan bij Otto. Maar op die avond zat toevallig Otto in mijn huis.

Of beter gezegd: hij stond nog. En met opzet of niet, hij stond zo opgesteld dat ik hem wel raken moest toen ik naar een ander vertrek wilde lopen. Ik duwde hem eigenlijk een beetje opzij. Ik had mijn handen vol. Dus ik gebruikte mijn zachte lichaam. Toen ik terugkwam, legde hij zijn hand op mijn heup. Even. Hij liet zijn hand glijden over mijn trillend achterwerk. Ik had hem uit kunnen leggen dat zoiets niet paste. Dat het niet aan christenen, niet aan Hollanders of Engelsen toegestaan was een Turkse vrouw zo aan te raken. Dat hij er goed aan zou doen zijn excuses te mompelen. Het hoefde niet eens verstaanbaar. Dat ik het zelfs goedvond als hij zonder een woord te zeggen de sneeuwjacht in dook. Niets van dat alles. Ik stond doodstil. Ik zei geen woord. Ik merkte slechts twee dingen op. Het eerste was een plotselinge en onverwachte verzachting van zijn blik. Hij leek een ogenblik lang zelfs verlegen te worden. Even verdween zijn agressie en maakte plaats voor een verbazingwekkende vriendelijkheid. Het tweede wat mij met een stormachtige kracht overviel, was het besef van mijn eigen eenzaamheid. Mijn eigen uitzichtloze, winterse situatie.

Niet ik verleidde hem, maar hij overweldigde mij. Ik vluchtte. Maar hij had met een zachte hand mijn pols al gegrepen en draaide mij zo dat ik naar hem toe kwam. Door die draai kwam ik met mijn gezicht vlak voor zijn gezicht en zijn hand greep mijn heup en de daarnaast gelegen prachtdelen. Hij kneedde met zijn hand en ik peilde zijn ziel. Ik wist wat er ging gebeuren. Gevoelens van woede, verontwaardiging en schaamte golfden door me heen. Angst, berusting en een besef dat ik niet veel van de wereld, de mensen en het leven kon verwachten. Wie zou mij moeten beschermen? Bovendien stond mij helder voor de geest dat ik mij meer dan eens schaamteloos had gedragen, dat ik al eerder bereid was geweest mijn ziel te verkopen. Als het maar onder ons bleef. In mij huisde een zwarte kennis van dingen die niet horen. Ik poogde de kracht te vinden om mij over alle schaamte heen te zetten. Er was geen weg terug.

Om mij enigszins te beschermen tegen het hemelse gerecht, mompelde ik de formule waarmee wij man en vrouw werden. In de hoop dat dat voor God voldoende zou zijn. Dan kon ik na afloop de formule van echtscheiden uitspreken. Het volgende moment begon hij met zijn lippen mijn gezicht af te tasten. Hij maakte het mij niet gemakkelijk. Ik was gewend aan elegantie, aan beschaafde omgangsvormen. Ik was in Beyoğlu altijd met bijzondere attentie behandeld. Ik was begiftigd met een rijk, weelderig lichaam, dat vroeg om parfums, om poeders, om lauwwarme schuimbaden. Maar van dat al had deze Otto Beets geen verstand. Ik kreeg de indruk dat deze Otto Beets, die ik, met geweld daartoe gedwongen, voor een poos wilde beschouwen als mijn wettige man, zich gewoon liet vallen en mij meetrok. De diepte in.

Nauwelijks lagen wij op de grond of hij begon aan mijn kleren te rukken. Hij kreeg mijn buik bloot, schoof zijn hand onder mijn kleren en duwde alles omhoog tot mijn borsten vrijkwamen. Hoe smakeloos lag ik erbij. Mijn armen omhoog. Mijn kleren in de war en knellend. Ik probeerde hem met mijn handen af te weren. Toen hij dat merkte, draaide hij mijn kleren om mijn armen, zodat ik me nauwelijks meer kon verroeren. De uitgehongerde manier waarop hij naar mijn borsten greep. Met zijn tanden stevig opeengeklemd, zijn lippen van elkaar, sprak hij verschillende woorden. Misschien vloeken. Misschien scheldwoorden. Hollands neem ik aan. Ik weet dat sommige talen zo klinken dat het lijkt of er altijd in woede gesproken wordt. Andere talen klinken verliefd. Of met spot. Misschien klinkt Hollands alsof er altijd gescholden wordt. Dat zou goed kunnen. Gescholden en gevloekt. Zo'n taal is het waarschijnlijk. Hij pakte mijn hoofd, tilde het op en drukte mijn schedel weer tegen de grond. Toen hij mijn rokken opsloeg en alle bedekking van de schaamdelen rukte, vreesde ik de pijn, het ruwe, onzorgvuldige binnendringen. Want het was een tijd geleden en ook toen was het pijnlijk geweest. Wat ik zeker weet is dat ik tamelijk schoon was. Ik heb daar een weelde van haargroei en het kan onmogelijk onwelriekend of vlekkerig zijn geweest. Ik voelde dat wat nu kwam voor Otto vernederend kon zijn. Hij moest zijn onderlijf ontbloten. Ik keek hem aan in de hoop dat ik hem ervan kon afhouden achterbaks te doen. Dat ik hem ervan kon afhouden het Hollandse apparaat met de hand te bedekken en stiekem tussen mijn benen te frommelen, zodat hij wel een zicht had en ik niet. Ik wilde zien wat hij naar binnen schoof. Per slot van rekening waren wij getrouwd. Ik keek hem aan en zag dat dat voor hem te veel was. Ergens, vanbinnen, ontplofte hij en terwijl zijn ogen alle agressiviteit verloren en een hulpeloze uitdrukking kregen, schoof hij zijn broek omlaag en probeerde met zijn handen nog richting te geven. Zijn kleine maar fel trillende geslacht stak schuin omhoog en leek een aantal elektrische schokken te krijgen. Met zo'n kracht spoot zijn vocht op mijn lichaam, in mijn gezicht, over mij heen, mijn kamer in, weer in mijn gezicht, dat ik bij de eerste salvo's niet eens begreep waar die krachtige, bijna luidruchtige stralen vandaan kwamen. De kracht verminderde en alles zonk ineen. Otto ademde zwaar. Ik vroeg mij af of ik de scheidingsformule kon uitspreken. Hij tilde zijn hoofd op, bekeek mij zwaar ademend en zakte achterover op een kussen.

Ik moest niet te lang wachten want als ik zo bleef liggen tot hij volledig uitgerust was, kreeg hij nieuwe krachten, nieuwe praatjes en kon alles van voren af aan beginnen. Ik richtte me met een zekere traagheid half op en probeerde mijn armen uit de kluwen kleren te krijgen. Toen sprak hij met hese stem een bevel, dat mij opnieuw beangstigde. Ik deed of ik niets gehoord had. Hij herhaalde zijn bevel op luidere toon. 'Draai je om.' Ik begreep precies wat hij bedoelde. Ik gehoorzaamde. Terwijl ik mij omdraaide en op handen en knieën terechtkwam, of op mijn onderarmen steunde, want mijn handen zaten verknoopt in mijn kleren, wendde ik mijn royale achterdelen naar hem toe. Ik probeerde zo veel mogelijk mijn spieren te spannen, zodat

mijn buik niet neerhing en mijn achterwerk niet al te uitdagend trilde. Het moet voor hem een magnifiek gezicht
zijn geweest.

Vrouwen zoals ik, die ruim in het vlees zitten, hebben
soms een teint, een huidkleur, die het ideaal van schilders
benadert. Van rimpels is nog geen sprake. Alles is rond. Natuurlijk, bij iedereen zet, eerst ongemerkt, later versneld,
het verval in. Het kan zijn dat bij ons, dikke vrouwen, dat
verval op den duur groteske vormen aanneemt. Bij mij
was daar echter geen sprake van. Bij nadere beschouwing
dringt zich een bewondering op voor onze schijnbaar eeuwige en eeuwig aantrekkelijke rijpheid. Terwijl ik geknield voor Otto op de grond lag, met mijn gezicht ter
aarde, maar met mijn billen als ter inspectie naar hem geheven, schoten deze gedachten door mij heen. En intussen
verlustigde Otto zich in mijn vleselijke partijen.

Otto herkreeg zijn kracht en drong toch bij mij naar
binnen. Pas na afloop lukte het mij met een zekere mate van natuurlijkheid onder zijn blik weg te draaien, mijn
armen en handen te bevrijden uit de kleren, alles uit de
knoop te trekken en mij weer als normale vrouw te kleden. Toen ik daarmee klaar was, kwam er beweging in Otto. Hij trok zijn kleren recht en bedekte zijn magere onderlijf.

Hij bleef een tijd zitten maar zei geen woord. Ik had
evenmin zin tegen hém te praten. Een bizarre situatie. Er
zat een man in de kamer met wie ik korte tijd getrouwd
was geweest en van wie ik daarna snel was gescheiden.
Terwijl ik naar een andere kamer liep, sprak ik de formule uit. Volgens mij is in deze tijd van Mustafa Kemal
de formule ook geldig als ze wordt uitgesproken door een
vrouw. De documenten en de gelden ontbraken natuurlijk, maar dat was niet belangrijk. Het ging om mijn in-
tentie. Verder had niemand hier wat mee te maken. Zelfs

Otto niet. Ik raapte wat op. Ik liep om hem heen. Ik maakte wat schoon. Ik trok een tapijt recht. Hij zei geen woord. Misschien was hij er zelfs op uit medelijden op te wekken. Nou, veel te goed is half zot. Alsof ik nu kon denken aan Otto, die zijn vaderland kwijt was, of die lang gevangen had gezeten. Ammehoela. Ik was ook alles kwijt. Wie was hier het slachtoffer? Ik toch? In mijn eigen huis nota bene. Ik liep naar hem toe en ging voor hem staan.

'Was dit kampseks?'

Hij hief zijn hoofd op. 'Wat bedoel je daarmee?'

'Was dit wat jullie in het kamp seks noemden? Deze vechtpartij die bedoeld is voor mannen en die elke vorm van tederheid mist?' Ik geloof dat ik de tweede zin in het Turks sprak maar hij leek mij te begrijpen. Hij haalde zijn schouders op.

'Wat weet jij daar nou van? Je moet niet praten over dingen waar je geen verstand van hebt.'

'Mag ik jou vragen dit voor je te houden? Simon en Julia hoeven hier niets van te weten.'

Hij trok aan zijn kleren omdat ze scheef zaten. Hij gaf geen antwoord, bromde toen. Een geluid dat van alles kon betekenen.

'Kun je fatsoenlijk antwoord geven?'

'Oké,' zei hij. Op een toon alsof we een eerlijke koop gesloten hadden.

'En sodemieter nu maar op,' voegde ik er in het Turks aan toe.

Hij trok de deur open en verdween in de vuile sneeuw, waar hij een grijze schim werd die het pad langs het riviertje af liep.

Wat ik daarna heb gedaan, kan ik niet verklaren. Geleerde, moderne Weense K. und K.-artsen zullen boeken opslaan en aankomen met beschouwingen vol technische termen die ik niet eens kan uitspreken. Ja, ja. Kakelen kan iedereen, maar niet eieren leggen.

Ik heb de kist, die tot die dag potdicht was gebleven, tot midden in de kamer getrokken en opengebroken. De merkwaardige lucht die eruit kwam was eerst niet thuis te brengen, maar bleek een sterk concentraat van geuren. Eenmaal uit elkaar gewaaid naar de verschillende hoeken van de kamer en in contrast met de geur die Otto met zijn spetterend vocht had achtergelaten, waren de geuren stuk voor stuk herleidbaar tot restanten die thuishoorden bij de betoverde nachten van Beyoğlu. En toen kwamen de attributen tevoorschijn: de zwarte japon, compleet met druivenbroche, die ik op de foto droeg. Een zijden sjaal. De zilveren kousen. De complete gestolen doos met in een ledikant van parmaviolette zijde gelegde poudre de riz, savon de toilette, lotion, essence, brillantine, alles van Necib Bey. Een fles Venüs, eveneens gestolen, bioscoopkaarten van Cinema Luksembourg. Lingerie van onvoorstelbare fijnheid en glans. Verschillende paren schoenen. Lippenstiften. Een omslagdoek. Een jurk afgezet met witte roosjes. Ik stalde alles uit op de kussens en op de tapijten op de grond.

Ik kleedde mij uit. Ik trok alle rokken uit en deed alle sjaals en lappen af die mij in dit houten huis nog warmte gaven. Terwijl ik rilde van de kou trok ik de zomerjurk aan, besprenkelde mijn lichaam rijkelijk met losyon en poudre de riz en wreef krem op mijn armen en op mijn schouders.

Buiten joeg de sneeuw over de steenlawines en over het smalle, nu onbegaanbare pad dat naar het huis van de Hollanders leidde. Binnen flakkerde de olielamp en bescheen het licht het moiré en goudlamé. De sieraden van onduidelijke herkomst en van verdachte aanschaf. De tinkelende flessen die zonder betaling van eigenaar veranderd waren. En ik? Ik kon het in wentelen opnemen tegen de sneeuwstorm buiten en ik voelde hoe ik in de scherpe kou gereinigd werd.

Ik bleef twee weken ziek. Toen begaf ik mij opnieuw naar het huis van de Hollanders.

Simon Krisztián

Nadat wij het huis voor de eerste keer hadden gezien en commentaar hadden geleverd op alle kapotte onderdelen, zaten wij met de vraag hoe de ruimte te verdelen. Want dat moesten we de Turken nageven: zeker voor mensen zoals wij, die gewend waren aan een barak, was het huis overweldigend groot. De ruimte op de begane grond was niet geschikt voor bewoning. De grote kamer op de bovenste verdieping zou een huiskamer worden en Otto had een voorkeur voor de kamer in de andere hoek. Julia en ik konden de hele tussenverdieping krijgen, die bestond uit de open, houten trappen, een opbergruimte en aan de noordzijde een dubbele kamer. Otto maakte met ons de stilzwijgende afspraak dat wij de boel daar konden inrichten zoals wij wilden en dat hij ons niet zou storen. Van de eerste kamer, waar een vuurplaats was, maakten wij een soort woonruimte, maar we verbleven er zelden omdat iedereen altijd naar de grote kamer boven trok en in de zomer naar de grote veranda. De tweede kamer, alleen bereikbaar via de eerste en met ramen aan de tuinkant, werd slaapkamer voor ons beiden. Dat was in 1924, toen we in dit huis kwamen; ik was toen dertig, Julia zeven.

Waarom we in dit huis het bed tot een toonbeeld van opgeruimde netheid gemaakt hebben, de houten bak met vliegtuigpapier geschuurd, de matras bedekt, de lappen erbovenop rechtgetrokken en ingestopt en ingevouwen en de kussens recht gelegd en later zelfs een gaas opgehangen tegen de muskieten, als omlaag stromende tule: ik weet het niet. De rest van het huis was in de jaren voordat Dünya kwam een even grote rotzooi als de barak, zonder behoefte aan enige orde. Eerst gooiden we wat lappen op het bed, maar Julia hield van mooie tinten en lichte kleuren en ik mocht uit de fabriek prachtige zilverblauwe stof meenemen; ik zag dat de slaapkamer werd opgeruimd en zonder dat we er een probleem van maakten als er eten op de grond lag of een pot was omgeschopt, was de slaapkamer van Julia en mij, naast alle kamers waar troep normaal was, een oase van rust en orde.

Als de donkere winter voorbij was en het daglicht al vroeg de kamer binnen drong, kwam ook de warmte binnen. Voor Julia was dat een teken om met de feestelijke striptease te beginnen, een ritueel dat over vele weken werd verspreid. Het begon met het uittrekken van de dikke trui waarin ze iedere winternacht had geslapen; ze richtte zich al slapend op, trok met een ruk die wollen trui over haar hoofd, waarbij allerlei andere kledingstukken scheef kwamen te zitten, smeet het ding ver van zich af, plofte terug op bed en sliep in dezelfde bewusteloze houding verder; het was zeker dat ze de trui de volgende nachten niet meer zou aantrekken. Het ritueel werd 's morgens voortgezet met het uittrekken van een volgend kledingstuk, tot ze op een gezegende lentedag in mei of juni het laatste hemd of broekje of de laatste sok uittrok en naakt, zelfs het dek weggetrapt, het resterend slaapuur doorbracht: een vast teken dat ze diezelfde avond en voorlopig alle avonden alles uittrok om te gaan slapen met het ongegeneerd etaleren van elke centimeter van haar jeugdig lijf. Ik volgde haar braaf en na het afwerpen van ons beider laatste kledingstuk kon de fantastische zomer beginnen.

Ik lag vaak wakker en bekeek haar. Soms lag ze plat

op haar rug, haar vuist tegen haar nek geduwd en haar benen een weinig van elkaar, een ontroerende combinatie van zelfbewustzijn en kwetsbaarheid, die een verstikkend gevoel van tederheid in mij wakker riep. Haar kleine borsten waren volslagen vanzelfsprekend, zo stevig, zo glad; ik vond haar lichaam bijna mager, haar dijen nog kinderlijk. Haar navel was voor mij haar grootste geheim. Tijdens zulke nachten probeerde ik mij haar geboorte te herinneren: een mysterieus en mythisch ontstaan van een kant-en-klaar kind van zes maanden, volledig gekleed, op een rokerig plein in een onbekende, dreigende stad. Of zij lag, als ik haar op zo'n zomernacht bekeek in het stille maanlicht dat voor zilveren lichtplekken zorgde, op haar zij, duim in haar mond, hand op Periwinkle en benen opgetrokken, zodat haar rug in een sierlijke lijn naar mij toegekeerd lag, de wervels flauw zichtbaar. Ik had er moeite mee haar niet aan te raken, mijn handen niet over haar rug te laten glijden, ze niet op haar dij te leggen, niet om haar billen te vouwen.

Juist vanuit die houding op haar zij draaide zij zich een enkele keer met een klap om en strekte zij haar hand uit en vouwde een been half over mij heen, half tegen mij aan. Het gebeurde wel dat zij mijn groeiend en opgewonden geslacht greep en even onschuldig verder sliep als daarvoor, toen ze haar hand nog om Periwinkle had gevouwen. Als zij, smal en naakt, zich zo tegen mij aan had geslingerd, dan lag ik doodstil om de toestand te laten duren en ik voelde mij rijk en gezegend met dat slapende lief tegen mij aan, half kind, half vrouw, en als ik, in die doodstille nachten, haar haren streelde en haar adem tegen me aan voelde, dan drong zich altijd de gedachte op dat zij was: half dochter, half vreemdeling.

De zomer rook naar Julia. De tuin was inmiddels smaragd- en olijfgroen en chartreuse gekleurd. Het was in de kamer alleen uit te houden als de ramen wijd openstonden; ons bed was een voortzetting van de feestelijke natuur buiten. De takken die tegen het huis aan groeiden en die in de winter een verlenging van het ongelijke, slordige hekwerk hadden geleken, zaten nu volop in blad; ze bedekten de scheuren in het pleisterwerk en ze zorgden ervoor dat voor ons raam een groen gordijn opgetrokken was, fris en schaduwrijk, intiem en afsluitend; vogels scharrelden tussen de takken. Ik vond het op zomerse ochtenden de mooiste slaapkamer van de wereld.

Ik kan moeilijk ontkennen dat het kijken naar Julia mij opwond.

Liggend op mijn rug rookte ik de laatste sigaret; ik hoorde de stille nacht, het ruisen en het murmelen buiten en soms het zachte verwarde slaapmompelen naast me; ik voelde mij verbonden met mijn dochter en via haar met dit vreemde, Turkse land. Ik stelde mij voor hoe de ooievaars nestelden, hoe de theevelden groeiden, hoe de schildpadden als kleine opwindtanks over de stranden de veilige zee in renden; ik stelde mij voor hoe de schepen op de Bosporus passeerden; ik hoorde de trams en de verre zangers van Istanbul. Ik miste Holland hartverscheurend, maar het was een groot en ernstig gevoel van verbondenheid waarmee ik uiteindelijk in slaap viel.

Overdag kon Julia vaak verveeld rondhangen, nergens zin in, geen enkel initiatief, zeker in de zomer altijd het smoesargument: te warm. 'Ik plof. Geef eerst eens wat water aan.' Soms lag ze in de tuin, in de schaduw van de moerbei, soms hing ze samen met Otto op de veranda boven en dan speelden ze het spel 'te warm'. Ze leunden tegen elkaar aan en waren niet te porren tot enige activiteit. Otto zat onderuit en Julia lag dwars met haar hoofd op zijn schoot. Ik vond dat niet prettig. Otto was mij te gemakkelijk en te vrij in zijn spelletjes en stoeipartijen met Julia. Als ik er iets van zei of als ik iets van mijn jaloezie liet merken, dan werd Julia eerst uitdagend en sprong ze bij Otto op schoot; Otto greep haar vervolgens beet en begon haar te zoenen; daarna werd Julia kregel en ik moest uitkijken, want als ik niet ogenblikkelijk een verzoening aanbood kon ze die geïrriteerde houding dagen volhouden.

☾

Dünya was een jaar of drie, vier bij ons, toen ze vroeg of zij de kamers mocht aankleden en op mijn vraag hoe ze dat in hemelsnaam wilde doen, antwoordde zij dat ze de kamers het liefst herstelde in de oorspronkelijke vorm, zoals zij vond dat zo'n kamer hoorde te zijn.

Hoe wist zij nou hoe die kamer hoorde te zijn? Er zat verrotting. Het was een krot.

Dat werd met een gezicht vol gezag ontkend: het was helemaal geen krot.

O nee? vroeg ik verbaasd over haar rustige, hardnekkige volhouden, wat was het dan?

Het was een origineel Turks huis. Dit was de sofa, de ontvangstkamer; hier hoorde een laag gedeelte en daar een omheind hoog gedeelte; daar hoorden banken.

Ze wist er duidelijk meer van. Ik zei dat ze haar gang mocht gaan, maar alleen in die kamer links boven. Na die toestemming was ze meer met het huis bezig dan met het huishouden; er werd geschuurd, geverfd, er kwamen lappen. Kortom, het werd een vrouwenhuis, voorlopig dan die ene kamer. Julia ging meedoen, want Julia kon langzamerhand verbazend goed opschieten met Dünya. Zij lachten samen, zij werkten samen en zij hielden eindeloze Turkse gesprekken, overdag en 's avonds laat.

❬

Enige tijd geleden moest iedere inwoner van dit land ingeschreven worden met voor- en achternaam en als je geen
achternaam had, moest je er een kiezen, legde Dünya uit.
Natuurlijk hadden wij met die maatregelen – nieuwe wet,
zei Dünya – niets te maken als buitenlanders. Dat dacht ik
eerst, maar er kwam een idee bovendrijven. We hadden
nooit hardop gezegd dat we hier eeuwig zouden willen wonen; stiekem dachten we soms aan terugkeren, maar dan
schoten mijn ogen naar Julia. Wij konden beweren dat we
voormalige krijgsgevangenen waren, maar dat wij samen
met een klein kind ten oorlog waren getrokken, dat zouden we geen Turkse grenswacht aan zijn verstand kunnen
brengen. Dus was mijn dochter hier geboren en dat moesten we kunnen aantonen, dacht ik; meestal was dat het
einde van de droom waarin we gedrieën naar Holland te-
rugkeerden. Mochten we erin slagen haar met voornaam
en achternaam te laten registreren, dan zouden wij te boek
staan als twee voormalige krijgsgevangenen met de recht-
matig geadministreerde dochter van een van hen. Ik vroeg
Dünya hoe die inschrijving in haar werk ging.

De inschrijving moest in de plaats van geboorte gebeuren. Dat was voor ons onmogelijk en voor Julia een hele
puzzel. Toen ik er weer over begon, vroeg Dünya of ik dat
dan wilde, me inschrijven; ik was toch geen Turk? Ik zei
dat Otto en ik hier al jaren verbleven zonder één officieel document en bovendien had Julia in de ellendige warboel van die dagen ook geen enkel papier gekregen. Dan
kon ik toch beter aankloppen bij de Hollandse ambassade?
Dat weigerde ik pertinent. Nou ja, we moesten het maar
proberen, zei Dünya; als we ons in Y. bij de winkel zouden melden die tevens als stadhuis diende, konden ze misschien iets voor ons doen.

Otto was het met me eens dat er iets aan die papieren gedaan moest worden en toen ik betoogde dat dit een mooie gelegenheid was, haalde hij zijn schouders op; hij vond het best, maar of dit een goede gelegenheid was, viel nog te bezien.

Tot mijn verbazing voelde Julia er niets voor. Niet eens het vastleggen van de naam en die administratieve rompslomp was het probleem, dat zou haar eerlijk gezegd een rotzorg zijn, maar ze had geen zin met twee kerels bij een Turkse instantie te staan en dan te moeten tolken. Ze had vaker zulke buien. Otto meteen: 'Nou dan niet, dan gaat het over,' maar ik hield vol. Otto wilde eerst niet meer mee, toen weer wel en uiteindelijk lukte het me onder protest mevrouw mijn dochter mee te krijgen.

De slager in Y. deed dienst als gemeentesecretaris. In de winkel hing een zware lucht van zout vlees. Een vrouw kwam vragen wat we wilden, waarop ik Julia een duw gaf: dat we ons wilden inschrijven. De vrouw riep iets de gang in. Julia en de slager voerden een korte discussie en toen trok hij een la onder de toonbank uit en haalde een boek en een koperen kistje tevoorschijn; hij pakte er een stoel bij.

Het leek me verstandig Julia te waarschuwen dat ze eerst moest zeggen dat ik door het leger als officier in de vliegtuigfabriek was aangesteld.

Waarom? vroeg zij.

Dan sputterde hij niet tegen.

Dat deed hij niet, kapte Julia mij af.

Otto stond naar het vlees te kijken, dat in een vitrine lag. Hij bemoeide zich er niet mee. De man sloeg het boek open en bladerde voorzichtig naar een lege bladzijde. Hij vroeg wat aan Julia.

Of we allemaal in deze plaats geboren waren, vroeg ze. Ze stond spottend te lachen.

'Leg die man uit hoe de situatie is,' zei ik ongeduldig.

'Wij zijn vreemdelingen en jij bent mijn dochter; waar je geboren bent, is niet uit te maken.'

Weer vroeg de man wat en toen Julia hem antwoord gaf, sloeg hij het boek dicht; hij stond op en boog.

'Wat is er aan de hand?' vroeg ik.

'Dat jullie geen Turken zijn. Wat ik op je eigen verzoek heb beaamd. Dat hij niets voor ons kan doen.'

Er ontstond een merkwaardig gesprek, waarbij mijn verzoeken om inschrijving door Julia steeds vlugger werden vertaald; met schouderophalen en oogverdraaiingen, zodat het leek of zij meer aan de kant van die half debiele slager stond dan aan onze kant. Tot Otto zijn geduld verloor:

'Godverdomme, Julia, laat die kerel niet zo moeilijk doen; pak dat boek, zet ons erin, voornaam, achternaam, bewijs voor ons, stempel erop, klaar; al dat Turkse gehannes.'

Julia draaide zich gekwetst om. De Turkse slager, die aanvoelde dat er iets onvriendelijks over zijn stadhuis gezegd werd, begon broeierig te kijken.

Een oude, besnorde vrouw kwam binnen met een doek over haar haardot en enkele truien over elkaar aan. Ze mompelde een groet, die door Julia beantwoord werd, en toen ze eindelijk de deur dicht had, draaide ze zich naar de slager. Net wou ze haar bestelling doen, toen het tot haar doordrong dat er drie vreemdelingen in de winkel stonden en zij draaide weer terug; een voor een bekeek ze ons. De slager stelde een vraag, waarop zij met een vogelkreet en een ongeduldig gebaar reageerde, hij nam vlees uit een kast en gooide dat in een koker boven een handmolen. De ouwe draaide haar kop heen en weer tussen die allerinteressantste vreemdelingen en die allerbelangrijkste bestelling van haar.

'Julia, alsjeblieft,' begon ik zacht.

'Ik heb toch gezegd dat het fout gaat.'

'Dat heb je niet gezegd. Waarom gaat het fout?'

'Jullie zijn buitenlanders. Jullie kunnen niet ingeschreven worden.'

'Jij toch wel?'

'Waarom zou ik?'

De oude knekel volgde met scherpe belangstelling de discussie in de hoop dat iets haar duidelijk zou worden, maar toen ze het pakketje van de slager kreeg was ze nog niets wijzer. De teleurgestelde klant liep langzaam de winkel uit, stond met de deurknop in de hand stil, zei iets onvriendelijks en maakte een spuuggebaar met haar dorre mond.

Wat ze daarmee bedoelde, vroeg ik aan Julia.

Ze dacht dat we Armeniërs waren. Moordenaars, zei ze erbij.

De slager borg het boek op.

Julia zei het; ze moet het gezegd hebben; ik verstond het woord 'fabrika'. De slager loerde een tijd naar me, liep naar een hoek, trok zijn bloedjas uit, hing hem aan de haak en ging in een bak op de gang uitvoerig zijn handen en zijn polsen wassen. Hij kwam terug, in zijn trui gekleed nu, en sloeg het boek plechtig open; hij pakte mompelend een pen en inktpot.

'Nummer één,' vertaalde Julia. 'Voornaam eerst, dan gewenste achternaam.'

'Ja maar,' sputterde ik tegen, 'ik wil hier niet als Turk ingeschreven worden.'

Julia keek spottend, één wenkbrauw in haar mooie gezichtje omhooggetrokken. Ik hoorde Otto snuiven van plotselinge pret.

'Simon,' zei ik tegen de slager.

'Şimon? Veya Şimon?'

Ik scherpte de S zo overdreven aan dat ik bijna op zijn

vlees spuugde. De griffier schreef mijn voornaam in het boek. Achternaam?

'Krisztián,' zei ik. Mijn god, dacht ik nog.

'Hristiyan?'

'Krisztián,' verduidelijkte ik. De man schudde zijn hoofd: zo'n idiote naam voor een Turk wilde hij niet inschrijven. Ik probeerde het over te nemen van Julia en begon duidelijk zichtbaar, vlak voor de slager, op mijn borst en op Otto te wijzen. 'Holanda, Holanda,' riep ik daarbij, 'Simon Krisztián, Otto Beets, Holanda ik, Holanda hij.'

'Holanda?' herhaalde de slager. Ik knikte. Daar kon hij wat mee en hij schreef mij in. Wanneer ik geboren was en waar? Dat wilde Julia hem nog wel vertellen. De slager kreeg het warm van zoveel misverstand wekkende onbetrouwbaarheid. Otto was aan de beurt. Otto zelf zei niets en liet het inschrijven van zijn naam aan mij over.

'Beets.'

'Beç?'

'Beets.'

De man hief wanhopig zijn handen omhoog. Bij het inschrijven van Julia volgde de vraag waar zij geboren was. Julia zei tegen mij dat ik beter iets kon verzinnen dan zeggen dat ik het niet wist.

'Ja maar,' begon ik en toen hield ik op. De lucht van worst en schoonmaakmiddel, de slager annex gemeentesecretaris, de naakte neushoorn die aan een haak hing en ons verwijtend aankeek: ik liep naar de deur en smeet die open.

'Balat,' zei Otto ineens en terwijl Julia ongetwijfeld dacht dat Otto maar wat riep om overal vanaf te zijn, hoorde ik stomverbaasd die naam klinken, want nooit hadden we dat kamp in het westen weten te benoemen en nu schoot hem de naam te binnen van dat dorp dat daar in de buurt lag. Balat, natuurlijk; ik zag Otto grijnzen.

De slager pakte een blok met bedrukte papieren, schreef de nummers zorgvuldig over in zijn eigen administratie en maakte onze formulieren gereed. Tot op vandaag weet ik niet of wij ingeschreven zijn in de Turkse burgerlijke stand als Simon en Julia Krisztián, met als nationaliteit Hollands, of als Simon en Julia Holanda, met als bijzondere vermelding Hristiyan, christelijk. Het maakte niet meer uit; ik had een officieel papier en Julia had een officieel papier; de weg naar paspoorten lag open; niemand kon ons meer scheiden.

Vanaf dit moment sloop de verwijdering in ons bestaan, vanaf het moment dat zij officieel mijn dochter werd, ging het mis.

Het eerste probleem was Otto. Van mij zal niemand een kwaad woord over Otto horen; zonder Otto had ik het nooit gered. Dan was ik allang van pure vertwijfeling en eenzaamheid van de hoogste rots gesprongen en ook voor Julia heeft Otto vele malen voor levensreddende oplossingen gezorgd.

Misschien is het mijn geluk geweest dat ik twee werelden had. Die van thuis met Julia en Otto, waarin het opgroeien en spelen van Julia hoorden, het voorlezen, het opvoeden, het zien van haar plezier en haar verdriet. Ik schepte daar behagen in. Mijn andere wereld was de fabriek. Daarin hoorden de precisie die vereist werd, de bewondering van de anderen voor elk stuk werk dat volkomen foutloos was, de voldoening als een las zo gemaakt was dat alles paste. Dat waren mijn twee werelden en er waren dagen dat ik mij tevreden voelde.

Bij Otto ontbrak het werk in de fabriek. Als compensatie had hij het voornemen opgevat het huis op te knappen. Hij begon met een aanstekelijk enthousiasme; hij maakte tekeningen, hij zorgde dat daarop alle schroeven en bouten zichtbaar waren, trof uitgebreide voorbereidingen, wachtte een paar dagen tot de wind gunstig stond, of de sterren zichtbaar waren of zoiets en zette uiteindelijk de bijl in de houten paal. Hij sloopte, wist binnen een etmaal een ongelooflijke rotzooi te maken, maar hij kon bij de eerste de beste tegenslag ophouden. Die moest eerst overwonnen worden, daar stond zijn kop even niet naar. Of hij zette door, maar als de echte reparatie gedaan was liet hij alle gereedschap vallen en verklaarde dat de klus geklaard was op wat kleinigheden na, afwerken, voegen, verven, opruimen enzovoorts. Hij zou dat allemaal wel doen, maar nu niet. Zo zaten we al snel in een soort verbouwing, een zooi gereedschap en materiaal, die wel opgeruimd zou worden, maar daar kwam het nooit van.

De andere wereld, die van thuis met Julia als middelpunt, was voor Otto tijdelijk wel interessant en hij kon zich geweldig voor haar uitsloven, speelgoed maken, tekenen, verhalen vertellen, maar in wezen interesseerde het kind hem minder dan mij. Hij vond haar soms gewoon in de weg lopen. Het gevolg was dat Otto zijn humor verloor, zijn fijngevoeligheid; hij kreeg tirannieke trekken.

Het begon met kleine voorvallen. Otto kon zich plotseling aan de rotzooi ergeren. Hij ging dan tekeer zodat ik nijdig werd en Julia moest lachen, of als hij het voornemen had opgevat iets te repareren, begon hij met zulke minuscule voorbereidingen dat iedereen zich afvroeg of dat nodig was. We moesten meehelpen. Zo heeft Otto eens met een mes alle naden tussen de houten planken uitgeschraapt; we hebben al protesterend drie uur op onze knieën gelegen. Soms wilde Otto per se de maaltijd klaarmaken, en wat Dünya ook van plan was, alles ging opzij voor het enthousiasme van Otto. Al snel begon hij te klagen over de ingrediënten, over het materiaal, over de kookplaats, Dünya kreeg ervan langs, moest sarcastische opmerkingen slikken, niets deugde. Als de maaltijd op tafel kwam, moest Otto geprezen worden. De rommel die hij gemaakt had liet hij anderen opruimen. Otto woonde in de rechterkamer boven. Hij kon uren slapen.

Het was te verwachten dat Julia de kant van Dünya koos; niet dat zij een hekel aan Otto had, integendeel, zij hield van hem als hij in een vrolijke stemming was en zij hield van hem om zijn grappen, zijn tekeningen, het eindeloze geduld waarmee hij met haar spelletjes kon spelen en wandelingen kon maken, maar als hij onhebbelijk deed tegen Dünya, dan werd Julia opstandig. Zij had een sterk ontwikkeld rechtvaardigheidsgevoel.

Omdat Dünya de kamers vertimmerde en verfde alsof het een deftig Turks huis was uit de vorige eeuw, voelde Julia zich oosterser worden. Mijn lieve dochter verbleef ver weg van mij in die oosterse kamers. Er waren avonden dat ik smachtte naar haar nabijheid, dat ik haar wilde zien, maar zij was met Dünya verdwenen naar de oosterse afdeling, zo noemden we dat al. Als ik haar op een laat uur tegenkwam en haar voorstelde om bij mij te komen zitten, vroeg ze of ik iets te vertellen had; dat kon zo, staande, maar ik zei dat ik niets bijzonders had en zij haalde haar schouders op en verdween weer. Op een avond vroeg ik haar waar Periwinkle was; ik had onze bedgenote een paar dagen gemist en veronderstelde dat die verhuisd was naar de oosterse afdeling. 'Nee,' zei Julia. 'Periwinkle is zelfstandig geworden.' Zij draaide zich om en ging slapen.

Otto had een milde bui en liet zelfs Dünya met rust, zodat ik het probleem-Julia met hem durfde te bespreken.

Hij had zoiets allang gezien, vertelde hij. Het hoorde er

nu eenmaal bij. Of hij zich voor kon stellen hoe moeilijk het voor mij was.

Natuurlijk. Hij voelde het zelf ook, maar er viel weinig aan te doen. Ik moest mijn verstand gebruiken, zei hij.

Mijn verstand? Dit was toch geen kwestie van verstand? Dit was toch gevoel?

Natuurlijk was het gevoel, zei Otto, maar dat kon je nauwelijks gebruiken. Je verstand, dat kon je gebruiken; je moest dus redeneren, daar had je wat aan.

Ineens kwam de allereerste Otto terug van toen ik in 1908 voor de eerste keer in Dordrecht logeerde, toen ik pas leidekker bij mijn vader was. Ik was veertien, hij zeventien en hij leerde mij redeneren.

Ja, hij had makkelijk praten.

Hoezo? Voor hem was het ook moeilijk. Maar hij zei het al: ze gaan weg. Zo is het nu eenmaal. Ik moest me er gewoon bij neerleggen.

'Ach man, jij bent haar vader niet.'

'Meen je dat nou?' vroeg Otto en hij stak zijn kop naar voren en keek mij spottend recht in mijn gezicht. Ik werd rood.

'Je hebt gelijk,' zei ik; het geluid was zo zwak dat hij het misschien niet eens verstond. 'We hebben geen recht op haar.'

'Heb ik je wel eens verteld,' vervolgde hij na een tijd, 'hoe dankbaar ik je ben geweest?' Ik zweeg. Wat kregen we nou? Sentimentaliteit? 'Toen je dat kind weggriste, was ik razend op je. De problemen waren al zo groot en jij met je idiote gedrag. Hoe we het gered hebben, weet ik niet, maar we hebben het gered. Na een paar weken zag ik dat wij ons met dat kind een geweldige uitdaging op de hals hadden gehaald. Als ons dat zou lukken, dan konden we echt trots zijn. En het is ons gelukt, ja toch? Daarom zijn wij nooit zomaar een paar gevangenen geweest, nooit zomaar een paar zwervers; wij presteerden iets. Wij hadden een kind en dat was niet niks.'

Hij zweeg een tijd.

'Eigenlijk gaat het om nog iets anders.'

Ik zweeg. Hij dacht na, formuleerde in zijn kop, begon met een zin, herformuleerde in zijn kop en begon weer met een paar woorden. 'Moeilijk te zeggen,' gaf hij toe en lachte even.

'Het gaat hierom. Kijk. Laat ik het zo zeggen. Wij moesten overleven, vonden we zelf. Ze hadden ons neer kunnen knallen, of onthoofden. Het heeft geen fuck gescheeld misschien, maar toen we eenmaal dat geluk hadden, wilden we het kunnen navertellen. Het bleek dat dat overleven wel eens heel lang kon duren en wij maar overleven en maar overleven: een prestatie van formaat, maar wie schoot er eigenlijk wat mee op? Wijzelf? Mijn ouders thuis? Mijn zus? Jouw ouders? Iedereen dacht allang dat we dood waren, niemand had er wat aan, dat wij in deze woestenij doorleefden. Toen kwam Julia erbij en alles veranderde. Het had ineens zin. Dat is het! Het heeft zin gehad. Het was belangrijk dat we overleefden. Heel belangrijk. Heel erg belangrijk.'

Hij begon te huilen. Otto! Vierenveertig jaar! Zat te huilen!

'Weet je waar ik een moord voor zou plegen?' zei hij na lange tijd.

Dat wist ik niet.

'Een literfles goede, oude onversneden Beets-jenever.' Hij proefde met zijn lippen.

'Daarom ben jij mij dankbaar geweest al die tijd,' probeerde ik het gesprek te rekken.

'Dat jij dat kind bij die ouwe vent gestolen hebt, ja. Weet je waar dat precies naar smaakte, die oude Beets-jenever?'

Hij proefde en proefde om de smaak van zijn vaders jenever op te roepen en zich die te herinneren, maar intussen, wist ik, dacht hij aan Julia.

De onrust in de fabriek groeide. In 1933 kregen wij te horen dat er een luchtschip bij ons gebouwd ging worden; in 1935 werd dr. Paul Grunwald bij ons aangesteld. Nu is het bouwen van een luchtschip op basis van gascellen een heel ander werk dan het maken van vliegtuigonderdelen. Tot dat moment had iedereen een werktafel en ruimte voor alle instrumenten; sommigen hadden een kraan boven hun werkblad gemonteerd voor zwaardere onderdelen. Voor de cellen en het staketsel van een luchtschip was alle ruimte nodig; daarvoor moest alles opzij. Met veel protest en ruzie werden de hallen opnieuw ingedeeld. Vroeg in 1936 kregen we te horen dat er over zes maanden een proefvlucht gemaakt moest kunnen worden. Eerst werd er gelachen, later werd er een delegatie gevormd en die kreeg toegezegd dat er uitstel gevraagd zou worden. De proefvlucht kon voor maximaal een jaar worden uitgesteld; we moesten in de loop van 1936 een termijn voorstellen waarbinnen de proefvlucht zou plaatsvinden. De exacte datum zou in verband met te verwachten presidentieel bezoek door de hoge militaire leiding worden vastgesteld.

De grote hal was gevuld met werktafels, met lange houten ladders op driewielige karren, zo gestut dat de ladder nagenoeg rechtop kon staan, met platformen, hijskranen, plankieren op goed gesmeerde zwenksystemen en uiteraard met de in volume toenemende romp van het luchtschip. Voor een buitenstaander moest het een chaos zijn, maar voor ons was alles overzichtelijk geordend. Alle arbeiders droegen rode werkkleding zodat je gemakkelijk gezien kon worden tussen de zwaaiende kranen en bewegende platformen.

In een andere hal werden de stoffen aan elkaar genaaid en op lekken gecontroleerd. In de kleine tussenhal werden de motoren getest, de elektrische apparatuur klaargemaakt en de motorgondels gebouwd. Ik behoorde tot de mecaniciens die aan het geraamte in de eerste hoofdhal bouwden. In de hal hing een lucht van metaal, zo sterk dat je het idee kreeg dat de aluminiumsplinters door de lucht zweefden en met iedere ademtocht dieper je luchtwegen binnen drongen. Soms rook het naar gas en dat veroorzaakte paniek, want gas werd geassocieerd met brand en met ontploffingen. Volgens mij was die paniek onnodig, want het gas dat straks gebruikt ging worden, was het dure helium, dat niet kon branden en dat slechts in zeer kleine hoeveelheid beschikbaar was, en het goedkope waterstofgas, dat zeer brandbaar was maar dat je absoluut niet kon ruiken. Wat men rook als er over gas gesproken werd, was de geur van metaal die bij vochtig weer van intensiteit veranderde en dan naar een onbekend gas rook.

Onder de romp was een groot plankier aangebracht met uitbouwen op verschillende verdiepingen, waar geriefelijk op gewerkt kon worden. De zijkanten van de romp waren bereikbaar met de houten ladders. Maar de bovenkant was voor de meesten een probleem. Niet voor mij, ik had geen last van de hoogte. Als we boven met verschillende mensen werkten, dan wachtte ik tot de anderen een stevige positie hadden ingenomen, ik gaf met handgebaren aanwijzingen en ik liet ze meestal slechts de delen vasthouden zodat ik heen en weer kon lopen over de aluminium dragers en ringen en de klinknagels kon aanbrengen.

Per militair transport arriveerden de Siemens & Halskemotoren en de hele fabriek liep uit om de vier versterkte, platte houten wagens te bekijken waarop de motoren, in kisten verpakt, lagen. Er waren vier monteurs door de Berlijnse fabriek meegestuurd, die echter binnen vijf minuten een schreeuwende ruzie met Grunwald stonden uit te vechten. Daarna wilden de Duitsers aan die Grunwald geen enkele instructie meer doorgeven; de twee Turkse ingenieurs spraken echter gebrekkig Engels, zodat ik er weer bij geroepen werd.

De Duitse technici konden na twee weken monteren, demonteren, uitleg en show, eindelijk de motoren starten, waarbij iedereen diep onder de indruk was van het sonore geluid. De technici werden begeleid door hoge Turkse militairen, die ons in de weg liepen, en die met alle beleefdheid en ontzag lieten merken dat de hele fabriek en de hele luchtschiponderneming een zaak was die onder het Turkse militaire opperbevel ressorteerde.

De Duitsers vertrokken een paar dagen na het proefdraaien van de motoren; zij namen geen afscheid van Grunwald, die zich al die tijd in zijn kantoor had verschanst. Wij konden de mannen wel waarderen om hun technische kennis en hun ongelooflijke vaardigheid met die motoren, maar hun hautaine houding tegenover Turken en hun irritant praten en schelden op die Jood die bij ons de leiding had, ergerden ons buitengewoon. Grunwald kwam later die middag tevoorschijn; of wij dachten dat die verdomde nazimotoren bruikbaar waren. Hij barstte nog tweemaal uit in een oorverdovende, spugende woede, waarbij hij niet alleen schold op de Duitse technici ('bruine vlooien, rotte naziluizen') maar ook op de Turkse officieren die dat fascistische gespuis de hele dag de kont liepen te likken.

De motoren moesten in de zijgondels worden ingebouwd. Dat was niet zomaar gebeurd, en in de weken waarin dat werk verricht werd kwamen de propellers aan: drievleugelige, stalen gevaartes van vijf meter middellijn, waarbij elke vleugel voorzien was van drie gelaste banen staal om het lange blad te versterken.

Na de eerste onzekerheid, na het uitvinden wat de beste manier was om de propeller op de as te monteren, de discussie, en het trots alles weer oppoetsen, konden we de propeller in een laag toerental laten draaien. De eerste poging leverde een akelig geluid op en een angstwekkende vibratie. We moesten meteen de motor uitzetten en alles opnieuw monteren. We probeerden telefonisch advies bij de Duitse fabriek in te winnen. 'Heil Hitler' klonk het meteen, wat Grunwald weer witheet naar zijn privévertrekken joeg. Na een aantal dagen waren we zo ver dat we de motor konden starten zonder dat er alarmerende geluiden of vibraties optraden. We besloten de propeller in de week daarop te testen; bij de proef ontdekten we dat er om de drie à vier minuten een vibratie optrad. Na een paar dagen proefdraaien, waarbij we de snelheid opvoerden tot het maximum van vijfhonderd omwentelingen per minuut, bemerkten we grillige ribbels en sleuven in het plaatstaal. Aan Duitse zijde werd vierkant ontkend dat dat mogelijk was; we keken niet goed; wat wij zagen waren kreukels in een beschermend laagje, dat eventueel verwijderd kon worden; dat bestond niet, dat er scheuren in het staal kwamen.

Een van de ingenieurs vond het gekkenwerk om door te gaan. Die propellers waren onbetrouwbaar. Wat nu een onbelangrijk scheurtje leek, kon in de lucht, met de onbekende krachten die daar op de machine werkten, leiden tot een breuk, tot beschadigingen, tot fragmenten staal die zich in de pegamoid wand boorden, of zelfs door de wand van de gascellen. De anderen reageerden rustiger. We konden er weinig van zeggen; bovendien moest de testvlucht doorgaan, die kon niet opnieuw uitgesteld worden; dat begreep iedereen.

We besloten het met de propeller te proberen. Als de mankementen aanhielden of ernstiger werden, zouden we alsnog overgaan op tweevleugelige houten propellers, maar die moesten besteld worden en de levertijd was maanden. Idioot vonden sommigen het besluit; dat ging verkeerd. Het was een minderheid die zo dacht. Wat moesten we?

Ik werd bij Grunwald geroepen. We bespraken wat mijn speciale taak bij de proefvlucht zou zijn. Het was te verwachten dat het luchtschip tijdens die korte proefvlucht niet stabiel zou zijn. Er moesten verschillende controles plaatsvinden en iemand moest zowel door het hoge looppad tussen de gascellen als buitenom die controles uitvoeren. Dat was meer circusact dan gewone dienst en de vraag was uiteraard of ik dat wilde doen.

Ik vond dat geen enkel probleem.

Of ik dat aankon, naar ik dacht.

Dat hing ervan af. Hoe het geheel in de lucht zou bewegen.

❰

Voor het testen van een gascel werd op een open terrein een stellage gebouwd, waar de slangen voor de aan- en afvoer van het gas in ondergebracht konden worden. Het afvoeren van gas vereiste grote zorg want als de dichtheid van het gas in de lucht hoger werd dan één deel gas op tien delen lucht, ging het waterstof met de aanwezige zuurstof een levensgevaarlijke, ontplofbare verbinding aan.

Controleurs zouden tijdens de test kijken naar lekken, naar de vorm van de gascel, naar de elasticiteit en vooral naar de werking van overdrukventiel en manoeuvreerventiel. Het automatische overdrukventiel bestond uit een gummi membraan dat tegen een plat vlak sloeg; het manoeuvreerventiel had een deksel met veerdruk en kon vanuit de stuurcabine bediend worden. De gascel was met ringen aan een houten stellage bevestigd; bovendien zat aan iedere ring een touw, dat verderop aan een paal in de grond verankerd was. Het was duidelijk dat het vullen van alle zestien cellen tegelijk straks een heidens karwei zou worden met een doolhof van slangen, ventielen en gasflessen. De gascel zou in gevulde vorm een ronde schijf vormen van ongeveer acht meter dikte en bijna tweeëntwintig meter middellijn: een reusachtige rechtopstaande Hollandse kaas.

Het was een dag met weinig wind, wat als voordeel had dat de cel makkelijk bevestigd kon worden en dat we niet het gevaar liepen dat een plotselinge windstoot hem los zou slaan of zou beschadigen; het nadeel was dat het ontsnappend gas minder snel verspreid zou worden zodat het gevaar van ontploffing groter was dan tijdens een stormachtige dag. Er waren geen andere werkzaamheden gepland die middag; het hele personeel was aanwezig bij de test, iedereen kon ingeschakeld worden.

In verband met de veiligheid hadden we allemaal een vaste plaats aangewezen gekregen; mocht er iets misgaan, dan stond altijd een groep in de buurt die kon ingrijpen. In de stellage was een slappe doek opgespannen: de nog lege cel, die mistroostig naar beneden hing. Om 14.00 uur precies gaf Grunwald het teken dat met vullen kon worden begonnen, maar alleen degenen die bij de gasflessen stonden hoorden een licht suizen, verder gebeurde er niets. Al snel week de spanning; de arbeiders stonden een beetje te praten. Na drie kwartier zag je de cel van vorm veranderen, het duurde langer dan men gedacht had. Boven in de cel hing een soort slappe bol terwijl de rest van de stof nog doelloos en flauw naar beneden hing; pas op het eind van de middag begon de vorm erin te komen. De staaldraden, die dwars over de kaas tussen de aanhechtingspunten gespannen waren, begonnen zich in de stof af te tekenen, wat een ingewikkeld patroon te zien gaf. Aan de onderzijde bleek een inham te zitten want de cel sloot in het midden om de loopgang; er was dus bij wijze van spreken een zeer smalle punt uit de kaas gesneden. Laat op de middag kwam er wat meer wind, waarbij de cel een geduchte windvanger bleek en traag bewoog, wat de houten constructie zo deed kraken dat iedereen opkeek.

Rond 19.00 uur leek de cel gevuld; hij maakte een indruk van stevigheid en strakgespannen lijnen en tegelijk van zachtheid. Men begon met de metingen en met de ventielproeven. De ventielen werden verschillende keren geprobeerd en net toen deze proeven naar tevredenheid waren verlopen, stak er opnieuw wind op. Er brak iets, in elk geval klonk er een luide kraak. Wat er gebroken was, bleef onduidelijk: niets viel, er veranderde niets aan de cel en evenmin aan de stellage waar de cel in hing; maar allen hadden het kraken gehoord, allen begrepen dat deze gigantische gascel een moeilijk te beheersen kracht bezat. Het was inmiddels donker aan het worden en op bevel van Grunwald werd een groot zoeklicht aangestoken. Door de bundel licht, die trillend op de cel werd gericht, leek het een stuk donkerder. Beweging was moeilijker waar te nemen en daardoor viel het de meesten niet op wat de controleurs vlakbij met ontzetting zagen: de gascel bewoog door de wind iets naar voren, veroorzaakte breuken in de stellage, kieperde naar achteren, waarbij weer enkele stellagedelen het begaven, en langzaam begon de schijf, fraai belicht en omkranst door de nu nutteloze houten stellage, te stijgen. Pas toen de onderkant van de cel op dubbele afstand van de grond was, een meter of acht, begreep iedereen dat zich een catastrofe aan het voltrekken was en dat de cel er met houten stellage en al vandoor dreigde te gaan. Het gewicht van de stellage was zo groot dat de snelheid van stijgen uiterst beperkt bleef. Het was een zich plechtig verheffen, een licht deinen op de wind; er hoefde maar een rukwind te komen en de stellage zou, toch al kapot, uit elkaar donderen en door het geringere ballastgewicht zou de ballon sneller omhoogschieten en onhoudbaar zijn. De touwen aan de ringen stonden hier en daar strak en tot grote schrik van wie erbij stond werden de palen uit de grond getrokken. Omdat een paar arbeiders begonnen te schreeuwen en aanwijzingen gaven, grepen verschillende groepen de touwen en even later ontstond het idiote tafereel van een gascel, door een schijnwerper verlicht, die zich op behoorlijke hoogte bevond, godzijdank nog steeds met de zware houten stellage eromheen, wiegend en deinend, en van alle arbeiders, inclusief Grunwald, die aan de vele touwen hingen en er met al hun krachten in slaagden de cel heel langzaam stil te krijgen, de stijging te stoppen en de touwen beter te verankeren. Eén groep slaagde erin de touwen aan de loods te binden, een andere groep kon touwen aan een platform met stalen gasflessen bevestigen. Toen het zeker was dat de gascel niet opnieuw zou ontsnappen, werd gekeken of de ventielen bereikbaar waren en terwijl wij allen toekeken hoe de verlichte gascel langzaam afnam in volume, hoorden we overal opgewonden stemmen klinken. Samen hadden we een proef doen slagen en we hadden voorkomen dat de bouw met weken was vertraagd, en toen laat op de avond alsnog een deel van de stellage naar beneden viel en godzijdank niemand verwondde, bleken de voorzorg en de borg voldoende.

Dünya Şuman

Die avond zag ik dat de maan op de aarde gevallen was.

Het was laat. Ik had gewacht op Simon maar die was nog niet thuisgekomen. Waarschijnlijk nog bezig in de fabriek. Ik volgde zoals normaal het pad langs het riviertje. Ik hoorde niets bijzonders. Misschien wat geschreeuw in de verte, maar met de militairen in de buurt is dat niet ongewoon. Waarom ik omkeek, weet ik niet precies. Misschien wilde ik een blik werpen op het huis.

Ik zag de gevallen maan. Rond. Verlicht. De vlekken die de maan de vorm van een onscherp, bol en wat dommig gezicht geven. Vlakbij. Uiteraard keek ik direct naar boven om te zien of er een gat in de hemel was. Maar over heel de nachtelijke hemel lag een wolkendek en er was geen enkele aanwijzing te vinden op welke plek de maan had gestaan.

Voor degenen die mij voor krankzinnig houden of die mij zien als een huisbakken analfabeet, het volgende. Natuurlijk heb ik geen seconde gedacht dat het de maan werkelijk was. Ik weet ook wel dat de maan een planeet is die in een baan om de aarde draait en dat hij zwak verlicht wordt door de zon. Dus denk niet dat ik werkelijk geloofde dat de planeten en de sterren uit de lucht floepten. Het was anders. Terwijl ik mij omdraaide en die verlichte bolle schijf zag, dacht ik een onderdeel van een seconde: kijk, net de op aarde gevallen maan. Gezichtsbedrog, waar je ziel een oogwenk in gelooft. Je verstand helemaal niet. En laat ik over dit soort gezichtsbedrog het volgende zeggen. Je weet heus wel dat het niet kan wat je denkt, maar juist die foute interpretatie geeft soms flitsende visioenen van ongekende schoonheid. En als we zeggen dat het leven zin heeft gehad, dat we op sommige momenten zelfs gelukkig of tot tranen toe geroerd zijn geweest, dan verwijzen wij nooit naar de teleurstellende uren van de werkelijkheid, maar bijna altijd naar de seconden gevuld met de stralende kracht van een visioen.

Nu is dat idee van de op de aarde gevallen maan natuurlijk niet zomaar een idee. Ik herinner me uit de tijd dat ik kind was, dat in veel verhalen de maan op de aarde viel. Wat was daarvan het gevolg? Rampen. Britse driedekkers die bommen op onze markten wierpen en tergend boven de markt cirkelden onder de maan door, die ieder ogenblik als laatste superbom naar beneden kon vallen. Vogels die ziektes over de aarde verspreidden. Op deze manier is de cholera van 1917 begonnen en ook de tyfus van het jaar daarop. Of graven die zich openen. Van dat laatste schrik ik niet. Niemand zal zich verbazen over mijn contact met mijn jammerlijk gesneuvelde man. Of verscheen de moeder van Julia mij maar eens. Wat is er in hemelsnaam met die vrouw aan de hand? Simon kletst nevelpraat. Volgens mij heeft hij tijdens zijn verliefdheid nauwelijks uit zijn doppen gekeken. Anders kan hij toch wel een correcte beschrijving geven van dat meisje. Of hij wil tegen mij niets over haar zeggen, maar dan vraag ik mij af waarom.

Totdat ik bij mijn eigen huis was, heb ik mij om de zoveel passen omgedraaid om de maan te bekijken. Het leek wel of hij steeds slapper werd. Futlozer. Of alle pit eruit ging. De laatste keer dat ik mij omdraaide, was de maan verdwenen. En frappant, de bewolking was zoveel dunner geworden dat een bleek verlichte vlek duidelijk maakte dat daar de maan weer stond. Het maanlicht dat kilometers verderop de Bosporus en de Gouden Hoorn overgoot, dat de koepels en minaretten hun zilveren schijn gaf en dat in duizenden stukken uiteengekletterd dobberde op het stille water. De maan van mijn jeugd. De maan en de Noordster die staan op de bergen, zong mijn moeder. De maan, die iedere avond op een andere plek en op een ander uur zijn baan begon; symbool van trouweloosheid en wispelturigheid; de maan van Istanbul, de maan van Beyoğlu, mijn beminde.

Vlak bij huis meende ik in een rimpelende waterplas een afbeelding te zien van Şuman-Bey. De spiegelende wolken, de klonten aarde: vanuit een bepaalde positie leek het het gezicht van mijn geliefde en zo vroeg gestorven echtgenoot. Die avond laat, toen ik op de bank lag te dutten, kwam hij door een klepperend raam binnen.

'God in de hemel, Şuman, kun je niet waarschuwen? Je weet dat ik een zwak hart heb. Je ziet er redelijk uit voor iemand die jaren dood is.'

Ach, ik kletste maar wat raak in die lege kamer. Als je genoeg inbeelding hebt, begint het spook tegenover je vroeg of laat terug te praten.

Meid, meid, wat ben jij dik geworden, zou zijn eerste, weinig flatteuze opmerking zijn. Ja, hij had makkelijk praten, hij lag al twintig jaar diep in de modder te vergaan. Is dat mijn mooie kleine Dünya? Je was zeventien toen we trouwden. Bijna nog een kind, Dünya. Ik had bijna je vader kunnen zijn.

Kortom, een onderwerp dat ik wat gedetailleerder met hem had willen bespreken. Bij leven was Şuman een wijs man, die mij veel had kunnen leren als hij langer bij me gebleven was.

'Luister, Şuman, ik ben door de politie naar dit dorp gestuurd. De reden gaat je niet aan. De politie vindt dat ik het huishouden moet doen van twee mannen die met de Engelsen hebben meegevochten. Nederlanders. Ik moet ze bespioneren. De een, Simon heet hij, heeft een dochter. Hoe moet ik het zeggen, Şuman. Ik vind dit geen makkelijk onderwerp. Want, Şuman, ik voel aan mijn water dat die man geen normale vader is. Die man en zijn dochter slapen in één bed, Şuman. Jij met je Duitse moderniteit: hoe denk jij daarover? Hoe was het om mij aan te raken toen ik zeventien was? Je weet dat ik in de laatste nacht voor jij naar Gallipoli vertrok zwanger raakte? Kijk niet zo verbaasd. Ik ben op het eind van dat jaar, na een zwangerschap van mei tot december, dat kind door de oorlog kwijtgeraakt. Maar die man met zijn dochter. Hoe gaat dat, Şuman, met je dochter slapen of met iemand die je dochter kan zijn? Waar raak je zo'n kind aan als je haar toedekt?'

Zo kletste ik door en ik voelde mij bedroefd omdat in de donkere hoeken van de kamer de fletse restanten van mijn zo geliefde man hingen, die zich in mijn halfslaap nu eens samenvoegden tot een bijna echte gesprekspartner, dan weer uiteenwoeien en niet meer dan vage herinneringen bleken te zijn.

'Hoe kust hij haar goedenacht? Hoe knelt hij haar in zijn armen? Hoe schermt hij zijn ogen af als zij zich wast? Raadt hij haar aan in de zomer zonder kleding te slapen? Dat kind heeft een moeder nodig. Maar waarom moet ik dat zijn? Ben ik niet te jong? Ik heb toch geen enkele ervaring met Nederlanders? Hoe voed je in godsnaam een Nederlands kind op? Ik wil naar Beyoğlu terug.'

Ik sliep in, werd wakker van de flakkerende vlam van de lamp.

'Er is veel veranderd in dit land, Şuman. Daar heb jij geen weet van want jij hebt nu al ruim twintig jaren bij Gallipoli gevochten. Vechten, sterven, vechten, gewond raken, weer sterven en opnieuw vechten. Maar terwijl jullie je daar vermaakten, leden wij honger, moest ik beledigingen slikken, verloor ik mijn kind, moest ik werken voor Griekse en Joodse dames, at ik genadebrood bij de familie. En hoe ik schandelijk betrapt ben op een moment dat ik werkelijk dacht dat Beyoğlu aan mijn voeten lag. Hoe is dat, Şuman, jaren en jaren vechten? Iedereen zei dat we aan de winnende hand waren, hoe kon jij dan sterven, Şuman? Ik was pas zeventien jaar en jij dacht al aan sterven. Was je zó oud, Şuman? Dat je erbij ging liggen?'

Ik zonk in gedachten weg, ik heb een tijd geslapen. Toen ik opkeek omdat ik mij realiseerde dat er een zware stilte hing, was de kamer leeg. Niemand meer aanwezig. Şuman was er zonder groet vandoor gegaan. Dat was geheel in stijl. Hij was de laatste keer dat ik hem in leven heb gezien ook weggegaan zonder fatsoenlijk afscheid te nemen. Buiten regende het. Die goeie man moet doornat geworden zijn bij de tocht van mijn huis naar zijn ultrahydraterende modderbad bij de landengte. Je vraagt je af: hoe reist zo'n dode? Misschien raken zijn voeten niet eens de aarde. Veel schilders beelden engelen en gestorvenen af in verticale positie, zwevend boven de aarde met het bovenlijf iets naar voren alsof daar de motor zit. De vaak naakte voeten slepen er wat achteraan. Mogelijk dat ook mijn gestorven echtgenoot op die manier door het luchtruim reisde.

☾

Ja, ja. Mijn handen jeukten om dat huis op te knappen. Zulke mooie ruimtes. Zulke mooie Turkse oplossingen. Het huis was vervallen. Het moest gerepareerd worden. Maar het schelden van Simon en Otto was hartstikke onterecht. Het getuigde van blindheid en onkunde. Nooit hebben zij onderdelen van het echte Turkse leven leren waarderen. Ik heb mij verzekerd van de hulp en bijstand van Julia.

Onze eerste taak was het schoonmaken van de kamer. Otto repareerde de vloerdelen, de kastdeuren en de hekwerken. Julia moest er vervelend lang om zeuren. Zelf kreeg ik bij de militairen verf en een soort bodycrème of avocadoboter om de wand bij te werken. Het lukte mij om een werkman voor de bovenramen te slijmen, die de kleurige glazen patronen opnieuw sneed en in het zachte metaal bevestigde. Julia en ik maakten het plafond schoon en we verfden sommige delen opnieuw. Wij herstelden de sedirs, de houten banken aan weerszijden van de vuurplaats en langs de ramen aan de buitenzijde. Het tempo lag laag maar we werkten door.

De grootste taak kwam toen we zo ver waren dat alles schoon, heel en geverfd was. We wilden tapijten neerleggen, kleden voor de sedirs, kussens; we wilden sieraden aan de wand hangen. Dat konden wij wel wensen, maar waar haalden we het materiaal vandaan?

Afgeknoedeld zaten we na het werk op de veranda stil naar de tuin te kijken. De ondergaande zon schuin voor ons. Julia was in de jaren dat ik haar kende uitgegroeid tot een mooie jonge vrouw zonder dat ze de indruk maakte dat ze daar zelf zo geweldig van overtuigd was. Geen typisch westers uiterlijk. Ze had evengoed een volbloed Turkse kunnen zijn. Het was de elegantie van de jeugd die haar sierde. Dat achteloze en tegelijk raadselachtige, dat ons ouderen snel tot afgunstige boze stiefmoeders maakt.

Ze had dik haar, dat donkere met die vleug kastanje, die het zo diep doet kleuren. Haar ogen waren groot en glanzend. Haar wenkbrauwen zwaar, ook omdat ze daar niets aan veranderde. Haar kleine mond en spitse kin maakten het gezicht mooi ovaal. Haar borsten waren niet al te groot. In de zomer liep ze vaak op blote voeten. Ik had gezien hoe fijn gevormd die voeten waren, hoe foutloos de teennagels. Bij mij was de tweede teen vrij lang, maar bij haar eindigden alle tenen precies zo dat de uiteinden samen een fraaie boog vormden. Een enkele keer pakte ik een voet van Julia, streelde en masseerde hem. Tot het haar ging ergeren en ze haar voet terugtrok. Met een katachtige snauw dat ik dat moest laten. Julia koesterde zich in de avondzon en leek volwassener dan het soms nukkige kind zonder moeder dat ik de afgelopen jaren had leren kennen.

Door hun zure opmerkingen over onze Overwinningsdag, op 30 augustus, had ik gemerkt dat Otto en Simon niets wisten van de verdragen van Mudanya en Lausanne. Wel dat de sultan was afgezet, en de naam Mustafa Kemal kenden zij natuurlijk. Van de Grote Oorlog kenden zij alleen het begin in Europa. En de nederlaag van de Engelsen bij Gallipoli. Zij plakten daar onze overwinning in 1922 op de Grieken aan vast. Punt uit. Turken en Duitsers gewonnen. Ik liet het zo. Ik ben tenslotte geen hoca. Nietwaar?

Om na te gaan wat Julia wist, draaide ik mijn klets zo dat er steeds sprake was van een feit uit niet zo lang vervlogen dagen. Ze bekende snel dat ze daar niets van wist en voegde eraan toe dat ze daar ook geen enkele belangstelling voor had. Dat was het verbazingwekkende van de enorme gaten in haar kennis: zij miste niets, was niets kwijt, wist alles wat ze moest weten, haar pad was duidelijk en er ontbraken onnodige afslagen, geheime boodschappen en ingewikkelde seinen. Julia was de jonge vrouw die iets uitstraalde van: hier ben ik, ik draag het leven verder en wat moet komen, dat komt. Het leek mij rustgevend; het leek mij tevens niet voldoende. De avonden in Beyoğlu hebben mij geleerd dat men een moderne conversatie voert met enige kennis van feiten. Ik wist mee te praten op de partijen en de feesten. Ik heb weet van Schubert en Schumann, van Rudolph Valentino en van Charles Lindbergh. Ik weet dat er vrouwenkiesrecht in Turkije bestaat. Julia kende Mussolini, maar van Hitler had ze nooit gehoord.

Ze wist opvallend veel van een deel van de oorlog. Tenminste, als ik me secuur probeer uit te drukken, van de Turkse vrijheidsoorlog tegen de Grieken. Dat hadden ze haar wel geleerd op de fabrieksschool. Maar dan. De Grote Oorlog tegen de Britten en de Fransen. De oorlog van Enver. Niets. Onbekend. Terra incognita. Nul. Het verlies van alle gebied buiten Turkije: hadden we daar dan ook gebied? Dat is toch niet nodig? zei ze.

Je kunt je afvragen: waarom een kind lastigvallen met de ellende van toen? Misschien is het beter de jonge mensen te onderwijzen in datgene waarin wij, ouderen, geslaagd zijn en ze niet allemaal op te schepen met datgene wat wij verkeerd gedaan hebben of waarin wij gefaald hebben. Maar misschien kunnen ze leren van de fouten die wij gemaakt hebben. Al dat verlies, al die honger, al die doden, het lag achter ons. Wij hadden het gehad en wie erdoor getekend was, behoorde tot de ouderen en wie er niet onder leed, behoorde tot de jeugd. Ik was een oud mens met mijn achtendertig jaren. Julia was de jeugd. Zij was achttien en opeens in mijn ogen een kind. Wat moeten wij ze bijbrengen opdat zij het beter doen en wat moeten wij verzwijgen uit liefde opdat zij rustig kunnen leven? Daar gaat het toch om? Dat is het hele eiereten van de voortplanting.

Julia had een afwijking. Met de zichtbare wereld had ze geen enkele moeite. Ze kon uitstekend combineren. Ze zag een dood dier en ze wist dat alles doodging, zij zelf ook. Ze hoefde niet in haar arm te snijden om te weten dat ze uit botten en spierweefsel bestond. Dat zag ze bij de dieren ook. Ze had meermalen een schaap geslacht zien worden en dan wou ze alle details zien.

Maar het andere, dat niet zo zichtbaar was, alles wat het leven zo zinvol maakte, zo spannend, bijvoorbeeld het verleden. Of de mensen die in de geschiedenis geleefd hadden. De verhalen. De verzinsels en de fantomen. Alle wonderlijke en onvermoede zaken achter de horizon, zoals het leven in Beyoğlu. Dat alles liet haar onverschillig. Ze geloofde het gewoon niet. Ze geloofde het niet. Of ze vond dat het niets met haar leven te maken had. Dat kwam op hetzelfde neer. Leuk als zoiets verteld werd, maar ze schaarde het allemaal onder flauwekul. Misschien geloofde ze niet eens dat ze ooit een moeder had gehad. Julia miste iets, misschien door een achterstand in haar ontwikkeling. Julia was haar geloof kwijt. Of ze had dat zelfs nooit gehad.

Dit alles bedacht ik onderweg naar huis, als ik een avond met haar had zitten praten. Ik bedacht nog meer. Ik begreep dat ik niet kon volstaan met de kist te openen. Oi, oi. Ik moest de tapijten in het huis van Simon en Otto leggen, de kleden uitspreiden over de sedirs, de jurken en de sieraden schenken aan Julia zodat zij zich er onweerstaanbaar mooi mee kon maken.

Ik hield de jurken die mij pasten. Ik hield de schoenen, waarin ik feestvoeten had. De sieraden zou ik eerlijk met Julia delen. Binnenkort zou ik samen met haar naar Beyoğlu gaan. Dan zou ik haar tonen waar de extravagante feesten waren. Waar de zilveren maaltijden genoten werden. Waar de dansavonden, de cabarets, de Miss Turkije-verkiezingen, de carnavalsfeesten en de muziekuitvoeringen plaatsvonden.

Simon Krisztián

De zomer van 1936 was grandioos begonnen. De avonden werden doorgebracht op de veranda in lome, luie zit, terwijl Dünya een maaltijd klaarmaakte en Otto zijn commentaar voor zich hield omdat Julia half gespeeld, half gemeend gedreigd had hem in zijn gezicht te slaan als hij een vervelende opmerking zou maken; Dünya kookte uitstekend en de opmerkingen van Otto waren zelden serieuze voorstellen tot verbetering, maar gewoon gezeik. In de snelle overgang naar de zomer had de tuin het tempo bijna niet bij kunnen houden en nog getooid met een frisse jeugd geurde hij met alle pracht en praal en liet zich bijna onverantwoordelijk beschijnen door de felle zon en verwennen door de stovende warmte; een veelvoud van bloemen was de grond uit gebarsten en elkaar verdringend op hun lange stelen of op hun struik of blad stonden de tulpen, narcissen, anemonen, tamarisken, oleanders en orchideeën te pralen. Alle ideeën om de tuin te fatsoeneren werden als onzinnig verworpen omdat juist die jeugdige grilligheid als de grootste kracht werd gezien. In feite kreeg de tuin zijn charme omdat hij niet ingebed was en niet gemodelleerd naar onze wensen, maar een stukje Turkije was dat gewoon zijn eigen gang ging.

Julia lag er op zulke avonden oosters bij, als een jonge vrouw uit een oudtestamentisch boek; ze droeg bij voorkeur ruime lange jurken, die nergens knelden, een soort huisdracht, gestimuleerd door Dünya, die haar een oosterse nuance gaf. We voerden lijzige gesprekken, we waren tevreden: dan maar een tweede vaderland, dan maar geen Holland. Tot de wereld opnieuw in elkaar stortte.

Op een van die avonden liep ik van mijn werk rechtstreeks naar de kamers op de eerste verdieping; het was laat en ik wilde van de avond genieten. Ik hoorde Dünya op de veranda met pannen bezig. Ik trok de felrode fabrieksoverall uit en doopte de spons in de bak water. Julia kwam binnen en ik mompelde een groet, moeilijk verstaanbaar omdat ik de spons in mijn gezicht drukte. Ik bleef gebogen staan om het water in de bak terug te laten vallen en zo keek ik om naar Julia. Mijn bewegingen bevroren en alle metaalsplinters op mijn lijf stonden plotseling onder stroom; Julia stond met een stapel kleren in haar armen en tussen haar tanden een kussen geklemd.

Ik vroeg wat er aan de hand was en ik hoorde zelf dat ik agressief klonk. Had het uitgemaakt als ik gevraagd had: wat ga je doen, lieverd?

Zij deed haar tanden van elkaar, waardoor het kussen op de grond viel.

Ze ging vanavond ergens anders slapen.

Het antwoord sloeg mij in het gezicht. Ik zag wat ik geweigerd had te registreren: haar kleren waren weg, haar flesjes en potjes waren weg, het was een kale mannenslaapkamer geworden waar een enkel flesje, achtergelaten omdat het bijna leeg was, herinnerde aan de mooie tijden van vroeger.

Maar waarom? Dit werd een nachtmerrie, dacht ik, een droom waar ik beter uit kon ontwaken.

Ze haalde haar schouders op. Dat was beter. Een antwoord dat van alles kon betekenen.

'Vanavond?' vroeg ik. Ik hoopte tegen beter weten in. Zij knikte.

Dacht ze dat ik dwarslag? Dat ik herrie maakte? Was ik onrustig soms?

Ze zei met zachte stem dat het niet alleen voor die avond was; haar ogen hield ze op de grond gericht en op de kleren die ze in haar handen hield. Het water op mijn gezicht was opgedroogd, mijn huid trok strak. Ze schudde met haar kleren, die uit haar armen dreigden te glijden.

'Ik wil boven gaan wonen. In de kleine kamer.'

'Dat kan niet. Dat is een bende. Daar ligt Holland.'

'Hij is opgeknapt. Holland is naar beneden.'

Ik had natuurlijk moeten zeggen dat ik overdag bij haar op visite zou komen; ik had kunnen aanbieden wat naar haar kamer te dragen; ik had kunnen vragen of ik even mee mocht om te kijken hoe mooi die kamer opgeknapt was. Niets van dat alles, ik deed iets anders, ik probeerde gehoorzaamheid af te dwingen.

'Julia, ik vind het niet goed. Je blijft hier. Leg die spullen terug. We kunnen erover praten. Misschien zit je wat dwars, maar je loopt niet zomaar een-twee-drie weg.'

Waarschijnlijk stond ik te trillen. Wat haar schichtige ogen duidelijk maakten, was dat droefheid, koppigheid, angst? Ik heb dat niet goed gezien. Alleen zag ik dat ze zich na een paar tellen omdraaide en de kamer uit liep. Toen ik haar achterna kwam, was ze de andere kamer al door en liep ze over de smalle overloop naar de trap naar boven.

'Julia, ik ben je vader,' schreeuwde ik. Ze reageerde niet.

Wat een leugen en bovendien precies de zin die ik nooit had mogen uitspreken om haar terug in bed te krijgen.

We zijn daarna gaan eten. Julia was erbij, zelfs vrolijk. De anderen deden of er niets aan de hand was. Natuurlijk reageerde ik mij af en Dünya was het slachtoffer. Bij de tweede hap vroeg ik wat dit was.

Dünya vertelde dat dit gerecht Etli Nohut heette: kikkererwten met vlees, wees ze aan. Ik rook nog een keer en slingerde toen het bord met eten over de veranda. Het bord vloog tussen de latten door en knalde beneden op de grote tegels kapot.

Dit was niet te vreten, riep ik.

Een luid en vrolijk gelach van Otto begeleidde mijn wankelend opstaan en mijn gang naar de trap, waar ik struikelde zodat ik in mijn woede bijna naar beneden was gelazerd. Ik sloeg de deur dicht en ging op bed liggen.

Kon ik in de voorbije nachten een aanleiding vinden voor haar plotselinge vertrek? Otto had mij vaak gewaarschuwd voor weemoed en heimwee, dat waren zinloze emoties, die niemand konden helpen. Stuk voor stuk liet ik de nachten terugkomen. Ik zag fragmenten: haar oor, een tepel, een trillend ooglid, de vorm van haar navel; ik herinnerde mij verschillende gebeurtenissen; een keer dat ze midden in de nacht opstond om water uit de bak te drinken en toen ze merkte dat ik wakker was: of ik ook water moest; een keer dat ze niet kon slapen en in de andere kamer op en neer liep, gewoon om moe te worden; en, langer geleden, zij helemaal nog in de kleren, sokken aan, trui aan, diep in de nacht, in paniek eruit, praten, janken: ik schrok geweldig maar zij bleek midden in een nachtmerrie te zitten en ik moest haar geruststellen en opvrolijken, tot ze volledig wakker was; en daarna een dag dat ze ziek was, toen ze acht jaar was en net hier woonde.

Er was geen sprake van, merkte ik al snel, dat Julia zich op haar kamer opsloot en alle contact met mij uit de weg ging. De eerste keer, na die klotemaaltijd met dat weggeslingerde bord, durfde ik niemand, zeker haar niet, in de ogen te kijken. Ik at zwijgend en ging daarna snel terug naar mijn kamer. Dat kon niet zo blijven natuurlijk; na enkele dagen deed ik redelijk normaal mee aan het gezinsleven; ik gaf zelfs antwoord op een vraag van Otto. Toen de anderen opstapten, liep Julia achter mij langs en legde in het voorbijgaan een hand op mijn schouder. Ik was van plan geweest haar eventuele toenaderingspogingen te negeren, zeker dit soort halfbakken medelijdende gebaren, maar mijn hand was sneller dan mijn wrok en ik vatte met mijn hand die van haar en hield die zwijgend vast. Ik voelde hoe ze haar hand terugtrok. Ze verdween in de kleine kamer maar kwam weer tevoorschijn; ze liep voor me langs en ging zitten.

Ik vroeg niet of ze terugkwam, omdat ik begreep dat ze absoluut niet terug wilde. We moesten glimlachen. In die lach school voor haar een treurig maar noodzakelijk afscheid en ik dacht bij die glimlach aan het einde van een verhouding, aan een onmogelijke opvoeding tijdens een oorlog, aan het verblijf in een barak en aan het, nu al jaren, op de meest onverwachte ogenblikken plotseling staren in een duistere straat vol rook waar een kind naast een oude man lag.

Dr. Paul Grunwald

Aan de Turkish Aviation Society; ter attentie van dr. Sami Fuat
Vertrouwelijk

Waarde vriend,

Het gaat fout! Het Militair is ongeduldig. Ze houden met harde kop vast aan de datum voor de proefvlucht, die door een of andere geüniformeerde padisjah bepaald is op 7 mei 1937. Er gaat van alles scheef. Wij wachten op ultraviolet licht werende buitenverf. De inrichting van de cabines moet nog helemaal beginnen. U weet dat wij Siemens & Halske-motoren besteld hebben. Nu hebben die Schweinenackenfressers die motoren wel geleverd, maar er zijn problemen met de drievleugelige propellers. Sommige constructeurs raden de testvlucht serieus af. Er heerst onrust.

De militairen hebben hun eigen manier van werken. Ik spreek hun taal wel, maar ik begrijp hun denken niet altijd. Ik blijf een vreemdeling, evenals mijn medewerker en vertrouweling Simon Krisztián. Dat verbindt ons en ik noem hem vriend, maar ik weet weinig van hem af. Ik houd mijn hoofd en mijn hart vast voor hem, want al eerder heb ik u gezegd dat hij de klappen zal moeten opvangen als er iets misgaat. En verdient hij dit? In genen dele. U heeft op die ambassade gewerkt. Kunt u niet iets voor hem doen? Kunt u bijvoorbeeld deugende papieren regelen voor hem en zijn dochter? Heeft u zijn dochter gezien? Krisztián is een gelukwens waard om die sjikse van hem. Laat hij haar goed in de gaten houden, want onder de rokken zijn die tofelemoonse meiden allemaal rijk bedeeld. Morsig stappen ze door het leven en ze nodigen uit wie ze bevalt.

Mijn mensen werken onder zware druk in gevaarlijke omstandigheden. Het is gewisselijk goed ze grondig te kennen. Voor Simon Krisztián komt daarbij dat hij een opgroeiende dochter heeft en dat hij hier vreemd is. Vaders en dochters. Die dochter van Krisztián wordt volwassen. Het verwart mijn vriend Krisztián, dat volwassen worden van zijn dochter. Zo lang heeft hij haar gekoesterd. Een diamant die te lang in het zacht gevoerde foedraal is gehouden. Je hoort verhalen over die twee kerels die met dat kind het hele land doorgezeuld hebben. Maar zij heeft een Turkse moeder, is opgegroeid in Turkije en spreekt de Turkse taal. Die wil ontsnappen uit dat autistische gezin van Hollanders die het niet nodig vonden ook maar één woord Turks te leren en die zich hier niet thuis voelen. Trouwens, al die importmeiden gaan hun eigen weg, zeker zo'n schoonheid als die Julia. Die meiden willen hup, het volle leven in, wegwezen. En ze bieden zich gewoon aan. U zij de glorie, zal ze tegen een wildvreemde kwelen, voor u spreid ik mijn kaneelkleurige dijen en u mag het zilte gewas met liefde en eerbied benaderen en de Matjeshering met grote voorzichtigheid proeven.

Je weet het als vader, maar je moet ertegen kunnen.

Simon Krisztián is net als ik, door omstandigheden waar onze greep op afgleed, terechtgekomen in deze voor ons vreemde streken. Wij moeten er het beste van maken. Wij beseffen meer dan anderen dat het geluk te vinden is in het wonen met je gezin in je eigen land.

Ik wandel na mijn werk in de omgeving om mijn geest tot rust te laten komen. Bovendien kan ik daar een mooie, slanke panatella roken, die zo geschikt is voor overdag, want tot mijn smart kan ik in de bureauruimen niet opsteken, omdat op het hele terrein een rookveto geldt. Verderop zijn prachtige heuvels. Op de hoogste punten kun je bij blauw weer de Zwarte Zee zien. Halverwege is daar een kleine wei, waar een paar koeien grazen. Zwart-witte dieren, met een rechte, bijna varkensvormige snuit en met een ontroerend pluimpje tussen de horens. Zo'n pompoen heb ik bij runderen in andere landen nog nooit gezien. Bij een oude stenen poort, een rest van een verdedigingsmuur, staan banken. In de diepte ligt een dorp. Je kunt net de daken van de eenvoudige huizen zien. Daarna wordt de vlakte vaag. Het land ligt bij wijze van spreken aan je voeten. Mozes die vanaf de berg Avarim het land in de verte ziet liggen dat de Heer hem beloofd heeft en dat hijzelf niet meer mag binnengaan.

Daar op zo'n bank ben ik op een van die warme dagen in slaap gevallen. Ik werd wakker van een schurend geluid en toen ik mijn ogen opende stond het onreine, op een varken lijkende rund vlak naast mij. Toen ik bewoog, schrok het beest zo dat het met zwaar gestamp van het schonkige achterdeel draaide en wegliep. Het grasveld rook naar de vallende avond. Het dorp beneden lag er doodstil bij. Het was een grootse, wonderlijke wereld in avondstemming. De bewoners van de huizen daar, die voor mij onzichtbaar bleven en die gewisselijk in datzelfde dorp of hier vlakbij geboren waren, sleten het leven en zouden tot aan het sterven de blik gericht houden op de heuvels naast en achter zich en op het dal voor zich. En dat is precies het tergende verschil tussen die bewoners aan de ene kant en mensen als Simon Krisztián en ikzelf aan de andere kant.

Wat ik bedoel is dit. Voor mij was deze bergwereld van

hieraf wat wazig, wat troebel, maar voor de dorpelingen was de omgeving een scherp beeld: precies hun heimatwereld zoals die moest zijn en zoals die altijd geweest was.

Dat scherpe beeld, mijn vriend, is het geluk.

Dünya Şuman

Een andere avond liep ik door de regen naar huis. Vanbuiten nat, vanbinnen nat. Het voelde of het in mij motregende. Of mistte. Ik wist dat achter mij de gestorvene liep. De geliefde, de eens zo levendige echtgenoot, de hoge ambtenaar, de bey efendi Şuman.

'Ik leef in zonde, Şuman.'

Ocharm, er moet een Duits gekreun geklonken hebben uit een boom waar de getuige langsliep. Er moet een appassionato-akkoord naar de hemel gezonden zijn, omdat hij wel wist dat ik zo kon zijn, maar hoopte dat het anders gelopen was.

'Het is begonnen met die jongen van Tokatlıyan. Hoe oud was ik toen? Achttien, negentien jaar. Dat is niet oud, Şuman. Dan zit er nog vuur in je bloed. En je kunt beter op een zak met vlooien passen dan op een jonge meid. Natuurlijk stelde die jongen niets voor en hij heeft me achteraf belazerd. Maar ik genoot ervan, bey efendi. Van die keer heb ik geen spijt gehad, maar het hoefde voor mij niet herhaald te worden. Dat is moeilijk uit te leggen, maar je moet begrijpen dat die keer mijn zelfvertrouwen herstelde en dat ik daarna zelf de regie wel weer zou voeren.'

Ik probeerde de diepste plassen te vermijden.

'Toch is het niet bij die jongen en die keer gebleven, Şuman. Nu is het weer zo ver. In feite heeft hij mij overweldigd. Ik weet dat wat ik ga zeggen ordinair klinkt. Ik vond het niet echt verschrikkelijk dat hij mij overweldigde. De politie? Zijn getuigenis tegenover de mijne: dat soort ingewikkeldheden. En ik bedoel: het zijn ex-bajesklanten en ex-krijgsgevangenen, maar ik heb ook sterk de indruk dat ze bescherming van zeer hoge personen genieten. Probeer daar maar eens tegen te getuigen. En toen Otto binnenkwam, speelde ik al met de gedachte dat er iets tussen ons zou voorvallen. Zo'n man voelt dat aan en maakt er misbruik van, zou jij met je diplomatieke ervaring zeggen.'

Ik liep mijn huis binnen en stak in de kamer de lampen aan. De schim van mijn man joeg ik de deur uit. Daar had ik geen zin meer in. Mijn kleren waren doorweekt en mijn lichaam deed pijn van het ruwe werk.

Terwijl ik droge kleren aantrok, hoorde ik buiten iemand lopen. Natuurlijk geen dode die uit zijn graf was opgestaan. De ellende die mij overkwam had niet de vorm van Britse vliegtuigen of zieke vogels of open graven, maar gewoon de vorm van Otto. Ik deed open en dat betekende niet dat ik hem zelf uitnodigde. Het betekende alleen dat ik niet wilde dat hij de boel kapot zou trappen.

Hij bewoog alsof hij mij verraste met een cadeau. Nou, cheerio! De enige verrassing voor mij was dat ik, in diep gesprek met wijlen mijn man, niet gezien had dat hij mij volgde. Hij moet vlak achter mij gelopen hebben.

'Ga zitten,' zei ik, in een poging de wilde verkrachting af te wenden. Tot mijn verbazing deed hij dat.

'Wat is er met Julia aan de hand?' vroeg hij. 'Als we in Holland waren gebleven, had ik gezegd: die is verliefd. Met jou is ze nogal vertrouwelijk, dus ik dacht, jij weet vast meer.'

Ik schrok zoals zo vaak van zijn scherpe blik en sloeg mijn ogen neer.

'Ze begint,' ging Otto verder, 'zegt dat het allemaal zo nieuw is, ze mompelt onbegrijpelijke meidenpraat, joecheikreten en zo, maar als je naar details vraagt, geeft ze niet thuis. Ze gaat op iets anders over.'

Ik trok een onelegant vest aan en grimaste dat ik echt niets wist. 'Op wie zou zij in godsnaam verliefd zijn?'

'Een jongen van de fabriek, misschien?'

'Hoe heeft ze die dan ontmoet?'

'Nou, gewoon.'

Het was merkwaardig te zien hoe Otto in verlegenheid raakte. Ik lachte hem uit.

'Wat betekent dat nou? Nou, gewoon. Dat is toch niks. Dat betekent toch zoiets als: bots tegen een knul aan en maar lullen. Zo gaat dat niet.'

'Misschien heeft ze iemand aangesproken voor het hek van de fabriek.'

'Nou, sorry, Oto Beç, daar geloof ik helemaal niets van. Dat kan hier echt niet. Dat weet Julia ook wel. En er is nog iets anders. Ik heb me er misschien niet mee te bemoeien, maar ik loop niet met smeer in mijn ogen door het huis. Ze heeft tot voor kort met Simon in één bed geslapen. Wat vond jij daarvan?'

Otto maakte peinzend een paar bewegingen met zijn lippen. 'Ik heb het er wel eens met Simon over gehad.'

'Heel verstandig. Nou, daar heeft ze een eind aan gemaakt. En dat is niet omdat ze verliefd is op een ander, maar dat is omdat ze zelfstandig wil zijn. Niks verliefdheid. Ze wil gewoon onafhankelijk zijn. Een gezond kind hoort in dit land niet bij haar vader te slapen. Zij is gewoon opgelucht dat ze naar een eigen kamer verhuisd is.'

Hij staarde een tijd voor zich uit. Ik bedacht intussen dat hij misschien toch niet in de stemming was om mij aan te vallen.

'Geloof jij dat de doden ons bezoeken?' Het was een impuls van mij. Tot mijn verwondering ging Otto er serieus op in.

'Ik droom vaak. Er zijn er zoveel gesneuveld. Bij Gallipoli alleen al.'

'Mijn man ook.'

'Ik weet het.'

'Ik dacht laatst aan de moeder van Julia.'

'Hoezo? Wat is daarmee?'

'Niets bijzonders. Ik was benieuwd. Ik vroeg mij af...'

'Wat vroeg jij je af?'

'Gewoon. Hoeveel trekken Julia van haar moeder heeft.' Otto wierp een loerende blik. Alsof ik een verboden onderwerp aansneed. 'Ze heeft zoveel van Simon.'

'Vind je?'

'Ja, beslist. Dezelfde zwijgzaamheid. Dezelfde hardnekkigheid. Ze lijken allebei onverschillig maar ze lopen zo warm voor iets dat ze werkelijk raakt. Daarin is ze precies haar vader.'

'Grappig dat je dat zegt,' zei Otto.

Ik voelde me gevleid.

'Toch is het raadselachtig. Simon moet haar goed gekend hebben. De moeder van Julia bedoel ik. Maar als hij over haar praat, is hij vaag. Alsof hij bij elke ontmoeting zijn ogen dichthield. Nou, dat geloof je toch niet?'

Otto zei eerst niets. Toen, bijna mompelend: 'Valt wel mee, dacht ik.'

'Heb jij haar goed gekend?'

'Ach, Simon kende haar beter natuurlijk.'

'Jij sprak haar toch ook wel eens?'

'Soms.'

'Tjonge,' zei ik met verbazing. 'Van jou word ik ook niet veel wijzer.'

En toen, ik weet niet hoe, merkwaardig plotseling, volgde alsnog de verkrachting. Misschien was het mijn eigen schuld, daagde ik hem uit. Hij zou achteraf beweren dat dat hele begrip verkrachting aanstellerij en flauwekul is, dat hij mij nooit met geweld genomen heeft, maar dat het altijd met vloeiende lichamelijke instemming van mijn kant ging. Dat ik van alles mauwde en blèrde en aan sputtergeluiden produceerde, allemaal termen van hem, maar dat het lichamelijk aan mij te merken was dat ik er dik tevreden over was dat hij af en toe langskwam. Zo gaat het in het leven, zou mijn man gezegd hebben. We zijn gemaakt om in elkaar binnen te dringen tot op de bodem van de ziel, en als daar enig geweld bij gebruikt moet worden, so what?

☾

Julia had de knoop doorgehakt. Ze was apart gaan slapen. Zij had de laatste tijd uren tegen mij aan zitten praten, dus ik was volledig op de hoogte. Het deed Simon veel verdriet, dat zal iedereen wel gemerkt hebben. Maar het deed Julia ook veel verdriet en dat had Simon niet in de gaten. Otto trouwens ook niet. Die kerels dachten dat Julia gewoon haar eigen zin doorzette. Dat er verder niets aan de hand was. Simon had het overigens kunnen weten. Want waar was Periwinkle gebleven? Als dat geen teken aan de wand was.

Hoe anders ging het in onze tijd. Voor ons werd alles geregeld. De onbekende heer Şuman, die een glanzende plek in zijn broek had omdat hij vaak zat, droeg een mooie bruidsschat bij. Tweemaal een flink bedrag. In sultansmunten, die even later niets meer waard waren. De bruiloft was prachtig, maar wat ik met de heer Şuman moest aanvangen, daar had ik geen flauw idee van. God is mijn getuige als ik zeg dat ik nooit kwaad van hem heb gesproken en dat ik zijn nagedachtenis altijd heb geëerd, ook al zal niemand het mij kwalijk nemen dat ik niet mijn hele leven om die man heb getreurd.

Ik heb ervaren dat je als meisje met zo'n begin niet gewend bent aan de klappen van het leven. Hoe gehaaid ik later ook werd, af en toe gleed ik onderuit. Voor het uitgaan in Beyoğlu beheerste ik de ingewikkeldste techniek. De allesbeslissende keuze van het juiste gezelschap, vrolijk en luidruchtig, groot genoeg om los-vast bij elkaar te horen. Half meelopen met het tweede tweetal en dan een sigaret pakken net als zij zich afvroegen waarom je naast hen liep, vervolgens even aarzelen, je liet een volgend tweetal passeren en dan vroeg je aan degene daarachter om vuur. Die had een aansteker en dan liep je mee, want je had die aansteker in je hand. Intussen twijfelden al minstens twee paren of je erbij hoorde of niet en als je je liet afzakken naar achteren, dachten ze daar dat je intiem was met de voorste stellen. Je schoof aan. Je aanwezigheid baarde geen opzien meer. Zo kwam ik Türkuvaz in, en Maksim, en de Gardenbar.

Een van de laatste keren, in Türkuvaz, liep ik met twee giechelende meiden naar binnen, die mij even vreemd aankeken en vervolgens een idioot onsamenhangend verhaal begonnen te vertellen, waar we gillend van de lach op reageerden. Let op de goede momenten, Dünya, vooral om de geestigheid van die meiden lachen, Dünya. We waren binnen vijf minuten hartsvriendinnen. De meeste meiden in die gezelschappen voelden zich onzeker en ze waren dolblij dat iemand naar ze luisterde, om ze lachte, ze bewonderde. En toen boog een man zich naar ons over, die vroeg waar we zo om moesten lachen. Later hoorde ik hoe hij heette. Avram Faik. Omdat die man mij aansprak, dachten de twee meiden dat die Avram Faik bij mij hoorde. Ik voelde hoe ik zijn ogen binnen zwom. Zo plotseling en zo heftig verliefd. Ik raakte alle remmen kwijt. De noodzakelijke aandacht voor de andere meiden was weg, waardoor ze me gingen wantrouwen en alleen lieten zitten. De rondjes die ik liep om bij de man te komen die mij als enige van het gezelschap nog interesseerde, werden besmuikt becommentarieerd. Om de bedankjes en de omhelzingen die ik de gastheer bijna opdrong om zo de heren allemaal te benaderen met de enige bedoeling dat ik ook hem vast mocht houden, werd zo hard gelachen en er werd zo luid en vaak geroepen dat ik dat moest herhalen, dat het voor iedereen duidelijk was hoe ik bespot werd. Alleen zelf had ik niets in de gaten. Ik werd er verdrietig van. Want de wereld verzoop. Türkuvaz mocht van mij meespoelen. Als ik maar met hem samen zou blijven. Hij zag mijn ogen en lachte. Nooit was iemand onbereikbaarder geweest. Ik begreep pas wat ze met mij uithaalden toen ik op de schoot van een totaal onbekende heer zat en mij schandelijk betast voelde worden.

Julia zou zoiets niet overkomen. Dat stond voor mij vast. Die groeide uit tot een zelfbewuste Turkse vrouw. Met mijn hulp. Ik denk dat haar moeder ook een meid was met een stevig karakter. Die heeft zich vast niet als een mak schaap laten slachten. Jammer dat die kerels daar niets over wilden vertellen.

Julia wilde zelfstandig zijn. Het had met Periwinkle te maken. Ze wilde haar eigen leven organiseren. Ze voelde zich gekidnapt door haar eigen vader, als ik dat Amerikaanse filmwoord mag gebruiken.

Simon Krisztián

Het was een van de laatste dagen van augustus, de zomer van 1936 liep naar zijn einde. We aten, zoals altijd als de temperatuur het toeliet, op de grote veranda, maar er was iets veranderd sinds we wisten dat de kamers achter ons verturkst waren en omgebouwd tot luxueuze dameskamers, waar Otto en ik ons moeilijk thuis voelden; de amberboom was nog niet in herfsttint, de tamarisken droegen rozepaarse bloemen.

Er cirkelde een ooievaar, kennelijk gereed om zich bij een groep trekkers aan te sluiten. De verte, de trillende avondwarmte, het hoge suizen van wat dan ook in de natuur, maakten me loom en ik raakte in een lichte dommel, die doorschoot naar een korte, maar diepe en loodzware slaap.

Met een schok ontwaakte ik; Julia stond over me heen gebogen en schudde aan mijn schouder om me te wekken. Ik rook haar exotische geur, iets van warmte en intimiteit, zoals de geur van tufsteen, maar het had ook iets scherps, als mierikswortel.

Met enige verwondering merkte ze op dat ik in slaap gevallen was en ze voegde eraan toe dat Dünya haar ging kleden en dat wij straks moesten komen kijken. Ze wou weglopen. Ik hield haar tegen, niet zo haastig, wat ging Dünya doen?

Ze legde me uit dat Dünya allerlei kleren had uitgepakt en dat zij door Dünya ze maakte er gebaren bij vol ongeduld dat ik dat nou nóg niet begreep – aangekleed ging worden met de kleren van Dünya en dat Otto en ik straks moesten kijken. Ik knikte en vroeg waar Otto was.

'Waar zou díé nou zijn.' Weg was ze.

Dünya had ons huis Turks gemaakt; zou ik het nu ook beleven dat ze mijn dochter ging verturksen? Otto kwam geeuwend uit zijn kamer en vroeg wat er aan de hand was.

'Of we straks even kijken hoe Julia eruitziet.'

Hij ging zitten en trok een gezicht dat duidelijk maakte dat hij van Julia's plan niets begreep. We zaten daar zwijgend, we wisten geen van twee wat we moesten zeggen; de keren dat we zwegen waren hinderlijk talrijk geworden; straks zou de zomer eindigen, in het najaar regende het veel, daarna zou alles weer dichtsneeuwen en de wegen zouden onvindbaar worden.

Wat ik binnen zag, in de kamer die Dünya de sofa noemde, was de pose voor een hoffotograaf of zo'n tableau vivant dat in mijn jeugd in rijke kringen een geliefd zondagstijdverdrijf was. Op een bank naast de vuurplaats zat Julia met haar gezicht naar de ramen, waar het late licht doorheen scheen, haar rug steunde tegen de kussens die tegen de wand van de haard waren opgestapeld, haar knieen had ze opgetrokken, haar voeten op de bank gezet. Ze zat daar volmaakt in rust, haar hoofd, dat naar ons toe gewend was, fier rechtop, haar trekken ontspannen, haar blik enigszins verwaand. Alleen aan haar armen, die net onder haar borst gekruist waren, en aan haar handen, die zich met gespreide vingers vastgrepen aan de bovenarmen, was te merken dat ze met enige spanning onze bewondering afwachtte.

Dünya had de kleren eerst gereinigd, gestreken en vermaakt; het moet heel wat werk geweest zijn om de kleren van Dünya, die wel eens verteld had dat ze al vroeg dik

was, pasklaar te maken voor mijn slanke Julia. De grootste verrassing was dat de kleren van Dünya niets hadden
van oosters Turkije, maar alles van westers Beyoğlu; de
jurk had niets van de exotische truttigheid waar ik Dünya
steeds van had beschuldigd, en de kamer kreeg door de
modieuze, prachtige verschijning van Julia een nog niet
opgemerkte weelde en verloor als bij toverslag alle oosterse lorrenpijperij en ademde een rijkdom die niet aan
tijd of cultuur gebonden was, maar die te maken had met
jeugd, smaak en kosmopolitisme. Julia combineerde west
en oost, alsof alle verhalen die we haar verteld hadden
over haar afkomst, over mijn vaderschap en over een jong-
gestorven, onafhankelijke oosterse jonge vrouw, werkelijk
waren geweest, alsof ze inderdaad in haar bloed die twee
culturen verenigde. Met een ernstige zelfbewustheid keek
ze me aan, als wilde ze zeggen: kijk, dit ben ik, zie je niet
dat ik anders ben dan jij, wat waarschijnlijk iedere dochter denkt op die leeftijd; het trof me als een schrijnende
waarheid.

Julia had een zwierig jurkje aan van zwarte gladde stof.
Bij de kraag en de onderkant van de mouwen was een
lichtgrijze, geschubde rand ter versiering aangebracht, de
opening bij de hals viel heel ruim en de jurk werd onder de keel met een zeer bijzondere, schitterende broche
gesloten, zodat daaronder een lange opening zichtbaar
bleef waardoor de huid tegen de zwarte stof afstak. Omdat ze haar benen had opgetrokken, was de jurk vanaf haar
knieën een weinig teruggegleden en zo werd de prachtige
vorm van haar benen, stevig en rond en toch slank omdat
ze zo lang waren, in de zilverschitterende kousen getoond
tot halverwege haar dijen. De stof van de jurk was dun en
soepel en het kostte geen enkele moeite om onder de stof
de vorm van het verhulde deel van haar dijen te raden;
haar voeten staken in zwarte, eenvoudige schoenen met
hoge hakken.

Haar gezicht was opgemaakt; haar mond was met rood heel precies getekend, iets smaller dan de werkelijke mond, de hoeken minder puntig, een diepe inzinking in het midden van de bovenlip; de zware wenkbrauwen waren gezwart. Haar donkere haren waren zorgvuldig gekamd en geolied en krulden in slagen om haar witte gezicht; en op het haar, als een zon die haar van achteren bescheen, een stralend witte, met glinsterende stenen bezette schijf, die de haren op het voorste gedeelte van haar hoofd en haar lokken opzij vrijliet; over de witte kant en over het zwarte haar lagen enkele snoeren van parels, die het geheel op wonderlijke wijze op hun plaats hielden. Het enige oosterse aan haar was een groot aantal armbanden van bewerkt zilver.

Met één verkleedpartij, met één toverhandeling van Dünya was Julia geen kind meer, was ze nooit kind geweest, want het kind dat wij op onze krijgsgevangenentocht hadden meegezeuld, dat wij met blikmelk hadden gered, dat gespeeld had in het dorp bij de zoutmeren, dat met nukken naar het schooltje van de fabriek was gegaan, dat hier in dit huis rondgehangen had en eindeloze tochten met Holland had gemaakt, dat kind was met diezelfde tovertruc van Dünya verleden tijd geworden, een herinnering, iets van vroeger. Misschien konden Otto en ik nog eens, ergens anders, wie weet in Holland, herinneringen ophalen aan hoe die kleine in dat verre verleden was. Voor ons zat een nieuwe vrouw.

'Je blijft toch van mij,' zei ik. Voor het eerst ervoer ik bijna lijfelijk dat ze mijn dochter was, dat ik dus het recht niet had haar intiem aan te raken, dat ik niets te maken had met de manier waarop haar dijen doorliepen onder haar jurk. De gekleurde bovenlichten wierpen bloedrode, donkerpaarse en betoverend blauwe vlekken in de kamer.

'Hoezo?' vroeg ze.

Otto had zijn mond tot nu toe gehouden, ook hij moest diep onder de indruk zijn. Dünya triomfeerde, dat kon niet anders. Ze moest heel precies weten welke indruk van verzorgdheid en luxe Julia in deze kleding en in deze kamer maakte en dat straalde uiteraard ook op háár af. Zij wist wat dat was, luxe.

'Je bent mijn dochter.' Ik keek naar het rode tapijt op de grond, ik hield mijn ogen neergeslagen. Waarom kwam mij in godsnaam het gezicht van mijn zusje voor de geest? Omdat ik mij angstig afvroeg of die afhankelijke dwingeland met dat uitgeschoten oog niet méér bij mij hoorde dan deze prachtige vrouw die in het wereldse Beyoğlu van Dünya niet zou misstaan?

Een licht gerinkel van metaal tegen metaal deed mij opkijken en ik zag dat Julia, zonder overigens iets in haar gezicht, of in haar borende, zelfbewuste blik te veranderen, haar hand uitstak: een gebaar van 'kom hier'. Ik deed een stap naar voren en ik pakte haar hand. Zij trok me naar zich toe en veranderde iets aan de stand van haar hoofd, zodat ik haar als vanzelf begon te zoenen. Terwijl ik vlak bij haar gezicht kwam, zag ik dat ze glimlachte, maar dat deed haar mond, want in haar ogen bleef die hooghartige blik. Hoe dicht ik ook bij haar kwam, er was geen schijn van kans dat ik achter de gedachten kon komen die in dat hoofd tolden en zoenend besefte ik des te meer hoe anders wij waren, hoe vreemd voor elkaar, hoe weinig we gemeen hadden, eigenlijk alleen de naam Krisztián. Die gelijkheid was tot stand gekomen door het toeval dat iedereen een naam had moeten kiezen en dat we daarbij de naam van mij en die van haar hadden kunnen laten registreren, maar omdat mensen weinig fantasie hebben, heette iedereen in dit land IJzer of Staal of Rots en gelijkheid van naam betekende in de verste verte nog niet dat de dragers van diezelfde naam familie van elkaar waren.

Tussen het wilde groen in de tuin waren kleine paarse en blauwe bloemen zichtbaar, half verscholen, angstig bijna, alsof ze zich schaamden uitbundig te pronken en te geuren.

Wij hadden elkaar vrij rustig een goede nacht gewenst, zonder al te emotionele taferelen. Otto had, uit gekheid, voorgesteld Dünya naar huis te brengen, maar zij had zijn begeleiding afgewimpeld, wat zo'n merkwaardige Ottolach had opgeleverd. Ik dacht aan de Merwede en aan onze Leidse woning en opnieuw aan mijn zusje, aan haar lelijke trekken, haar ontevreden mond, haar dunne, gerafelde ooglid over de met roze vliezen gevulde holte. Als dat ooglid bewoog als wasgoed, dan had ze de prothese eruit gehaald. Mij verbaasde altijd dat dat kunstoog geen bolle knikker was, eerder een plaatje van glas, dat zij op zijn plaats kon drukken; ze mocht het er niet zo vaak uit halen, maar ze deed het toch; of ze zette er een oude prothese in, die ze gruwelijk had beschilderd, en dan sloeg ze haar ogen naar mij op, terwijl ik nergens op verdacht was.

☾

Tot ver in het land kon je 's avonds een gonzend zoemen horen, soms onderbroken door een reeks droge tikken of luide knallen. Dat waren geluiden die uit de fabriek kwamen, maar omdat geen enkel ander bedrijf elektriciteit had, wist niemand buiten de arbeiders wat die geluiden betekenden en men dacht aan dieren: wolven uit de verderop gelegen bergen, die op het fabrieksterrein rondliepen en die schuren of hekken omvertrokken. Ook als je wel wist waar de geluiden door veroorzaakt werden, dan nog klonken ze luguber; een waarschuwing dat het prettige leven voorbij was, dat de jaren kwamen waarin afgerekend moest worden en niet iedereen was in staat te betalen.

Otto bood aan met een onbegrijpelijk gebaar van edelmoedigheid, en in het besef dat mevrouw mijn dochter haar eigen omgeving nodig had, naar beneden te verhuizen. Mannen op de eerste verdieping, vrouwen op de tweede; alleen de veranda en in de winter de grote kamer bleven voor de gezamenlijke maaltijden. Maar een belofte en een aanbod van Otto werden nooit direct ingelost; na een week maakte Julia duidelijk dat Otto van zijn kamer moest. Otto vond het nog niet nodig, Julia wel, de kamer moest opgeknapt worden. Het kwam erop neer dat Julia hem van zijn kamer trok, letterlijk, wat Otto weer plezierde.

Het beeld van Otto in mijn deuropening met zijn matras en een doos vol klerezooi ontroerde mij. Ik had ruim tien jaar deze kamers met Julia gedeeld; alles, alles herinnerde aan mijn opgroeiende dochter; hier had zij rondgelopen, in bed gelegen, water over zich heen gepletst, de ramen opengegooid zodat de kruidige geur van de planten de kamer binnen drong; hier hadden wij samen naar het geritsel en het gepiep van de dieren geluisterd en geraden of dat geluid van pels of veertjes kwam; haar voeten hadden bleke plekken achtergelaten op de houten vloer, de deurpost, waar zij met haar voorhoofd altijd tegenaan leunde, droeg kaneelkleurige sporen, in de bedrand zaten de speldenkrassen van de dagen die zij telde, op de wand stonden haar gedateerde maatstrepen. Ik kende alle plaatsen waar zij in woede en onbegrip bloed had gesmeerd, ik wist in welke kieren van de wand zij kapot speelgoed had gepropt. Over dat alles zou Otto een nieuwe, veel onverschilliger laag leggen.

Aan de andere kant was ik Otto al een tijd kwijt. Zoals hij daar stond, met zijn matras en die kist vol liefdevol bewaarde rotzooi, kon ik mijn ogen niet van hem afhouden: hij stond besluiteloos, verdreven uit een ruimte die hem koud liet, naar een andere ruimte die hem evenmin interesseerde. Zijn haar, jarenlang in wilde happen met een hoeks gehanteerde schaar zelf weggeknipt, was dun geworden, zijn houding was niet meer helemaal recht, zijn ogen waren achteruitgegaan en door het fronsend turen had hij een paar diepe plooien gekregen, hij was slecht geschoren, een vroeg grijs geworden, brutale, vrijmoedige rabauwenkop. De oude gevoelens stroomden door me heen: hoe ik hem in het begin bewonderd had, hoe ik zijn nabijheid in de begindagen van de oorlog van levensbelang had gevonden, hoe wij samen gevochten hadden, eerst om zelf te overleven, later om Julia in leven te houden. In de ruim tien jaar dat we in dit grote huis woonden, waren we uit elkaar gedreven, elk naar een uithoek van het huis, nu kwam hij met zijn spullen, die niets waard waren, terug en zocht een slaapplaats.

Ik wilde de slaapkamer, de achterste kamer, ik werkte tenslotte, ik wilde rustig kunnen slapen, ik wilde niet dat Otto steeds door mijn kamer moest; het klonk redelijk en Otto vond het best. De echte reden was de herinnering aan de nachten met Julia. Hoe kon ik Otto laten slapen in de kamer waar ik die jaren met Julia had geslapen?

Terwijl zijn oude kamer door Dünya en Julia werd opgeknapt, had Otto zelf in vijf minuten de kamer op de eerste verdieping gereedgemaakt voor zijn bewoning en ofschoon ik jaren niet of nauwelijks in zijn kamer boven was geweest, moest ik nu iedere dag door zijn kamer. Wij spraken elkaar weer, de eerste dagen met flauwekul en oude scheepstermen, wat een heel vertrouwde vriendensfeer teruggaf, na een paar dagen werd het een gesprek over verschillen tussen Holland en Turkije. Tot Otto na een week of twee met een verwoestende mededeling kwam.

Ik kwam die avond thuis en liep door naar de eerste verdieping. Otto lag in zijn kamer op de matras. Of ik even ging zitten; hij wilde iets zeggen.

Hij lag met zijn hoofd op een kussen, zijn ene arm steunde het kussen. Hij had zijn knieën opgetrokken. Een vleesgeworden cartoon over het nietsdoen. Er lag een stapel kleren in een hoek, waar ik me bovenop liet ploffen. Hij kon van wal steken, zei ik lollig.

'Ik vind,' begon hij en hij pauzeerde om alle aandacht te vragen. 'Ik vind dat we het haar moeten vertellen.'

Een uit het niets tevoorschijn geschoten paniekduivel stak een hooivork in mijn maag.

'Wat bedoel je? Wie, haar? Wat, vertellen?'

'Julia. Haar afkomst. We moeten haar duidelijk maken dat ze...'

Verder kwam hij niet.

'Otto, hou je bek dicht. Hoe kom je op het idee. Ik wil er niets over horen. Je bent lijp, man. Je bent niet goed bij je harses.'

Ik was opgestaan, nadat ik half teruggevallen was omdat de kleren van Otto weinig steun boden. Ik liep naar mijn kamer en knalde de tussendeur dicht. In de kamer bleef ik een tijd staan, toen rukte ik de tussendeur weer open. Otto lag in precies dezelfde houding. Hij draaide zijn ogen mijn kant op.

'Dat zouden we nooit doen. Dat kan je niet maken. Je komt er niet meer op terug. Ik heb dit niet gehoord. Snap je?'

Daarmee was de kous niet af natuurlijk. Zijn woorden en de dreigende zekerheid waarmee ze uitgesproken waren bleven me achtervolgen. Wat bezielde Otto?

Ik beleefde de roof van Julia vele malen opnieuw, maar ook fantaseerde ik half dromend dat Otto de geheimen verklapte, waarbij hij de gestalte aannam van de drie gemaskerde figuren uit zijn eigen tekening van de Bono. Telkens als hij een nieuw masker had opgezet en het geheim opnieuw vertelde, begon Julia onbedaarlijk te huilen. Terwijl dat nachtelijke huilen van Julia in mijn eigen dromen mij misselijk deed ontwaken, begreep ik dat mijn reactie tegenover Otto wel pathetisch was geweest, maar niet verstandig; hij had kennelijk argumenten bedacht en die kon ik beter proberen te ontzenuwen.

Zonder enige inleiding ging Otto op het heikele onderwerp door. Alsof ik geen enkel bezwaar had geuit, alsof er geen drie etmalen van dromen, nachtmerries, angsten, elkaar vermijden en woede verstreken waren. Zijn mond was niet uitgedroogd, zijn tanden waren niet uitgevallen, zijn tong was niet gescheurd.

'Zij heeft er recht op.'

'Waarom?' vroeg ik. 'Als wij niets zeggen, komt ze het nooit te weten, wat een verdriet besparen we haar dan, hoe kan je in godsnaam dat kind zo'n verdriet aan willen doen, hoe kan je daaraan denken?' Rustig, rustig, dwong ik mijzelf. 'Wij hebben zelf een probleem en dat moeten wij dragen, jij bent altijd zo voor verstand geweest, jij wilde alles altijd met verstand aanpakken, nou, verstandelijk gezien moeten we zwijgen.' Ik haalde diep adem, ik had luid en met veel nadruk gesproken.

'Dat is de vraag.' Otto bleef kalm. Hij had hierover misschien weken of maanden liggen piekeren. 'Het probleem is die moeder.' Otto kwam iets overeind.

'Punt één. Het gaat fout als zij naar haar moeder gaat vragen, we lullen ons vast, er zijn onoplosbare onduidelijkheden. Hoe kwam jij als gevangene aan zo'n meisje? Herinner je je die situatie nog? Alleen de gelovigen dach-

ten dat er meiden waren die wat wilden, wij waren sceptici. Dan de zwangerschap, die dokter, dat sterven waar wij
niet bij waren; hoezo namen we wel het kind mee? Dat
soort onlogische verzinsels slijt je nog wel aan een kind,
maar niet meer aan Julia als ze echt iets wil uitzoeken.
Als zij echte vragen gaat stellen, blijkt er geen kloot van
te kloppen, zoals jij altijd zegt in dat Leidse taaltje van je.
We draaien ons steeds meer in de nesten. Jij denkt toch
zeker niet dat ze haar hele leven genoegen neemt met dat
sprookje van die geliefde van jou? Met dat verhaal van de
Bono? De geest die jou verdedigd heeft, terwijl jij een potje lag te neuken?'

Ik voelde me moedeloos worden.

'Waarom zou zij dat gaan onderzoeken?' vroeg ik.

'Ah! Punt twee,' ging Otto verder. 'Dat ze naar haar
moeder gaat vragen staat voor mij vast. Dat ze tot nu toe
nog niet veel uitgezocht heeft, zegt niets. Voor kinderen
is het anders dan voor volwassenen. Kinderen vinden de
tijd vóór hun geboorte onbegrijpelijk. Dat hun ouders
jong geweest zijn, is een onverdraaglijke, raadselachtige
en bespottelijke gedachte. Ouders zijn ouders, punt uit.
Als ze ouder wordt, dan gaat het haar wel interesseren.
Natuurlijk gaat zij vroeg of laat naar die moeder zoeken.
Zij is honderd procent Turks. Toen jij haar uit die nachtelijke puinzooi wegstal, had zij al een half levensjaar achter de rug, een halfjaar Turks leven. Zij herinnert het zich
niet, maar zij voelt het wel. Zij houdt van jou, maar met
Holland heeft zij niets te maken, niet voor niets trekt zij
naar Dünya, spreekt zij Turks. Zij zal dat Turkse steeds
meer gaan opzoeken, zij wil Turks zijn. Die kinderen gaan
dat altijd onderzoeken, hoe dat zit. Als zij jou gaat onder-
vragen, reken dan maar dat jij je vastlult. Dan zijn de poppen aan het dansen, want in plaats van de lieve vader ben
jij de engerd die haar van haar ouders geroofd heeft en

dan krijg jij die hele bak van verlies en treurigheid over je heen.'

In de hoek van deze kamer stond nog de emmer waar Julia in de nachtelijke uren gebruik van maakte om haar vrolijk spetterende urine in te lozen; bij het raam stond de bak waar Julia en ik ons wasten, allebei in de zomer nog naakt, we leefden toen met het geluk van elkaars rug waar het water vanaf droop; achter een plankje dat aan de houten muur getimmerd was hingen nog wat vorken en lepels: kindereetgerei van Julia; ik zag de kluwen ijzerdraad hangen, ooit meegenomen van de fabriek, ze had er figuren van gevouwen en die weer uitgevouwen en opnieuw, tot het een warboel was geworden, die we aan een spijker ophingen. Dit was een perfecte weergave van mijn denken, dacht ik: ijzerdraad in de knoop waardoorheen nog de muur schemerde die vol stond met tekeningetjes: een paard, een popje met een stijve piemel, letters die Julia probeerde te schrijven, losse pootjes, een driehoek en van later teksten: 'Ik hou van Otto en Simon', 'Holland' en 'Dünya göbekli'. De doos stond er waar Holland als puppy in had gezeten.

'Ik vind dat zij er recht op heeft alles van ons te horen.'

'Dat heb jij niet te beslissen.'

'Waarom niet? Ik heb er net zoveel over te vertellen als jij en kom niet aan met: ik ben de vader, want dat ben je helemaal niet.'

Ik dacht letterlijk: daar gaat mijn dochter, daar gaat mijn vaderschap. Hoe rustig Otto erbij lag, ik kon hem niet anders zien dan als de verwoestende duivel, die iets kostbaars kapotmaakte.

'Punt drie. De conclusie: dus kunnen we het haar beter zelf vertellen.'

'Otto, stop, alsjeblieft, ik heb al die verschrikkelijke jaren overleefd omdat ik Julia had, niet gewoon als een kind

waar wij de zorg voor hadden gekregen en dat we moesten
opvoeden, maar als mijn eigen kind. Dat neem jij mij niet
af en dat neem je haar niet af.'

'Dat was ze niet, je eigen kind; daar gaat het om, je moet
eerlijk durven zijn.'

We bleven een tijd stil. Ik vroeg me af waar Julia was.
Ik wilde haar hier hebben, hier in huis, dan maar in godsnaam niet in deze kamer, maar in haar eigen kamer op
de tweede verdieping, maar ik wilde haar in veiligheid
in dit huis, ik wilde haar beschermen tegen alle stemmen
die haar zouden influisteren dat ik niet haar vader was,
een vreemdeling slechts, een verachtelijke krijgsgevangene, meegezeuld door heel Turkije omdat ze geen raad met
hem wisten, want Nederland deed niet eens mee aan die
oorlog.

'Er komt nog een probleem bij. Jullie sliepen samen in
dat bed daar. Mij ben je heus geen rekenschap verschul-
digd, maar er is een grens gepasseerd van waaraf je haar
in een eigen bed had moeten laten slapen, haar een aparte
kamer had moeten geven, haar niet meer naakt had moeten zien. Als zij alles zelf ontdekt, en ik ben ervan overtuigd dat dat haar lukt, zal ze jou dat gedrag veel kwalij-
ker nemen. Nu is de situatie nog mogelijk dat jij het haar
zegt; dat je niet haar vader bent, maar wel haar opvoeder,
en ze zal van je blijven houden; als ze alles zelf ontdekt,
vrees ik dat ze alleen rancunegevoel overhoudt. Ze zal onze leugens en jouw gedrag in bed combineren. Ze zal ervan overtuigd raken dat het jou daarom te doen was. Om
een plaats naast haar met de smoes van het vaderschap.
Ook al was het een idiote smoes.'

Otto had gelijk, vond hij zelf, en hij vond mij eigenwijs en
eigenlijk ook een egoïst, alhoewel hij dat niet met zoveel
woorden zei. Toen ik zijn kamer uit liep, begreep ik dat

Otto veranderd was in een tikkende tijdbom. Die tijdbom kon alleen maar onklaar gemaakt worden door mijzelf. Ook dat begreep ik. De enige manier waarop ik kon voorkomen dat Otto haar op een avond alles zou vertellen, was zelf het geheim van haar afkomst onthullen. Kon ik dat? Welk risico liep ik? Waar haalde ik de moed vandaan?

Achter de tuin begon een pad naar het dode dorp: de wonderlijke verzameling van een stuk of tien verkrotte huizen. Wij hadden in het begin één keer aan Julia verteld dat er lelijke vrouwen woonden, uitzonderlijk oud en zeer gekrompen, die je overdag niet kon zien omdat je dwars door ze heen liep en die 's nachts over de heuvels zweefden, het waren de witte wieven van Turkije. We zijn ermee opgehouden, met die verhalen, want in die tijd geloofde ze nog alles en ze werd bang en durfde niet meer naar buiten als ze aan het dode dorp dacht. Toen ze ouder werd, verdween de angst voor het dode dorp; ze ging mee met Otto als hij wat hout of ander bouwmateriaal nodig had. Ze had wel gedreigd dat zij er zelf kon gaan wonen, dat hebben we toen uit haar kop moeten praten. Later zei zij dat Holland er woonde als hij even op zichzelf wilde zijn, het Huis van Holland werd het toen.

Vanaf het stroompje liep ik recht naar het Huis van Holland. Het vreemdste van die oude, half vergane huizen is het licht. In de zomer en op sommige zonnige winterdagen dringen de stralen zonlicht door de kieren en de gaatjes en zij vullen de stoffige ruimte met de meest fantastische lichtdraden. Op de wankele tafel, midden in de stoffige ruimte, was een bord gezet; het eten was bedorven, aangetast door schimmel en door kruipend ongedierte. Daarna was alles bevroren: een stil en wit, bleek plakkaat van elkaar verslindende en verkrachtende, blinde organismen. Wie achter dit tafereel van uiteenvallende werkelijkheid troonde, de armen omhoog geheven, de benen vastgepind met stukjes metaal in het hout, zodat ze rechtop moest blijven zitten, was Periwinkle.

Periwinkle is zelfstandig geworden, had Julia gezegd. Ook met Periwinkle had ik vele, vele nachten het bed gedeeld. Ik geloof niet dat ik hardop tegen de pop heb gesproken, zo knettergek ben ik niet, maar toen ik wegging, hoorde ik mijn gedachten over mijn gelukkige jaren, over mijn nachten met Julia, over de intimiteit die wij elkaar bijna twee decennia lang toestonden, in die houten ruimte hangen. Ik wist dat de woorden lettergreep voor lettergreep, klinker voor klinker, door ontuchtig ongedierte uit elkaar gehaald zouden worden, weggebracht, verstopt, verorberd, getransformeerd. Tot er niets van zou overblijven.

Mijn vader was nu drieënzeventig, mijn moeder twee jaar jonger, als ze nog leefden. Mijn vader had ook een dochter gehad. Ik mocht dan altijd ruziegemaakt hebben met mijn zusje en haar na dat ongelukkige schot een onsympathiek en verwend kreng gevonden hebben, misschien heeft mijn vader grootse verwachtingen gekoesterd over zijn dochter.

Ondanks het drukke werk kon ik niet in slaap komen. Ik stond op, trok een broek aan en liep naar de andere kamer. Otto lag op bed maar sliep niet.

Ik kon niet slapen, zei ik als verklaring.

Een begripvol gebrom van zijn kant.

Dat ik laatst aan iets geks dacht. Otto zweeg, liet me zoeken naar de goede woorden.

'Wat wij maken in de fabriek, al jarenlang, het heeft een huid en het heeft een staketsel, maar wat is de inhoud? Onzichtbaar.'

Ik maakte een gebaar van verdwijnen, wegwezen.

'Onzichtbaar, maar wel wezenlijk, zonder die inhoud heeft het hele staketsel, al die aluminium verbindingen, al die klinknagels die ik ingeslagen heb, geen enkele zin: een luchtschip, en de voornaamste kenmerken zijn: het weegt niets en het is spierwit. Het gekke is, Otto, dat ik, niet eens zo lang geleden, dacht: dat was zij ook. Toen wij haar als eenjarig kind dwars door dat verwoeste land droegen, zo was zij ook, ze woog niets en ze was spierwit, iedereen dacht dat zij op sterven na dood was, haar lichaampje was teruggebracht tot bijna niets, maar wat van haar restte en wat wij om de beurt in onze handen droegen, was ons zo verschrikkelijk dierbaar, en waarom? Omdat wij wisten dat dat vlammetje leven, dat nauwelijks levensvatbare pakketje, ons allerbelangrijkste bezit was, dat was de kern van het leven, van haar leven en van ons leven, lach niet, later knapte ze op, werd ze zwaarder, kreeg ze kleur en toen overschaduwde haar vrolijke kinderlijke lichaam en nu haar vrouwelijke lichaam die kern, maar die witte en lichte kern is er nog wel natuurlijk. Waar ik laatst aan dacht, is dat dat vlammetje leven, die kern die we meedroegen, wit en licht, in die fabriek tot enorme proporties opgeblazen moest worden.'

Het bleef even stil.

'Ik zie het anders,' zei Otto.

'Dat zal best,' mompelde ik.

'Wat jij over die kern zegt, dat weet ik niet precies, ik heb het niet zo op dat soort beelden. Wat ik belangrijk vind, is dat we dat motortje aan de gang hebben gehouden en dat kwam bijvoorbeeld door de melk die ze kreeg, dat was belangrijk, dat had met haar redding te maken. Ik vind dat wij haar dat ook eens moeten vertellen, hoe wij haar in leven hebben gehouden met geroofde melk. Dat luchtschip van jou is een staaltje technisch kunnen van heb ik jou daar, dat zal best, maar het heeft niets met Julia te maken.

Die blikjes melk, dat zal ik haar eens vertellen.'

We bleven een tijd stil. Ik wilde iets zeggen, maar ik wist niet precies wat.

Of hij het goedvond dat ik af en toe langskwam, vroeg ik. Om te praten.

Uiteraard was dat goed, zei Otto, maar niet altijd midden in de nacht; soms sliep hij.

Dünya Şuman

De overgang naar de winter in 1936, halverwege november, was plotseling en schokkend. Er trok een koufront op vanuit het noordoosten. Vanuit Rusland, over het land van Turkije. Binnen een paar weken was de temperatuur tientallen graden gekelderd. Het begin van december was extreem koud, alsof de winter zijn late komst wilde goedmaken. De houten huizen in deze provincie hadden betere voorzieningen tegen de regen dan tegen de kou. Het gevolg was dat die dorpelingen hier ook binnenshuis erbij liepen als wandelende klerenkasten. Ze trokken alles over elkaar aan om het maar warm te krijgen. Het leken wel Russen.

Hoe vaak was Otto al langs geweest. In het begin was zijn komst een onverwachte schok, maar er kwam regelmaat in. Aan de ene kant dacht ik: meid, houd die deur dicht, laat die vent er gewoon niet in. Aan de andere kant was het wel Otto. Julia hield van Otto. Otto hield van Julia. Otto had voor Julia gezorgd. En, geef dat nou maar toe, zoveel kerels hadden geen aandacht voor je, Dünya Şuman. Als hij maar niet zo verdomd sarcastisch was. Of misschien is dat niet het goede woord. Laatdunkend. Ook op die bewuste decemberavond liep hij zonder blikken of blozen naar binnen. Fors. Haastig. Vol begeerte. Maar hij was er, en ik opgewonden en hij opgewonden. Zo werkte dat. Dat was wel het onverklaarbare aspect, waarom ik opgewonden raakte van die bezoeken van Otto. Het heimelijke ervan. Verdomd, ik durfde er een eed op te doen dat Simon en Julia niets wisten van onze contacten. Dat ze die zelfs voor onmogelijk hielden. Maar niet alleen het heimelijke. Ook de aandacht. Hij kwam tenslotte wel voor mij. Ik was kennelijk niet afstotelijk, nietwaar? Ik had kennelijk iets.

De kou was voor hem geen enkele belemmering mij helemaal uit te kleden. Hij besteedde aandacht aan mijn houding, aan mijn bewegingen en toen ik hem vroeg mij langer vast te pakken op een plek die mij lief was (voor het eerst vroeg iets dergelijks te doen, wat een zachte verliefde stem zette ik op) – verdomd, hij deed het en de tranen kwamen in mijn ogen. Ik lag naast mijn eigen sedir op mijn rug en hield mijn benen op verzoek in de lucht, zodat mijn weelderig kruis voor Otto bereikbaar was. Terwijl hij in mij binnendrong, begon hij, wat hij nog nooit gedaan had en wat mij daarom ontroerde, mijn naam te noemen. Een aantal keren achtereen. 'Dünya, Dünya, Dünya.' Zo wel tien keer. Ik werd er eng van en ik kwam er bovendien bij klaar. Hoe moet ik dat nu weer uitleggen? Al die gevoelens zijn toch vreselijk tegenstrijdig? Daar lag ik, zonder kleren, op mijn eigen vloerkleed. Door de ijle, dure geuren die om mijn lichaam hingen, lukte het me de hardvochtige behandeling van Otto te vergeten en mij in de zwevende positie van mysterieuze geliefde te wanen. Er waren ogenblikken dat de Turkse wereld voor mij kantelde. Dat ik niet door de politie betrapt was, weggestuurd uit Beyoğlu en als huishoudster en spionne aangesteld bij twee Hollanders, maar dat ik incognito romantische afspraken had met iemand uit het volk, een krijgsgevangene, in seksuele horigheid aan mij overgeleverd, en dat ik straks terugkeerde naar waar ik hoorde: de grote huizen in Beyoğlu. En deze krijgsgevangen buitenlander mocht macht over mij uitoefenen zolang het mij behaagde, zoals hitsige Romeinse dames uit de hoogste adel zich een-

263

maal per maand overgaven aan rondzwervend rapaille, dat urenlang ongeremd zijn lust mocht botvieren op de geparfumeerde blanke ladies tot de paleiswacht ingreep en al het schorem wegsloeg met segrijnleren zwepen.

Ik mocht van Otto nooit zomaar van houding veranderen. Daar had hij een gloeiende hekel aan. Hij lag nadat hij zich uit mijn lichaam teruggetrokken had en terwijl het sap in trage stromen over mijn buik en dijen liep en alles klef maakte, vaak hijgend naast me. Hollandse gewoonte, zei hij. Hij dacht over iets na.

'Schrijf je nog steeds rapporten voor de politie?'

'Ik moet wel.' Ik kreeg de indruk dat het Otto een rotzorg was.

'Klaag je erover dat ik langskom?'

'Nee.' Ik voelde dat ik een rode kop kreeg. Hij bleef een tijd stil.

'Wat schrijf je dan wel?'

'Ik heb weinig te melden. Ik schrijf veel onzin op. Dat Simon nooit iets zegt over zijn werk in de fabriek. Dat jullie daar soms ruzie over krijgen. Dat Simon hardnekkig volhoudt dat dat allemaal vertrouwelijk is. Zulke dingen.'

'Dus wat wij hier bespreken, komt niet in zo'n rapport?'

Ik vond het niet eens nodig er iets op te antwoorden.

'Kan ik jou eigenlijk vertrouwen?' vroeg Otto.

Die opmerking schoot mij goed in het verkeerde keelgat. Ik tilde mijn heupen op zodat mijn dot omhooggestoken werd.

'Wat vind je hiervan? Kijk verdomme hoe ik erbij lig. Vind je dat een onbetrouwbare houding? Ik krijg het trouwens koud,' gooide ik er direct achteraan.

Otto trok zijn trui uit de stapel ruw uitgesjorde kleren en schoof die mij toe. 'Trek dit aan en luister goed, want ik ga je vertellen dat Simon niet de vader van Julia is.'

Ik was bezig de trui aan te trekken. Ik had hem goed verstaan, toch?

'Wat zeg je?'

Behalve de blijdschap dat ik door Otto in vertrouwen genomen werd, de verstikkende nieuwsgierigheid naar wat hij ging zeggen.

Geen enkele keer heb ik ademgehaald tijdens dat hele verhaal van Otto. Hoe lang vertelde hij? Tien minuten? Een halfuur? Een uur? Langer? Ik heb zo ingespannen geluisterd dat ik het benauwd kreeg van al die ingehouden lucht. In extreme omstandigheden kan de mens zonder adem, heb ik gehoord. En verdomd, dat klopte. Alles werkte bij mij tijdens dat verhaal langzamer. Mijn bloed werd dik als raathoning en stroomde trager door de aderen. Mijn hart pompte hoorbaar met langzame slagen. Mijn blik vernauwde zich. Mijn gehoor was zijn normale scherpte en ontvankelijkheid kwijt. Ik hoorde alleen de woorden van Otto; de huisgeluiden, die altijd op de achtergrond meeklonken, waren weggevallen. Mijn reuk was verminderd. Vaag rook ik de vissige geuren van onze geslachten. Mijn lever en mijn nieren functioneerden trager. Er trok een treiterende tintel door mijn huid, maar zelfs dat vermocht mijn aandacht niet af te leiden.

Al die afzonderlijke woorden van Otto drongen mijn hoofd binnen, plaatsten daar kleine bommen, zodat tal van verhalen van Julia over haar Hollandse inborst, over haar moeder, die in mijn herinnering lagen opgeslagen, opgeblazen werden. Daarna stormden de woorden verder als de oproerkraaiers die na de verovering van Izmir overal de binnensteden zuiverden van Turks-vreemde elementen.

Waarom Otto dit geheim aan mij vertelde, weet ik niet. Otto moest het kwijt. Otto had ook een redenering over Ju-

265

lia. Dat die dit te horen moest krijgen. Van mij misschien. Dat hij het daarom allemaal aan mij vertelde. Nou. Over mijn lijk! Dat doe ik dat kind niet aan. Hij komt erop terug. Ik denk dat er een tweede deel komt, waarbij hij een plan gaat ontvouwen om Julia in te lichten. Vroeg of laat. Nu hield hij dat gelukkig voor zich. Ben ik mooi mee. Kan ik dat uit zijn kop praten.

Al die tijd liepen over de Turkse wegen van mijn verbeelding die twee mannen, Otto en Simon. Geen broodkorst te eten, maar wel met dat raadselachtige kind. Boven op de schouders van Otto, of halfdood in de armen van Simon. Altijd verder. Altijd de vraag waar het eten voor dat kind vandaan te halen. Twee mannen met een kind. Ze moeten heel Turkije doorgelopen hebben. Een ruwe, domme, volwassen, oorlogvoerende wereld die steeds maar weer het leven doorgeeft aan iets dat zelfstandig niet in leven kan blijven en dat te klein is om zelf vooruit te komen.

Dat afschuwelijke verhaal van Otto maakte nogal wat slachtoffers. Julia zou ooit het graf van haar moeder, Fatima, opzoeken. Nou, ze kon zich die moeite besparen. Na dat verhaal van Otto was moeder Fatima alsnog als laatste slachtoffer van die gruwelijke oorlog de eeuwige mist van een schijnbestaan in geschoten.

Dat kind is verdomme gewoon geroofd. Gejat. Gewoon een kind gejat. En waarom? Twee mannen die een kind jatten? De hemel mag het weten. Ik heb Otto die vraag gesteld en Otto wist het niet. Otto zweeg. Otto zat met zijn mond vol tanden. Voor het eerst dat ik dat zag. Otto die niet wist wat hij moest zeggen. Ik besefte: Otto is net zo goed een slachtoffer van dit verhaal. Net als Julia en Simon. En bij al die tragiek bleef één ding raadselachtig overeind: de liefde van Simon voor Julia. Want die bestond. Daar stak ik niet alleen mijn hand voor in het vuur. Ik sprong compleet midden in een brandend huis als die liefde niet bestond. Daar snapte ik dus helemaal niets van: van die liefde. Want alleen een vader kon zo van zijn dochter houden als Simon van Julia hield.

Otto lag daar op het vloerkleed met een wollen schort van mij om zijn schouders geslagen. Zijn plakkerig onderlijf was bloot. Zijn harige benen en het ingevallen magere lijf gaven de indruk van kracht en taaiheid. Op zijn geslacht plakte het opgedroogde seksuele vocht in glinsterende schilfers. Bijna altijd was dit de fase waarin ik hem het huis uit wenste. Maar op die gedenkwaardige decemberavond volgde een opmerking van Otto die mij diep ontroerde en die mij met een schok met alle onhebbelijkheden en chagrijn van Otto verzoende.

'Misschien kun jij je als een moeder voor haar gedragen.'

Ik bewoog nauwelijks. Ik sloot mijn ogen en beet op mijn onderlip en hij voegde eraan toe:

'Zodat ze op den duur zal zeggen: mijn moeder? Ach, die heb ik nooit gekend, maar gelukkig heb ik Dünya gehad.'

Otto zag zeker dat ik zat te huilen, maar dit keer zei hij er niets van.

'Weet je wat ik ook zo betreur?' vroeg ik, terwijl Otto al naar zijn broek reikte en daarmee duidelijk maakte dat het geslachtswerk wat hem betreft voorbij was die avond.

'Nou?' Moeilijk verstaanbaar, want hij bukte naar voren.

'Dat het niet waar is dat Julia een kind is van Turkije en Holland.'

Gebruikelijke, nietszeggende brom.

'Mijn man heeft gevochten bij Gallipoli. Tegen de Engelsen. Tegen jullie. Gallipoli! Dat is toch wel hét voorbeeld van een zinloos gevecht! Wie heeft dát verzonnen, zeg? Wat een oorlogszuchtige onzin. Net als Enver Paşa. Die riep maar wat en hup, er lag een dreadnought in de haven.'

'Hoe weet jij dat?' reageerde Otto stomverbaasd.

'Wat, weet ik wat?'

'Hoe zo'n boot heet?'

'Contacten met Engelsen. Gallipoli. De Geallieerden kwamen aanvaren, klommen het strand op, hebben een jaar gevochten en zijn weer weggegaan. Wat hebben ze bereikt? Niets. Zero. Mijn man dood. Jullie gevangengenomen. Dertigduizend Britten dood. Tienduizend Anzacs dood. Vijftigduizend Turken dood.'

'Ja, het is ons niet gelukt,' zei Otto somber.

'Al dat nationalistisch gedoe. Eerst hier, de Duitsers. Nou, als je geen Duitser was, telde je niet mee. Toen de Engelsen. Die keken op iedereen neer. Die vonden alle anderen waardeloos. De Fransen. Die hadden hier prachtige scholen. Maar al die scholen moesten gesloten worden. Want ze waren in oorlog met ons. De Franse meesters moesten met tranen in hun ogen afscheid nemen van de Turkse kinderen. Daarna Turkije weer. Wie geen Turk was, liep gevaar. Armeniërs. Grieken. Vervolgd, verbrand, verkracht, vermoord. Ik heb er zelf aan meegedaan. Maar toen ik jullie zag. Turkse moeder, Hollandse vader. Verdomd, dacht ik, zo kan het ook. Maar het is dus niet zo. Scheisse! Zeggen de Duitsers. Wist mijn man nog. Allah kahretsin!'

☾

Zowel in de lagere als in de hogere rangen kende ik verschillende militairen die mij een dienst wilden bewijzen, mij wilden rijden, of goederen voor mij wilden ritselen. Ik maakte er een bescheiden gebruik van en bedankte de jongens altijd uitbundig zodat ze bij een volgend verzoek weer direct klaarstonden.

Met een ravissante glimlach vroeg ik een van de chauffeurs of hij mij in een grote zwarte auto naar Istanbul kon rijden. Geen probleem, als het maar niet op een dinsdag of een zondag hoefde. Hij mocht zelf de dag uitzoeken en ik kreeg de verzekering dat ik op een mooie dag in april de beschikking over chauffeur en auto had. Ging er nog iemand mee? Nee, niemand.

Nog eenmaal wilde ik terugkeren in het huis waar ik dat ene jaar met mijn man, de onverschrokken kapitein Şuman, had gewoond. Het monumentale huis met uitzicht op het blauwe water. Niet als bedelares, maar als mevrouw. Als eigenaresse. Als eiseresse. Ik meende de manier gevonden te hebben.

Voor gewone burgers was de kadastrale administratie onvindbaar en in de oorlog was zij grotendeels verloren gegaan. Als ik zei dat ik in dat huis had gewoond, dan zou duidelijk zijn dat ik niet iets in het wilde weg zat te beweren. Rechterlijke uitspraken gingen gepaard met geld, tijdverlies en slopende onzekerheid. Dit alles veroorzaakte ongetwijfeld verwarring bij de huidige bewoners, die kortstondig in mijn voordeel zou werken. Ik zou mij bedienen van een schuilnaam. Mocht de huidige bewoner invloedrijk zijn, dan kon hij mij later toch niet lastigvallen. Het verliep veel soepeler dan ik gedacht had.

Op mijn verzoek reed de chauffeur langzaam door de straat; bij het herkennen van het huis kon ik mijn emotie bijna niet bedwingen. Natuurlijk was in die ruim twintig jaar veel veranderd. In de straat had op verschillende plaatsen brand gewoed. Maar het grote Şumanhuis stond nog in alle glorie overeind. Ik ademde diep in, kneep de verbaasde jongen in zijn bovenarm en vroeg hem of hij mij voor de deur wilde brengen, of hij wilde wachten tot ik terug was en mij met enig ceremonieel in de auto wilde laten stappen.

'Alsof u de generaal bent, mevrouw?'

'Zoiets ja.'

'Komt dik voor mekaar, mevrouw Şuman.'

'Ik heb hier gewoond.' Ik kon het niet laten de jongen in vertrouwen te nemen. Hij gluurde naar de villa, naar de grote planten in de smalle voortuin.

'Mooi huis,' gaf hij toe.

Natuurlijk was de auto een bezienswaardigheid, natuurlijk was hij herkenbaar als militair voertuig. Ik stapte uit en liep naar de voordeur.

Het dienstmeisje dat opendeed had geen enkel idee van de kloppende spanning vlak onder mijn huid. De hal was geverfd, er lag ander tapijt, een deel van de muur was weggebroken. Maar een kleine, sierlijke majolicavaas die mijn man ooit cadeau gekregen had prijkte nog op dezelfde plaats.

Of ik de mevrouw kon spreken.

O jee, dit was tweeëntwintig jaar geleden en toen was ik zwanger. Ik moest mij dwingen rustig te blijven. Ik stond daar in mijn zwarte jurk en zilveren kousen. Het was bijna zeker dat het dienstmeisje mevrouw door het raam had gewezen op de zwarte generaalsauto met chauffeur, die buiten stond te wachten. Met heimelijk plezier stelde ik vast dat de mevrouw die mij in de hal kwam begroeten jong was en tamelijk schichtig uit haar ogen keek.

Of ik haar een kwartiertje kon spreken over een belangrijke zaak.

In de salon lag nog mijn Spartaans tapijt en ik herkende de roze porseleinen kachel.

Met een sierlijke buiging stelde ik mij voor; ik legde uit dat mijn eerste man minister was geweest bij Talât

270

Paşa, voor hij in 1915 sneuvelde bij de gevechten in Gallipoli. Hij is de heldendood gestorven, voegde ik eraan toe. Juist toen zij zich wat zenuwachtig afvroeg waar ik naartoe wilde, zei ik haar dat ik in dit huis gewoond had met mijn man, dat ik hieruit getrokken was in de verwarrende jaren na 1915 en dat na uitvoerig onderzoek gebleken was dat dit huis nog steeds formeel mijn eigendom was. Mijn toon was vriendelijk. Ik zag haar popmooie gezicht en breekbare figuur. Ik constateerde dat zij mij wat dromerig zat aan te kijken en dat plotseling haar ogen groot werden van verbazing en van schrik.

Het leek haar een kwestie (haar stem trilde) die ik met haar man moest bespreken. Waarop ik met een enigszins schuin hoofd een vriendelijke grijns trok, die liet voortduren en er verder geen woord aan toevoegde.

'Maar wat u zegt, neemt u mij niet kwalijk, mevrouw Krisztián, dat is onmogelijk.'

'Hoe bedoelt u?' vroeg ik.

Haar echtgenoot had het huis in 1924 gekocht van de toenmalige bewoners, die naar een andere plaats vertrokken waren, waarschijnlijk naar Ankara want er verhuisden veel gezinnen naar Ankara omdat in die tijd...

Ik stopte haar zenuwredenering.

'Mevrouw. Dat uw man betaald heeft, is voor mij geen zaak van gewicht. De toenmalige bewoners hebben kennelijk iets verkocht waar zij geen eigenaar van waren. Bovendien zie ik dat de ontvreemde tapijten en de waardevolle voorwerpen gewoon zijn overgenomen. Dit tapijt, mevrouw, als u wilt zal ik het met gesloten ogen tot in de details van de elibelindemotiefjes beschrijven. Zo goed ken ik het. En een kachel als deze maar dan van wit porselein staat waarschijnlijk nog in de kamer hiernaast.'

De paniek brak volledig door. Ze riep het hitje en beval haar de mijnheer op te sporen.

271

'Hohoho,' hield ik alles tegen. 'Ik spreek mijnheer heus wel, maar dat hoeft niet op stel en sprong. Ik kan nu niet op mijnheer wachten. Mijn auto staat klaar.'

Zij knikte ernstig.

'Bespreekt u de situatie rustig met uw man. Ik kom over precies een week weer bij u langs.' Het leek mij vanzelfsprekend dat zij dan haar man naast zich zou hebben. Dat hoefde ik niet te vragen. De man zou een vuist willen maken, maar mijn vuist bestond uit de auto en de verwijzing naar het militaire apparaat. En natuurlijk uit mijn eigen imposante persoonlijkheid, die echter niet zou komen opdagen.

'Maar mag ik u vragen, mevrouw Krisztián, wat uw bedoeling is?'

Ze draaide om me heen terwijl ik opstond en door de kamer liep. Ik schreed naar de grote porte-brisée, draaide de haak weg en schoof de deur open. In de andere kamer stond grijnzend Şuman-Bey, met de vraag op zijn lippen waarom ik mij met die bespottelijke naam voorgesteld had. Ik kneep mijn ogen dicht omdat ik wilde voorkomen dat ik flauwviel. Toen ik mijn ogen weer opende, zag ik een lege kamer, waar de lentezon aangename lichtplekken strooide. Mijn witte porseleinen kachel stond er nog. Mijn grijsgroene Duitse tapijt lag nog op de vloer. Ik draaide me om. De verkrampte schoonheid herhaalde een deel van haar vraag.

'Laat mij dat tranquillamente met uw man bespreken,' was mijn laatste bod. Ik liep langs het dienstmeisje, trok het jurkje en het schortje van dat jonge wicht recht en streelde met mijn rechterhand haar gezicht. Ik liet mijn hand over haar kin glijden, over haar nek, haar schouders. Ik kneep duidelijk zichtbaar en weloverwogen in haar beide tietjes, kuste haar op de mond, waarbij ik even venijnig mijn tanden in haar lip zette. Toen gaf ik te ken-

272

nen dat het onderhoud naar volle tevredenheid verlopen was.

Mevrouw zelf liet mij uit en tot mijn onuitsprekelijk genoegen schoot mijn lieve vriend de auto uit en zwaaide hij het portier wijd open. De manier waarop hij salueerde was een tikkeltje overdreven, maar toen wij wegreden en ik een stiekeme blik op de jonge mevrouw van de villa wierp, kon ik de jongen wel omhelzen. Naar de İstiklâl Caddesi.

In deze luxe, zwarte auto, herkenbaar als een wagen voor een zeer hoog geplaatste, via Taksim de İstiklâl Caddesi benaderen, greep mij werkelijk bij de keel. Het voelde alsof ik na een tiental jaren verbanning triomfantelijk binnengehaald werd in de wereld waar ik hoorde.

Maar ocharm, natuurlijk, er waren jaren verstreken. Maksim kon ik niet terugvinden. Op de plaats van het weerstation was een cabaret gekomen, 'Mulen Ruj'. De oude Brasserie de l'Orient was Anadolu birahanesi geworden en de Artistik-cinema heette Sümer. De sfeer was Turkser. Ik probeerde de jaren van verbanning te vergeten. Wat een Jood moest ervaren als hij voor het eerst of na jaren Jeruzalem binnen trok, voelde ik toen ik hier Beyoğlu binnen trok. Toch eens vragen aan die Duitse jid, doctor Grunwald.

Er liep een straatventer met tuiltjes wilde tulpen, maar hij werd opzij geduwd door mijn chauffeur, die de auto had stilgezet en omliep naar het portier aan mijn kant, en toen de commerçant zag hoe imposant de dame uit deze dure militaire auto stapte, week hij terug. Ik stond voor een juwelierszaak: Franguli mücevherleri. Ik bekeek even de etalage, lang genoeg om de bediende binnen de kans te geven de deur voor me open te zwaaien.

Alle juwelen uit mijn kist waren tevoorschijn gehaald

en schoongemaakt. Ik had de glinsterende berg in twee partijen verdeeld. Een deel wilde ik zelf houden. Het andere deel (enkele opzichtige stukken, die mij niet meer bekoorden, enkele vervalsingen en juwelen met duidelijke Griekse en Armeense motieven) wilde ik verkopen.

De grote hanger glinsterde op de toonbank. De oude baas was duidelijk onder de indruk, haalde met een excuus een loep tevoorschijn en begon met dat ingeklemde kunstoog het hele voorwerp af te tasten. Ik bestudeerde zijn schedel, ik zag de roos op zijn kop, zijn grote snor zat in de weg, maar na een eindeloze tijd noemde hij met aarzelend gesmak van zijn vlezige mond en een steelse blik op de militaire auto die voor de deur stond, een bedrag dat hij me wilde betalen. Ik moest moeite doen niet van kleur te verschieten. Met een knik nam ik alles terug en zei dat ik een tweede taxatie zou laten verrichten door de horloger Antoniadis of bij de Alman Pazarı en toen kuchte hij en hij mompelde dat als ik het juweel nu aan hem verkocht en het achter zou laten, hij mij het bedrag contant zou uitbetalen plus nog een verhoging van tien procent.

Een gespeelde aarzeling. Hij zat onder de waarde, maar hij had gezien met wie hij te maken had en heel ver onder de waarde kon het daarom niet zijn. Ik liet mij het bedrag uitbetalen.

Natuurlijk kon ik niet met die generaalsauto voor het bureau van dr. Grunwald afgezet worden. Ze kenden me daar, wisten precies wie ik was en het was voor mijn lieve chauffeur onmogelijk mij te vervoeren naar plaatsen waar lastige vragen gesteld konden worden over mijn aanwezigheid in die auto. Hij zette mij bij mijn eigen huis af. Ik gaf hem twee zoenen en ik trok een mooi biljet uit de stapel van de juwelier.

Dr. Grunwald ontving mij enkele dagen later. Ik legde hem uitvoerig uit dat ik door de militaire overheid gedwongen was tot minderwaardig werk bij de Hollanders en tegelijk de taak had gekregen rapporten te schrijven over de gang van zaken daar. Ik kreeg de indruk dat hij hiervan wist. Dat ik van oorsprong een mevrouw was uit hoge regeringskringen, waar geen directeur of hoge militair zich voor zou hoeven schamen.

Hij knikte.

Dat ik handelde uit liefde voor Simon en zijn dochter en dat ik de indruk kreeg dat het lot en geluk van deze beide mensen ook doctor Grunwald ter harte ging.

Hij keek mij lange tijd peinzend aan, vroeg zich ongetwijfeld af welke zetten ik in godsnaam aan het voorbereiden was en wuifde mij toen vriendelijk toe.

'Gaat u door, mevrouw.'

'Gesteld dat u straks na de geslaagde proefvlucht, ter viering van het succes, een feestelijk diner of een fraaie ontvangst met drank en hapjes geeft, gesteld, wie van de hoge gasten kunt u dan verwachten?'

Hij rolde zijn bolle gezicht in een prettige glimlach, opende zijn mond, liet even zijn tong zien en sloot zijn gezicht bijna met een klap.

'Mevrouw, zoiets kost veel geld en wij krijgen wel geld voor de ontwikkeling van het luchtschip, maar niet voor etentjes en ontvangsten.'

'Alle kosten,' zei ik langzaam, 'voor drank, eten, versiering, drukwerk, kunnen geheel door mij betaald worden.'

Het openen van mijn tas, het pakken van de stapel van de juwelier en het langzaam aftellen van een behoorlijk bedrag.

'Een voorschot.' En dan de biljetten in zijn richting schuiven.

In een lang en eerlijk gesprek maakte dr. Grunwald mij een aantal zaken duidelijk.

Dat hij een bijzonder grote sympathie voelde voor het plan. En met enige aarzeling voegde hij eraan toe dat die bijzonder grote sympathie ook mij persoonlijk gold en bij na had ik hem gezegd dat hij een lieve man was. Maar ik knikte vriendelijk en liet mij verder niet in de kaart kijken.

Dat, mocht het plan kunnen doorgaan, mijn naam overal vermeld zou worden als degene die voor de feestelijkheden gezorgd had en die uitnodigde.

Dat ik inderdaad moest kunnen aantonen dat mijn man in het verleden tot de belangrijke regeringskringen behoorde, dat ik in de roerige naoorlogse tijd dan wel een bedenkelijk modern leven had geleid, maar dat ik de laatste jaren van onbesproken en Turkslievend gedrag was. Ik zat even rechtop in mijn stoel, stijf van verontwaardiging, maar ik hield me in. Wat wist deze man van mij?

Het gesprek eindigde ermee dat de directeur een serieus onderzoek beloofde naar de mogelijkheid de testvlucht af te sluiten met een fraaie ontvangst. Drank, koffie, raki, mezeler en zo verder. Voor militairen, vooral de hoge officieren, voor mensen van de Turkish Aviation Society, voor enkele uitgezochte constructeurs en ingenieurs en hun familieleden. En met veel geheimzinnigheid beloofde hij mij na te gaan of er kans was dat de president, de Gazi, die mogelijk de testvlucht zou bijwonen, op de ontvangst uitgenodigd kon worden. Dat hing van de militairen af. Van de veiligheidsmaatregelen. Een laatste honingzoete, bolle glimlach. En van het programma van Atatürk zelf.

DERDE DEEL

7 mei 1937

Simon Krisztián

Na de nacht die voorafging aan de zo belangrijke dag van de proefvlucht, na de nacht waarin ik de donkere kamer van Julia was binnen gedrongen, voor het eerst en doelbewust, na de nacht waarin ik recht op de deur was afgegaan, de klink stil naar beneden had geduwd, in de kamer slechts duisternis had gezien en niets anders had gehoord dan de heel zachte ademhaling van Julia, na die donkere nacht belichtte als een bevrijdend verschijnsel de opkomende zon de bovenste top van de fabrieksgevel. De gascellen van het luchtschip waren de dag ervoor voor zeventig procent gevuld en de flessen, de slangen en de ventielen lagen nu allemaal buiten gereed om de rest van de cellen te vullen. Terwijl de eerste militairen verschenen, besloot Grunwald het schip naar buiten te brengen; de arbeiders werkten gedisciplineerd en statig rolde het schip de hal uit en het voorterrein op. Omdat nog nooit iemand het luchtschip op een andere plaats dan in de hal had gezien, drong het nu pas, nu het buiten lag en de nietige arbeiders eromheen krioelden, tot iedereen door hoe groot dit rood-witte voertuig was. De militairen keken met open mond toe. Als trots symbool van de jonge republiek stond het smetteloze luchtschip in de nieuwe dag te prijken.

De slangen werden verlegd, de ventielen aangebracht en de gasflessen geopend. Grunwald kwam naar me toe, we mochten absoluut niet opstijgen voor de president er was. Ik zei dat eerst de cellen gecontroleerd dienden te worden.

'Ga jij die cellen controleren?'

'Natuurlijk. Dit is voor het eerst dat ze allemaal tegelijk onder volledige druk komen te staan.'

'Hoe lang gaat dat duren?'

'Geen idee.'

'Als hij komt moeten we stijgen; we kunnen hem niet laten wachten.'

'Wat nou? Niet stijgen voor hij er is; als hij komt, meteen stijgen. Luister eens. President of niet, hij mag kijken. Wij bepalen het tempo van de proefvlucht. Hij kijkt, wij sturen; hij moet wel zijn plaats weten.'

Grunwald werd zenuwachtig en hoewel wij geen woord Turks spraken, gebaarde hij dat ik zo niet mocht praten. Ik haalde mijn schouders op. Ik zocht de mensen uit met wie ik de cellen wilde controleren, één man sprak wat Engels.

Vanaf de boegspits tot in de staart was in het midden van het toestel een loopgang gemaakt in de aluminium constructie. Deze gang was driehoekig van doorsnee en kruiste enkele schachten die van diep beneden in het schip naar helemaal boven liepen en die toegang gaven tot de overdruk- en manoeuvreerventielen en hij kruiste ook twee horizontaal lopende schachten die naar de motorgondels liepen. Alle schachten die naar de buitenzijde van het schip voerden, eindigden bij luiken.

In het interieur scheen een geheimzinnig licht, dat deed denken aan verboden zolders. Door de afmetingen van het zich alsmaar vertakkende aluminium draagwerk en de zacht ogende gascellen, die hoog boven ons bolden, werden wij dwergen van bijna microscopische afmetingen. Op enkele plaatsen was het smalle, houten loopvlak niet goed bevestigd, wat voor de metalen constructie geen enkel gevaar inhield maar wat ons het idee gaf als konden wij zo in de ruimte om ons heen vallen en rondtollen. Het was koel en stil binnen, niemand zei iets.

Via de bestuurdersgondel waren we naar binnen gegaan. Over de hele bodem van het schip was een smalle ruimte uitgespaard voor vracht, post, slaapruimte voor de bemanning; dan een bredere passagiersruimte; dan de smalle ruimte verderop voor de vaten met benzine, olie, drinkwater en ballastwater, en de voorraden levensmiddelen. Tussen de bestuurdersgondel en de passagiersruimte liep een verticale schacht naar de verbindingsgang in het midden.

Het spookachtige was dat in die metalen wereld om ons heen en in die opgespannen en gevulde ballonstof beweging zat. Hoe weinig wind er ook stond, het luchtschip was zo groot dat het altijd wind ving; en alle verankeringen ten spijt, het schip bewoog. Voor ons, dwergen in deze duistere wereld van metaal en ballonstof en pegamoid, was het alsof alle klinknagels, alle driehoekige verbindingselementen gefaald hadden en het luchtschip nu zijn eigen leven leidde, ademde, een hartklop had, straks wellicht ontwaakte.

Wij stegen de ontluchtingsgangen in, wij openden de luiken en stonden op ruim twintig meter hoogte buiten, boven op het schip. In de verte de natuur van Turkije, de heuvels, de bomen.

Voorzichtig controleerden we de gondels. Wie dienst had bij de motoren daar, moest tijdens de vlucht op een paar duizend meter hoogte een luik door, naar buiten stappen op een smalle ladder met een dunne leuning en dan twintig treden afdalen tot in de motorgondel, die meters opzij van het schip hing, naar je idee vastgemaakt met een paar akelig dunne stangetjes.

Eén keer meende ik een verontrustend suizen te horen, bij cel 10, de cel boven de elektrische installatie en het grote vrachtruim. Ik luisterde, klom de aluminium constructie in, bevoelde de ballonstof, maar vond niets. Toen ik terugkwam bij de vijf Turken die ik meegenomen had, stond er juist een die, afgeleid door het rustige gesprek dat ze daar voerden, een sigaret in zijn mond had gestoken en een aansteker wilde gebruiken in de bescherming van zijn handen. Een tiende deel van een seconde vond ik het een vanzelfsprekend gebaar, dat hoorde bij de pauze en de voldoening. Terwijl ik mijn mond opende om te gillen, vouwde de man zijn handen uiteen: er zat helemaal geen aansteker in; natuurlijk was hij niet van plan hier, te midden van al dat ontplofbare waterstofgas, vuur te maken. Terwijl zijn maten hard lachten, borg hij de sigaret weer op. 'Joke,' legde de tolk uit. Wat ik al begrepen had. Het duurde even voor mijn hart weer normaal sloeg; ik zei dat het grapje niet leuk was, maar ze sloegen me op de schouder en plotseling had een ander een sigaret in zijn mond. Weer lachen, grapje, grapje; ik besloot mee te lachen en we liepen de volgende gang in.

Nadat we door de bestuurderscabine naar buiten gekropen waren, kon ik de zenuwachtige Grunwald melden dat alles in orde was.

Inmiddels was de ballast bijgevuld en het schip hing aan de touwen, met een nauwelijks waarneembare opwaartse neiging. Bij loslaten zou het schip langzaam stijgen tot de natuurlijke zweefhoogte bereikt zou zijn. Als het straks warmer werd, dan zou de opwaartse kracht toenemen.

De groep kreeg de laatste instructies. Nauwelijks waren we op onze plaats of het bericht kwam door dat de president eraan kwam en dat over tien minuten het luchtschip mocht opstijgen. Via een telefooncircuit hoorden we dat we de motoren konden starten. Even een voelbare ruk aan het toestel toen de eerste motor aansloeg. Was er iets verkeerd gekoppeld? Nee, het ging goed. Toen er vier motoren liepen, werden de zandzakken losgehaakt, waardoor een kritische grens werd overschreden en het luchtschip alleen nog aan de touwen vastzat.

Grunwald gaf het bevel de touwen precies een meter te vieren. Onder doodse stilte kwam het schip los van de grond; een laatste inspectie, de horizontale ligging werd nagegaan; nóg een meter. Het luchtschip kwam met de gondel boven de arbeiders uit en de grote romp bevond zich zo'n vier, vijf meter boven de aardbodem. Het schip lag prachtig horizontaal. Er werd nog meer ballast uit gegooid zodat de boeg iets omhoog ging wijzen. Nog een meter hoger, nog een, daarna kwam het bevel 'Loslaten!' De propellers werden ingeschakeld en traag bewoog het eerste, rood-witte Turkse luchtschip door de lucht. Er vlogen wat vogels op; ergens ontplofte een houten wc-huisje en begon een Turkse vrouw luid te gillen; een boer liep verbijsterd van de weg af en kwam struikelend in het riviertje terecht; een ossenkar werd midden op de weg stilgezet, waarna os en voerman van plaats ruilden.

Als het schip zijn natuurlijke zweefhoogte bereikt (afhankelijk van de hoeveelheid gas dat het schip zijn opwaartse kracht geeft, de warmte die de opwaartse kracht beïnvloedt en de hoeveelheid ballast), kan gemakkelijk met de propellers en het roer gemanoeuvreerd worden. Daarvoor is een stabiele horizontale ligging nodig. Raakt er iets vast of valt er een motor uit, dan wordt het manoeuvreren lastig of onmogelijk en blijft het schip bij de hitte van de dag stijgen. Dan moet men gas laten ontsnappen om hogere stijging te voorkomen. Bovendien zet het gas in de ijlere luchtlagen uit en ontsnapt het door de overdrukventielen. Koelt het in de avond af, dan komt het schip weer lager en dan is er te weinig gas en te weinig opwaartse kracht en is een noodlanding noodzakelijk. Dat is het belang van het perfect draaien van de motoren en de propellers.

Ik was weer in de lucht, ik hing weer op grote hoogte boven het land. In de bestuurderscabine was links het stuurrad voor het hoogteroer geplaatst en middenvoor het rad voor de zijroeren; de instrumenten waren duidelijk, de vlucht was rustig. Ik keek door de schuin geplaatste ruiten naar beneden, naar de hallen, naar de twee glinsterende stroompjes. Op het grote terrein voor de hal stonden tientallen kleine mensen, sommige stonden te zwaaien. Iets verderop was duidelijk de keurig opgestelde militaire formatie te zien en het platform dat zij gebouwd hadden en dat wij met moeite naar achteren gedrongen hadden en daar, in gesprek met twee militairen, en met enige mannen op gepaste, eerbiedige afstand eromheen, dat moest de president zijn, de Gazi. Atatürk, zoals hij tegenwoordig officieel heette; zo te zien een nogal beweeglijke man. Zijn hoofd ging schuil onder een enorme pet, die over zijn gezicht een diepe schaduw wierp. Hij had een burgerkostuum aan, wit overhemd, strikje. Ik zag hem door de knieen zakken en naar iets op de grond wijzen. Hij moest omhoogkijken; hij moest naar ons kijken; hij kwam toch voor het luchtschip, dat straks de naam van een van zijn geadopteerde dochters zou dragen. Waar wees die man naar? Naar iets dat van geen enkel belang kon zijn.

Het landschap werd voor ons uitgelegd, dit was Turkije vanuit de lucht. Hoe anders dan Holland vanuit de lucht. Holland was een prachtig, maar kleinschalig aangelegd park, duidelijk een land van goede schilders, een kindertekening met heldere, contrasterende kleuren. Dit was jong, onontgonnen land met een huid die bij strelen ruw zou aanvoelen, een land van nomaden, sterrenkundigen en onverzoenlijke, in oude heilige boeken beschreven hordes, van architecten die werkten met zand, leem en aardse vormen. Dit was het land van na de zondvloed, de opgedroogde aardbodem, waar de overlevenden, evenals het gevogelte, het vee en het kruipend gedierte zouden uitgaan en zich overvloedig zouden voorttelen; ze zouden vruchtbaar zijn en zich vermenigvuldigen.

Ik moest de neiging onderdrukken om naar de motorgondels te rennen, om het luik te openen en op de smalle trap te stappen, waar ik de Turkse lucht zou ruiken en de aalscholvers en de gieren die hier moesten vliegen zou zien. Wat nou, gieren? Konden zij stijgen tot kilometers hoogte? Wij ook. Konden zij afstanden afleggen van hier tot Dar es Salaam of Buenos Aires, vliegend op een ingebouwd kompas? Wij ook. Van puur enthousiasme sloeg ik de man aan het hoogtestuur op zijn schouder, die wel even verbaasd opkeek, maar mij al snel begreep en evenzeer door het succes werd aangestoken. Er ontstond een sfeer van we hebben het gered, we hebben het voor elkaar, we hebben een luchtschip gebouwd, we vliegen. We moesten oppassen dat de jubel ons niet naar de kop steeg, dat we niet overmoedig werden, zorgeloos boven dit stille land, dat we de instrumenten niet de instrumenten lieten, en dat we niet steeds hoger stegen, jubelend voortgingen en dan straks tegen de koelere avond met te weinig gas zaten en dus met te weinig opwaartse kracht.

Dünya Şuman

Simon ging die ochtend op een onmogelijk vroege tijd van huis. Zenuwachtig als een kikker. Hij wilde wel thee, maar verbrandde zijn mond omdat de thee te heet was. Thee dus de schuld geven in plaats van even rustig blazen en wachten tot de thee op drinktemperatuur was. Hij zette zijn kopje neer, maakte een gebaar van 'hoef niet meer' en een soort zwaai en daar ging hij. We hoorden hem de trappen af bonken. Hij gaf een tik tegen een anemoon, die daar half uit de muur, half uit een gebroken pot met aarde groeide, en verdween met een struikelpas door de poort. De anemoon hing slap naast de geknakte steel.

Julia was stil, maar ik vond dat normaal. Pas bij een blik recht in haar gezicht zag ik dat er meer aan de hand was. Ik zei iets over Simon, want daar moest het toch mee te maken hebben. Ze kneep haar ogen dicht, trok met haar gezicht en haar mond, zoog nattig haar lip naar binnen en toen stroomde de Eufraat over. Zenuwen ongetwijfeld, maar toch. Mijn god, dacht ik. Dit moet wel op tijd ophouden. Hoe krijg ik die kraan dicht?

'Wat is er aan de hand?' vroeg ik. Misschien was mijn toon verkeerd. Ik bracht haar naar binnen, legde haar op de sedir en wachtte tot het schokken zou verminderen. In zo'n geval helpen zilveren lepels, die tegen de gebogen nek gehouden moeten worden, of bakken regenwater, die vol in het gezicht gepletst moeten worden, of, als het om een kind gaat, optillen bij de voetjes en een tijd ondersteboven houden. Geen kans natuurlijk dat ik sterk genoeg was om Julia aan haar enkels omhoog te tillen. En zilveren lepels? Dit huis was groot, maar het was niet het Dolmabahçe-paleis en zilveren lepels bezaten wij niet. De laatste mogelijkheid dan. Maar om hier nu alles nat te gooien.

Teder en toch stevig pakte ik Julia bij de schouder; wat was er aan de hand? Eerst reageerde ze helemaal niet. Alsof ik lucht was en louter wind produceerde. Toen schudde ze met haar hoofd dat ze het niet kon vertellen. Tot mijn opluchting werd het schokkende verdriet minder. Ze bedaarde wat. En toen, eindelijk, kwam ze tot rust en ze glimlachte. Ze probeerde iets te zeggen, maar ze kwam niet verder dan één verstaanbaar woord, want hup, daar begon het opnieuw. Ik werd er zelf behoorlijk zenuwachtig van. Ik wilde weten wat er precies aan de hand was; bovendien moesten we aan de tijd denken. Julia moest mooi aangekleed worden en met dat janken kwam daar niets van terecht. Die stomme Holland kwam langs om te helpen, maar met twee keer 'Brave hond' kreeg ik hem naar zijn eigen verdieping.

Natuurlijk was Julia bang dat haar vader iets zou overkomen. Dat haar vader samen met die Turkse arbeiders een vliegtuig zou kunnen bouwen dat als een ooievaar in de lucht bleef hangen, ging er al nauwelijks bij haar in. Dat hij bovendien werkte aan een buitenissig model vol brandbaar en ontplofbaar gas, verontrustte haar nog meer. Otto had wel eens verteld hoe Simon op duizelingwekkende hoogte schroeven indraaide alsof hij op de grond op een kilimtapijtje zat. Terwijl hij daarboven goddomme op een aluminium strip stond van enkele centimeters breed en dat aluminium is niet sterker dan de kartonnetjes die ze in de Istanbulse hamams afgeven. Dat buig je zo om en na een paar keer buigen scheur je het door. Ik snap dat niet. Heeft die man dan geen verantwoordelijkheidsgevoel? En waarom moet Turkije zo nodig zo'n kreng bouwen? Laten ze zorgen dat iedereen een zilveren lepel krijgt. Daar heb je wat aan.

Net toen ik water uit een ketel tapte, kwam Otto boven. Een vragend gebaar. Wat is er aan de hand? Of: waar is ze?

Gelijk agressief. Hij wachtte niet op een verklaring, maar liep de grote kamer binnen. Ik zag hoe die twee op elkaar reageerden. Toen Julia Otto de kamer zag binnen komen, uitte ze een kreet en sprong op. Ze klemde zich zo vast tegen hem aan dat ik kon zien dat Otto wankelde en nog net een van de paaltjes kon grijpen, anders waren ze beiden op de kussens gevallen.

Je zou zeggen dat dit verdriet veel en veel dieper ging dan angst om wat haar vader zou kunnen overkomen. Heel even dacht ik aan de mogelijkheid dat Otto haar alles over haar afkomst onthuld had, maar dat vond ik te zot voor woorden. Dat zou Julia toch echt aan mij verteld hebben?

Julia bedaarde door de rust die van Otto uitging. Tegenover haar was hij de charme en de liefde zelf. Die man was een kameleon. Maar dat Julia rustiger werd, luchtte mij bijzonder op.

Gelukkig waren we royaal op tijd. Ik kon haar in alle rust opmaken en kappen. Ik stond terwijl ik haar mooie volle haar kamde te schelden op die stomme ballon en op het gevaarlijke werk dat ze Simon lieten doen. Maar haar gezicht versomberde opnieuw en ik sprong snel over op een ander onderwerp.

Dat luchtschip konden we piekfijn bekijken, overigens. De militaire auto draaide het terrein van de fabriek op. Voor ons, vrouwen, altijd streng verboden gebied. Eigenlijk vreesde ik dat ze ons langs allerlei sluipweggetjes en langs de opzij gegooide aluminiumresten naar de ontvangstruimte zouden brengen, maar nee hoor. Ze deden niet achterbaks en we reden dwars over het open terrein. En daar stond hij. Mijn god, ik wist niet dat hij zo groot was. Er kwam geen einde aan. En dat hij zo zacht was. Dit was geen aluminium, dit was een bruidsjurk. Zo smette-loos, zo wit, met een vuurrode sluier. Ik begreep nu dat het tot een verslaving kon leiden om aan zoiets te werken, zo'n dikke bruid, zo'n glanzende witte geliefde, waar je in kon, die kon vliegen.

Noblesse oblige. Wij stapten uit die militaire wagens en trokken onze modieuze lingerie en rokken recht, omdat ze in de bilspleet bleven plakken. Wij drukten onze rijke hoeden vaster op het kapsel. En, tot onze verbazing, iets verderop, dat gezelschap, dat regelrecht uit het boerenrijk van Trebizonde leek te komen. Een paard onder een hoge houten beugel en een kleurige boerenkar met lage zijleu-ningen. En op die kar vrouwen en kinderen.

Dit moest de familie van een van de invités zijn. Terwijl de zoon een technische scholing ontving en zich verdien-stelijk maakte in een vliegtuigfabriek, waren de familie-leden zelf blijven steken in het boerenleven, zoals heel de reusachtige, meest vrouwelijke bevolking van dit nauwe-lijks ontgonnen en eindeloze land.

Kleurig, dat waren ze. Al die omslagdoeken van mous-seline en katoen met batiktechniek of in kilim of cicim en die onelegante, zwaar geplooide zakbroeken. Al die mo-tiefjes van levensbomen, lopende honden, ramshoorns, ruiten, kammen en zandlopers. Je werd al gek en conser-vatief als je het zag.

Eilaas. Wat moesten wij? Wij konden toch niet anders dan die mensen begroeten en ze een hand geven? Natuur-lijk had iemand ons moeten voorstellen. Dit is mevrouw Dünya Şuman, dit is Julia, dit is Otto Beets. Maar dat werd vergeten en ik stelde mijzelf voor aan de vrouwen en toen, mogelijk door de verbaasde reactie van Julia, vielen ze stil en stonden ze ons aan te gapen. Ik werd er bijna verlegen van. Hoe moet je je in godsnaam gedragen tegenover zoveel zwijgend eerbetoon? Wij zijn zelf ook maar eenvoudige mensen, toch?

Twee zeer oude vrouwen telde ik en zes vrouwen van verschillende leeftijden. De jongste was niet ouder dan een jaar of twintig. Er waren drie kleinere broertjes bij. Het jongste kind was een dot van een Bratwurst. Er was iets met de bouw van dat schatje of met de kleur van zijn huid. Hoe zou hij smaken, dacht ik letterlijk. Hij draaide van mij weg, liep achter de groep vrouwen om en zocht bescherming bij een van de middelbare dames.

Er volgde nog een pijnlijk incident. Want juist omdat wij ons zo wellevend gedroegen, verloren die mensen al snel de schroom en de eerbied. Natuurlijk waren zij geboeid door onze stadse mode. En voor ik het wist stonden ze aan dat spierwitte, peperdure, prachtige hoedje van Julia (halve zon, parelkettingen) te trekken. Allah saklasın, dacht ik, dat gaat mis. Het werd even een harde, maar onvermijdelijke confrontatie. Terwijl ik corrigerend stond te praten, rook ik dat een van de oude dames haar sluitspieren niet meer beheerste en dat er onsociale luchten uit haar dikke rokken opstegen. Je zult ernaast zitten.

Na de start, na het vermoeiend uitwuiven van de ballon, liepen we naar de feestzaal. Wat vormden wij een gouden gezelschap. Julia en ik sprongen er natuurlijk uit en ook doctor Grunwald en de in gala geüniformeerde militairen met hun insignes en tressen zagen er indrukwekkend uit. De familie van de twee constructeurs was zo fleurig boers en zo van alle tijden gekleed dat ze met enige fantasie door kon gaan voor een carnavalsgezelschap. Ik herinner me dat vroeger carnaval gevierd werd door de christelijke gemeenschappen. Ik droeg zelf de zeer smaakvolle Parijs blauwe japon en de blinkende achttienkaraats juwelen. Julia droeg de parels die ik haar geschonken had en de heel kostbare halsketting en armbanden. Alles eersteklas. Alles hartstikke oud en echt. Alles gestolen door mij persoonlijk. Mocht Julia vanwege haar jeugd en schoonheid het middelpunt zijn, ik was de royale en pracht minnende gastvrouwe.

Waar ik uiteraard naar uitkeek, en velen met mij, was de terugkeer van het witte wonder en daarna de binnenkomst van de president. Het zou kunnen dat hij aan mij werd voorgesteld. Hij houdt wel van mollige types, dacht ik. Zeker, Hoogheid, mijn man heeft nog aan uw zijde gevochten bij Gallipoli. Hij moet een dappere indruk op u gemaakt hebben. Şuman was de naam. Niet overleefd, nee, althans niet helemaal.

Terwijl wij in die hal stonden en iedereen langzaam in de richting schoof van de rijk en luxueus gedekte tafels, stond ik bijna vanzelf naast dat oogappeltje, naast die lekkere dikkerd, dat lieve pakketje stoofvlees. Ik pakte een stukje börek, zette de schaal terug op tafel, hurkte bij het kind, gaf het de lekkernij en zoende het op zijn wang. Ik haalde diep adem en ik rook. De lucht van de harszeep waarmee hij voor het vertrek uitvoerig geboend was. De lucht van geitenmelk en kaas en kruiden die om hem heen hing. Zijn adem rook naar yoğurt. Onze wangen plakten een beetje aan elkaar. Het voelde onvoorstelbaar zacht aan. Toen ik mij weer oprichtte, met enige moeite, zag ik dat ik tenminste bij enkele vrouwen van het boerengezelschap een charmante indruk gemaakt had.

Hoe zich te gedragen? Nou, dat wist ik. Ik wil dit graag met enige nadruk zeggen. Zoiets leer je niet door middel van een weekendcursus of een pakket schriftelijke lessen. Mij is op jonge leeftijd al voorgehouden bij welke situa-

tie welke beweging past, hoe de jonge vrouw bukt en op-
staat, hoe zij elegant de glazen en de schotels reikt, hoe
zij de mening van de man respecteert. Een vrouw van de
wereld. Vrij, zelfbewust en toch niet hoogmoedig. Want je
kunt zeggen wat je wilt van Şuman, hij kwam uit een uitstekend milieu en verkeerde in de hoogste kringen.

Toevallig hoorde ik de kleine zeuren dat hij naar de toiletten moest. Hij zei iets plats, maar daar kwam het op
neer. Een opmerking die uiteraard niet voor mij bestemd
was, maar wie zich in gezelschap weet te bewegen, vangt
ook die opmerkingen op. Ik bukte me naar het jochie. Natuurlijk zag ik de argwanende blikken, maar dan moesten ze mij leren kennen. Ik pakte zijn handje beet, telde
al zijn vingertjes en zei dat ik hem de weg wel zou wijzen.
Een van de vrouwen schoot naar voren en riep 'Nee, nee,
nee', met een beslist schudden van haar hoofd. Het was
onduidelijk wat ze vreesde. Ik wachtte rustig. En ja hoor.
Dat feestjoch begon opnieuw te zeuren dat hij zo nodig
moest.

'Kom maar met mij mee,' zei ik. Hij gleed van de schoot
van de oude vrouw, die zenuwachtig gebaarde alsof het
kleinkind of achterkleinkind haar nu ontroofd werd. Ik
pakte het ventje bij de hand en glimlachte tegen de dames. Sommigen keken mij aan alsof ik een smerig voorstel
had gedaan. Maar omdat ik verder niets uitlegde en omdat ze zelf totaal de weg niet kenden en doodsbang waren
dat ze zouden verdwalen, moesten ze het wel goedvinden.
Het liefst waren ze me alle acht gevolgd. Ik zag ze aarzelen, maar de beweging kwam net niet op gang. Dus liep
ik met het jochie aan de hand door de hal, wat een schattig gezicht geweest moet zijn.

De nieuwe toiletgroep was in een ruime kelder gebouwd
en voorzien van spiegels en vakkundig aangebracht tegel-
werk. Ik trok de kleine een wc in en sloot de deur met een

haakje. Wat ging er in dat joch om? Ik moest me inhouden om me niet met volle happen en teugen op dat smakelijke ventje te storten. Met trillende handen maakte ik zijn kleren los, trok zijn hemdjes en bloesjes omhoog en schoof zijn broekjes helemaal tot op zijn enkels. Ik zette hem voor de pot.

Het joch voelde aan de tegels, greep naar de blinkende attributen die bij zo'n toiletgroep horen. Hij schopte verbaasd tegen de porseleinen pot.

'Moet het daarin?' vroeg hij.

'Doe maar lekker,' moedigde ik hem aan. Hij produceerde een aarzelend, zoekend straaltje, dat maar net binnen de potrand bleef, en toen spetterde hij vrolijk een gezonde jongensstraal. Ik schoof mijn handen langs zijn heupen voorzichtig naar beneden. Ik pakte uiterst behoedzaam met een duim en twee gelukzalige vingers zijn onbesneden pikkie en schudde dat langdurig tot hij echt helemaal leeg was. God, wat was dat een genot, dat kleine worstje. Dit was het absolute tegendeel van Otto. Ik kon hier onmogelijk op de koude tegels gaan liggen, mijn dure jurk omhoog sjorren en het blote kind wijdbeens op mijn buik zetten en dan de hele dag paardje spelen. Maar hoe graag, hoe dolgraag, had ik dat gewild.

Otto, Otto, hoe leer je zacht te zijn.

Teruggekeerd uit mijn genotvolle fantasie zag ik dat de kleine geluidloos stond te huilen. Had ik hem pijn gedaan? Schaamde hij zich voor de vreemde mevrouw? Niets vragen, dacht ik. Kleertjes goed, sussend woordje, traantjes droog en netjes terugbrengen.

Er ging een presidentieel nieuwtje rond. Het werd met enige voorzichtigheid, maar met verholen pret doorverteld. Sommigen hadden het gezien, anderen wisten dat het de gewoonte was: de president was samen met zijn

jongste pleegkind. De vijfjarige Ülkü liep, als altijd gekleed in een wit jurkje, aan de hand van Mustafa Kemal
Atatürk, zoals bij anderen altijd een basset of een smous-
hond aan een lijn vastzat. Ze wandelde naast de Gazi over
de plankieren, wachtend op de terugkeer van het witte
luchtschip. Aan alle kanten grote kerels, die haar vriendelijk maanden haar witte schoentjes en sokjes niet vuil te
maken op het ruwe en smerige fabrieksterrein.

Ach, Şuman, als je me kunt horen. Ik weet niet waar je
bent, maar je verschijnt me af en toe, dus op een of andere wijze besta je voort en misschien kun je me verstaan.
Jouw Dünya is in ere hersteld. Ik ben intiem met de aller-
hoogsten. Straks ben ik weer terug in Beyoğlu. Ik heb het
niet slecht gedaan, alles bij elkaar.

Dr. Paul Grunwald

Omdat in de tweede grote hal gewerkt werd met pegamoid en met dunne ballonstof, was deze hal strengstens verboden voor onbevoegden. Onbevoegden konden immers met hun schoeisel kleine scherpe voorwerpen mee naar binnen nemen. De kleinere tussenhal was bijna leeg. Gondels, motoren, elektrische leidingen en het kleinere technische instrumentarium waren gemonteerd en ingebouwd. Daarom leek mij de tussenhal ideaal voor de plechtige ontvangst. Ik had grootscheeps laten ontruimen. Er stond nog een houten, half opengewerkte stuurhut. Die had als model op ware schaal gediend en daar hadden ze de instrumenten in geschroefd om te testen. Er stonden enkele werktafels met utensiliën. Er hing wat apparatuur. Deels bedekt met Turkse vlaggen, deels naar achteren geschoven. De feestelijk gedekte tafels, de groenslingers van lentetakken langs de metalen binten en de grote bloemstukken goochelden in de fabrieksruimte een wondermooie feestzaal. Er waren lopers voor de tafels uitgerold. Langs de kant stonden stoelen, die als model voor het meubilair van de passagiershutten op zicht waren gevraagd. Wij hadden ze afgekeurd, maar nu kwamen ze goed van pas.

Je voelde de spanning. Iedereen stond onder druk. Het duurde te lang. Eerst dat ellendige wachten tot de president er eindelijk aan kwam. Daarna het wachten tot het luchtschip terug was en de test geëindigd zou zijn. Ik wist dat ze allang terug hadden moeten zijn.

De militairen liepen kromteens, omdat Atatürk in de buurt was. Die landbouwfamilies stonden stijf van de zenuwen langs de kant. Ze waren doodsbang dat ze een verkeerd woord zouden zeggen of dat ze een vinger te vroeg naar de lekkerhapjes zouden uitsteken. Mooie Julia liep er wat treurig bij. Bang natuurlijk dat haar vader iets zou overkomen. Dünya Şuman liep rond als een sultane, omdat zij alles betaalde. Ik had haar gezegd dat ze aan dat royale gebaar geen rechten kon ontlenen. Bij de militairen had ik erop aangedrongen dat de president haar straks zou spreken en bedanken. Dat had ze verdiend, vond ik. Bij het vermoeden dat haar zoiets zou overkomen liep ze trillend als een circuspaard zinloze rondjes in de hal. Alleen die Otto leek een kouwe. Die liep erbij als dr. Steelhammer. Maar ik had hem door. Die voelde zich voorzeker niet op zijn gemak. Hij was niet gewend aan mensen. Die Otto was al jaren alleen omgegaan met de paar mensen in zijn naaste omgeving. Ik hield hem pittig in de gaten en daardoor zag ik zo-even dat hij razendsnel een raki inschonk. Hij verborg het glas in het holle van zijn hand en draaide naar de achterkant van de hal. Hij veinsde een belangstelling voor de werktafels en voor de hijskranen met katrollen, maar verderop goot hij de drank kwiek naar binnen. Niemand had toestemming aan de drank en aan de lekkerhapjes te zitten. Iedereen moest wachten tot de president er was. Alleen voor de dorstigen was er een of andere roze moslimdrank beschikbaar, waar enkele sommeliers mee rondgingen. Otto was een handige jongen, maar ik had hem gezien en ik vroeg me af of het zijn eerste raki was.

De militairen en de heren van de Turkish Aviation Society kwamen allemaal met ongevraagde adviezen. Ik werd gek. De kleur, de motoren, het aantal ankertouwen, het materiaal, de vorm, de plaats van de bestuurdersgondel, de ballast, de benzine en de olie: over alles hadden ze iets op te merken, te vragen of te suggereren. De meeste vragen kon ik beantwoorden. De meeste opmerkingen kon ik met een glimlach of met een hautain gebaar, bepaald door de rang van de zeur, van mij af laten glijden. En de suggesties? Ach, sommigen zou je zo een kontschop willen geven. De militairen hadden zich vriendelijk gedragen. Die pikken van de Turkish Aviation Society waren onbenullen. Die geloofden dat het waterstofgas gebruikt werd als brandstof voor de propellers of dat we de lucht in gingen omdat we de magnetische aantrekkingskracht van de maan gebruikten.

Een slordig opgehangen vlag rechttrekken, een katrol uit het zicht duwen; weer zo'n kwast van de Turkish Aviation Society die tegen me aan ging toeteren. Hij sprak me aan met 'professor' en 'doctor'. Hij benadrukte dat ik Duitser was terwijl ik godver dat verrotte Turks heb leren spreken. Zitten er zoveel Duitse accenten in mijn uitspraak? Hij kwengelde over Spanje en vond dat die gasten flink op hun donder moesten krijgen. Het bleef onduidelijk welke gasten hij bedoelde. Ik probeerde van hem af te komen, maar hij stond maar met zijn uniform tegen mij aan te rijen. Duitsers, daar had hij nou de grootste bewondering voor. Hoe die erbovenop kwamen. Hoe die lieten merken wie er de baas was. Hij zei 'Hitler bey efendi', wat uiterst lachwekkend klonk. Na iedere zin had hij de gore lafheid om te benadrukken dat iedereen mag denken wat hij wil. Zelf kon hij moeilijk partij kiezen. Intussen vertelde hij wel vol vuur dat hij naar de naziparade met de intocht van de Rijkskanselier in Bückeburg was geweest en bij het nazifeest in Nürnberg en laatst in München, ook bij zo'n vlaggenparade. Hoe ongelooflijk dat allemaal georganiseerd en geregisseerd was. Waarom ik beleefd bleef, begreep ik zelf niet. Misschien wou ik niet met politiek geschreeuw het feest verpesten. Hij begon over Rosenberg en Goebbels. Dat zijn namen die je niet moet uitspreken in mijn buurt.

Kon ik daar slaghagel uitdelen? Zeggen ze dat hier zo? Ik genoot hier gastvrijheid. De Turkish Aviation Society was een van de organisaties die mij hielpen aan werk en aan een bestaan. Dat betekende niet dat je alles tegen mij kon zeggen. Voor een bijtscherp commentaar op een lofrede voor Rosenberg of Goebbels wilde ik doodgaarne een complete testvlucht verzieken.

Als ik kwaad ben en mij opwind, kleurt mijn sterke kale kop purper en mijn wangen trillen. Met van verachting smakkende tong begon ik mijnheer duidelijk te maken dat ik Jood was. Dat ik uit Duitsland verdreven was door dat verachtelijk gespuis waar hij de lovende trompet over stak. Dat ik hem met zijn naïeve vaandelbewondering duidelijk kon maken wat de werkelijke bedoelingen waren van deze Rosenberg en Goebbels en Hitler. Dat ik familie had wonen in de Lothringerstraße en in de Gipsstraße te Berlijn en wat dacht de ophemelaar wat het lot van deze mensen zou zijn? Dat hij niet moest denken dat ik mij hier als gast alles liet zeggen. Dat mijnheer al die vlaggenparades prachtig mocht vinden maar dat hij mij niet hoefde te vertellen dat hij het liefst zijn arm tot aan zijn elleboog in de reet van die fascisten wilde steken.

In mijn handen had ik een glas met moslimdrank. Omdat ik mijn woorden kracht bijzette door op een zinnebeeldige tafel te slaan, spatte die rozenpulp wild in het rond. Alle beledigingen die ik naar de kop van die lulhannes wierp, zonken kennelijk in het niet bij de schade aan zijn uniform, omdat er spatten van mijn drank op kwamen. Hij luisterde niet eens, keek naar zijn jas en broek, waar enkele vlekken op verschenen. Hij staarde mij verbijsterd aan als een klein kind bij wie een wilde logé het blikspeelgoed kapotmaakt.

Dan zijn militairen handig. Ze hebben tijdens hun opleiding geleerd hoe ruzies te sussen. Razendsnel stonden drie, vier van die jongens bij ons. Ze spraken en lachten hard om ons geschreeuw te overstemmen. De andere gasten konden denken dat het niet om een ruzie ging maar om een uit de hand gelopen witz die ik vertelde. De kwijlebal werd afgevoerd naar een wc om zijn uniform te reinigen en iemand lulde tegen mij aan over een heel ander onderwerp. Alles in twee, drie seconden. Terwijl ik van mijn woede terugkwam, gaf ik stotterend antwoord op de idiote vraag of ik ook zulke geile gedachten kreeg van die dochter van Krisztián. Op de normaalste, verstaanbare toon uitgesproken. Alsof mij gevraagd werd of ik van dat rozenspul ook zo vaak oprispingen kreeg.

Turken en Duitsers: ze zaten toch aan elkaar vast. Als twee boksers die van elkaar geld en gordel leenden. Of als die Otto en Simon. Verdomd, zo was het. Wat een abnormaal stel was dat. Twee kerels die een dochter opgevoed hadden. Wat voor een dochter. Je wist dat het de dochter van Simon was. Kon je wel zien. Als je het niet zou kunnen zien, zou je niet weten wie van de twee de vader was. Die Otto was net zo gek op die meid. Wie had daar ooit van gehoord? Twee mannen die een kind opvoeden? Nederlanders! In Nederland kon alles, zou je denken.

Dünya Şuman liep met dat kind van de provincialen door de hal. Zij grimaste om zich heen dat ze de kleine naar de toiletten bracht. Zij bleef ons verbazen. Het was mij een raadsel waar zij het geld voor deze grootse ontvangst vandaan had gehaald. Waarom zij dit deed? Alle mooie en filantropische verklaringen waren leugens. Volgens mij ging het haar om eerherstel. Dit keer wilde zij de betalende partij zijn. Dit keer wilde zij de rijke mevrouw zijn, die uitnodigt en bij wie men mag aansluiten. En daar had zij het geld voor over. Dikke Dünya Şuman. Dat was niet mijn benaming. Die benaming kende ik allang. Naast de werkelijke Dünya Şuman, in opdracht van het Militair als hulp bij Simon en Otto geplaatst, bestond er een Dünya Şuman uit de verhalen, een bijna mythische Dünya Şuman.

Toen ik in 1933 arriveerde via het Comité Notgemeinschaft deutscher Wissenschaftler im Ausland te Zürich, ben ik zoals verschillende lotgenoten terechtgekomen aan de universiteit van Istanbul. Atatürk was niet gek. Hij kon met de Joodse geleerden die Duitsland verlieten zijn onderwijs een flinke wetenschappelijke injectie geven. Istanbul was een stad van mengculturen. Geen wonder dat er aan de universiteit verschillenden rondliepen die na de spanning van pogrom en vlucht hun heil zochten in een baldadig uitgaansleven. 's Avonds en 's nachts bezochten zij de restaurants en de bars en de nachtclubs alsof het leven geen ellende en geen doodseinde meer kende.

Een van die fuifnummers aan de universiteit, een zekere dr. Avram Faik, hield ons met zijn verhalen uitputtend op de hoogte van het feestleven. Hij vermaakte ons met zijn gedetailleerde beschrijvingen van de gezelschappen die de dure restaurants afliepen. De wisselende kern bestond uit rijke Griekse bankiers, Joodse juweliers, Italiaanse architecten, medewerkers van het Franse consulaat en van het Russisch archeologisch instituut en in het bijzonder de Armeniër Surp Ohan Voskiperan. Zij lieten zich in de armen van mooie meiden de Turkse gerechten lekker smaken, dronken wijn, rookten dure longfiller-sigaren, lieten zich op de eeuwige foto zetten en maakten de vrouwen in het gezelschap het hof. Zo'n restaurant werd een waar genotzoekersrefugium.

Een van de vermakelijkste en steeds terugkerende verhalen was een oud verhaal over een dikke, maar knappe griet. Zij sloot zich op straat als wildvreemde bij het gezelschap aan, ging mee naar binnen en zat tot verbazing van de meeste heren snel op een stoel. Ze vermaakte zich uitstekend met de andere meiden, die meestal niets doorhadden. Want zelf waren dat los-vaste scharrels en toevallige vriendinnen en zij kenden ook niet iedereen. Dünya Şuman dus.

Alle heren vonden dat ze er wellustig uitzag. Niemand hoefde zich voor haar te schamen. In de beste restaurants viel zij niet uit de toon. Ze had manieren. Vandaar dat niemand serieus bezwaar maakte tegen haar aanwezigheid. Het verschijnsel was bekend. Soms werd de afspraak gemaakt, het gezelschap geteld (Dünya aanwezig? Nee, geen Dünya) en het exacte aantal gasten snel doorgegeven aan het restaurant. Wat bleek? Bij de voorspijs zat ze er godverdomme toch tussen. Iemand anders had op het laatst afgezegd of iemand had haar plaats aan Dünya Şuman afgestaan of hoe ze dat anders flikte.

Dr. Avram Faik had nooit iemand gesproken die enige ervaring met haar op het gebied van de liefde of op het gebied van de pure geile seks had beleefd. Toch gingen er nog steeds verhalen over Dünya Şuman. Want waar bleef ze in hemelsnaam na die gezamenlijke maaltijden? Als een ballondikke Assepoester verdween ze na afloop pijlsnel in een taxi. Ze ging naar de toiletten en was niet terug te vinden. Ze liep met een vriendin mee, die haar kwijtraakte. Versierde ze iemand na zo'n feest? Maar wie dan?

Een enkeling zag haar overdag somwijlen lopen. Ze winkelde. Ze slenterde over de İstiklâl. Ze liep daar, duur gekleed en geschoeid, maar altijd met grote tassen. Vanaf ongeveer 1930 verdween ze uit het straatbeeld van Beyoğlu.

Zo vertelde dr. Avram Faik en toen ik hier werd aangesteld, trof ik tot mijn verbazing de mythische Dünya Şuman als huishoudster bij een van mijn beste mensen.

Langzamerhand waren er verschillende groepen wachtenden ontstaan. Het trillende gezelschap provincialen, schuil onder de werktafels en plat tegen de muur. De galamilitairen, die in- en uitliepen en dat met veel militair pasvertoon. Vrijwel onopgemerkt vormden zij rond een podium een haag, waar straks Atatürk zou zetelen. En midden in de ruimte, een beetje verloren omdat de hal toch erg groot was, de groep van Otto, Julia, wat mensen van de Turkish Aviation Society en twee jonge boerinnen, die erbij gesleept waren. Dünya Şuman, terug van de wc en dat kind weer ingeleverd, flaneerde in volle galop tussen de groepen door. Om de kleding van Julia te herschikken, om te laten zien dat zij de belangrijkste gast was, om de saluerende militairen te verleiden, om de sprong naar de guirlandes te wagen. God mag weten wat de argumentatie van een opgewonden wijf is.

'Dag mevrouw Şuman,' zei ik toen ze langsdraafde. Zij remde zodat alles een tijd natrilde.

'Mijnheer de directeur. Wanneer komen ze eindelijk?'

Zij moest mijn uitval naar die vent van de Turkish Aviation Society gehoord hebben, maar ze paste wel op daar precies naar te vragen.

'Dat vliegtuig had toch allang terug moeten zijn?'

'Hoe bedoelt u dat?' vroeg ik. Ik wist verdonderd goed waar ze op doelde. 'Welk vliegtuig?'

'Gut, ik bedoel die ballon. Ons luchtschip.' Een korte, hoge lach. 'Ik bewonder u zeer, doctor Grunwald. Mag ik Paul zeggen?'

'Nee,' blafte ik kortaf.

'Ach nee, natuurlijk niet.' Haar snelheid van reageren was vermakelijk en bewonderenswaardig. 'Ja,' ging zij op gewone babbeltoon verder, 'we wachten en we wachten. Maar ik heb de indruk dat het veel langer duurt dan de bedoeling was.'

Toen, met een knix, maakte ze een eind aan het ge-
sprekje.

'Doctor Grunwald, u bent een gentle Jewish ladykiller.'

En de glimlach die ze me schonk, kon geen enkele hoer
haar verbeteren.

Otto had een stoel gepakt en was achter een werktafel
gaan zitten alsof hij hier adviezen ging uitdelen. Hij keek
rond alsof hij wilde vragen: 'Wie wil er een komiek verhaal horen?' Ik kende Otto wel; ik had hem bij een bezoek scherp geobserveerd. Mensen als Otto wilden pas met
vertellen beginnen als ze verzekerd waren van een aandachtig gehoor. Tot nu toe liep iedereen druk langs hem
heen. Vooral de militairen, die steeds dezelfde voorberei-
dende handelingen troffen voor de komst van de president
met de kleine Ülkü bij de kraag. Vandaar dat de start van
de anekdote bij vertellers als Otto altijd traag was, aarzelend, met herhalingen, zelfcorrecties en onderbrekin-
gen als 'eh', 'ah', 'enne'. De aandacht van de anderen, die
hun eigen zin afmaakten, die lachten om elkaar, moest
eerst getrokken worden. Het mooiste moment voor zo'n
verteller was een toevallige stilte, die pijlsnel benut werd
om met stemverheffing en gezag de anekdote werkelijk te
starten.

Otto had een klein gehoor bijeen gekregen: Julia; twee
kerels van de Turkish Aviation Society, kletsmajoors die
enkele keren hard gelachen hadden om opmerkingen van
Otto; verder een van onze beste constructeurs, die samen
met twee jonge boerinnen – een ervan was een acceptabele
melkmeid van zo'n vijfentwintig jaar – door Otto uitdrukkelijk aan zijn tafel was uitgenodigd; en natuurlijk Dünya. Maar die liet zich niet gemakkelijk dwingen. Zij luisterde kort naar Otto en liep weer door. Om vervolgens na
enkele zinloze passen stil te staan en terug te keren en na

een halve zin opnieuw ongedurig door te lopen. Ik meende te zien dat dat gedrag Otto ergerde.

De bezige militairen liepen langs de drukke tafel. Die moppentappers moesten geen roet in het president-eten gooien, dachten ze. Ik hoorde Otto enkele woorden in het Nederlands zeggen, die ik niet kon duiden. Bij Julia brachten de woorden een glimlach op het gezicht, die de merkwaardige treurigheid opzijschoof. Otto zei in het Engels dat hij haarfijn zou uitleggen waarom dat luchtschip buiten zo leek op het lieve kind naast hem. Op Julia dus. Hij sprak verstaanbaar ondanks de herrie die enkele militairen plotseling maakten met het wegschuiven van een zware tafel. Zijn Engels was wonderlijk genoeg niet aangetast door de raki. De mededeling bracht een geproest teweeg, niet bij Julia, maar bij dikke Dünya Şuman. Hoofdschuddend om zoveel onzin verwijderde zij zich uit de groep.

'Gaat het een beetje, mevrouw Şuman?'

'Het duurt te lang, mijnheer de directeur.'

'Ja,' gaf ik toe.

'Worden we gewaarschuwd?'

'Uiteraard. Bij de geringste kleinigheid komen ze me in kennis zetten.'

Dikke Dünya keek me stralend aan. 'Wat zegt u dat onnavolgbaar elegant,' zei ze en ze liet een kakelende lach volgen.

'Wat zit Otto Beets daar allemaal te kletsen?'

'Die maakt een vergelijking. Heeft hij van Simon gehoord. Toen Julia klein was, was ze heel wit en ze woog bijna niets. Net als het luchtschip. Hij vertelt het wat omslachtig.'

Er werd gelachen aan Otto's tafel.

'Maar geestig,' zei ik.

Ze haalde haar schouders op en weg was ze weer.

Het was daar een vrolijke stemming. Luisteren naar Otto was kennelijk leuk. Beter dan dat eindeloze wachten op de terugkeer van het luchtschip, waar iedereen katterig van werd. Otto zat onderuit. Hij had geen enkele last van de raki.

Plotseling liet Otto zo'n namaaktoevallige stilte vallen, waarin hij als entertainer iets nieuws kon aankondigen. In die stilte hoorde ik hem een verhaal beloven over Julia. Over de tijd dat ze net geboren was. Een belangrijk verhaal dat bijna niemand gehoord had en dat zijzelf ook niet kende.

Juist wilde ik mij omdraaien, want wat had ik met de familiegeschiedenissen van die gojim te maken, toen ik een luid protest hoorde. Uit mijn ooghoek zag ik dat diezelfde Goebbelsliefhebber die ik al rozenpap over zijn uniform had gegoten, opnieuw met zijn glas half omhoog, als vochtige imitatie van een Hitlergroet, en een druipnat uniform stond. Dünya Şuman, die Otto natuurlijk ook had gehoord, had zich tussen een paar luisteraars van de Turkish Aviation Society gewrongen. Dünya wierp zich met enig geweld tegen de werktafel aan waar Otto achter zat. Die tafel zat vastgeschroefd aan de vloer. Enkele toehoorders stonden snel op en weken achteruit. Wat ik zag, kon gewoon niet. Wat deed ze in godsnaam? 'Mevrouw Şuman, mevrouw Şuman.' Maar het leek of ze niets meer hoorde. Het was een prestatie waar ik de dikke Dünya Şuman niet toe in staat achtte. Voor zo'n stap, de knie hoog op de rand van de tafel, was een behoorlijke lenigheid nodig. Ze graaide naar Otto's gezicht, alsof ze hem wilde slaan. Ze duwde haar hand tegen zijn mond. Otto kon even niets meer zeggen.

Dünya Şuman

Wat een wreed gekozen tijdstip. Met zijn verhaal zou Otto Julia van een vader beroven. En bovendien van een identiteit en een gekoesterde band met twee volkeren, het Turkse en het Nederlandse. En hij zou Julia opschepen met een onmogelijk te achterhalen verleden. Een leegte van onzekerheid en leugens. Onduidelijke Turkse ouders en voorvaderen. Of Armeense. Of Griekse. Of Joodse. Dat verhaal had natuurlijk het wrede geheim van die twee mannen, Simon en Otto, moeten blijven. Zelfs mij had het nooit verteld mogen worden. Dat wrede geheim dreigde Otto nu te onthullen. In het openbaar. Terwijl Julia al die verschrikkelijke woorden kon horen en nooit meer uit haar ziel kon strijken. Kortom, actie. Ik vloog overeind en liep langs de heren van de Turkish Aviation Society, die prompt in de weg zaten, en hoeps, sorry, enige haast was geboden.

Streng en waardig had ik Otto willen aankijken. Hem de vraag willen stellen hoe hij het durfde om dit onderwerp aan te snijden. Met gezag had ik willen handelen. Zodat iedereen kon zien dat ik een bijzondere positie innam. Toen ik langs de geüniformeerde heren naar Otto liep, was bij mij geen enkele gedachte, geen enkel vermoeden aanwezig dat ik mij zo diep moest laten zinken.

Maar staande voor Otto voelde ik dat de hele wereld van deftigheid, en sier, en avondlijk vermaak, en indrukwekkend uitgaan kantelde.

De vlammen sloegen mij uit. Ik zag zijn ogen, ik zag zijn

mond en de enige gedachte die ik koesterde, was: jij hebt mij verkracht en ik mag je wel.

Ik pakte Otto's hoofd. Ik drukte mijn hand tegen zijn mond. Wat zei ik tegen hem in die ene stille seconde? Welke onhoorbare woorden zei ik met die druk van mijn hand en met mijn sprakeloze paniekogen?

Otto, zei ik, je hebt me verkracht. Je komt geregeld langs, zei ik. We hebben een band, Otto. En dat is belangrijk. Zoiets gooi je niet weg. Zeker niet in dit eindeloze land, waar je je als mens zo verschrikkelijk eenzaam kunt voelen. Dat moet jij weten, Otto. En Simon en Julia hebben ook een band. Die moet jij niet even willen doorsnijden, lummel. Toen zij klein was, hadden jullie haar nodig om verder te trekken. Klopt, nietwaar? Om een doel in je leven te hebben. Nu zij volwassen is en haar eigen leven begint, heeft ze jullie nodig als een baken, als een rustpunt. Als de twee die haar plaats in de kring vrijhouden zodat zij bij gelegenheid terug kan komen en tussen jullie weer mee kan doen omdat zij daar, bij jullie, de danspassen van het bestaan kent. Ook al zou ze ergens anders gaan leven, in haar hoofd moet ze jullie weten te vinden en in haar bewustzijn moet ze jullie kunnen aanspreken. Jij gaat haar dit toch niet afpakken, Otto? Zo wrak ben je toch niet. Dat recht heb je niet.

Dit zei ik allemaal. In die ene doodstille seconde. En ik zei nog meer, dat het stadium van woorden en formuleringen niet eens haalde. Dat bleef steken achter de ogen en achter de wil en het verlangen en dat als onmachtige argumenten, opgestuwd vanuit mijn ingewanden en dwars door mijn poezelhuid en mijn complete crème de la crème heen, mijn verzoek steunde, mijn smeekbede versterkte. Dat het opleggen van mijn wil dwingend probeerde te maken.

Maar terwijl Otto normaal snel van begrip was en hij

mij in een fractie van een seconde kon peilen, leek hij nu (en ik rook dat hij raki gedronken had) een trage zwemmer, een zwijmelaar die langzaam bewoog en langzaam dacht. Ik voelde dat hij zijn mond onder mijn hand vandaan wrong en ik hoorde hem nog een paar woorden zeggen. Over blikken melk wilde hij vertellen, alleen maar over die levensreddende blikken melk. Ik begreep dat het een afleidingsmanoeuvre was, al begreep ik de inhoud van de manoeuvre niet. Dat was niet belangrijk. Otto moest gestopt worden.

Vlak voor mijn grootste triomf, een samenspraak met Zijne Voortreffelijkheid, de president van Turkije, moest ik een beslissing nemen.

Óf ik wilde een leven in Beyoğlu en een flaneren door de İstiklâl Caddesi terwijl overal om mij heen de blikken zouden verraden dat men mij herkend had. Dat is Dünya Şuman, de vrouw die met Atatürk gesproken heeft. Dat is mevrouw Şuman, die de duurste ontvangsten betaalt. Maar dan moest ik snel Otto loslaten, hem laten praten en zelf deftig boven alle gekrakeel staan.

Óf ik wilde de geheimen bewaken en ten koste van alle fatsoen verhinderen dat Otto op deze onmogelijke tijd en plaats alles vertelde. Dan zat ik wel vast aan een leven te midden van een krankzinnig gezin, bestaande uit twee Hollandse kerels, die elkaar nooit begerig hebben aangeraakt maar die hun hele leven samenwonen, en een dochter van een van hen, die geen dochter is. Opdat ik maar een moeder wilde worden. Opdat ik bij tijd en wijle maar wilde gaan liggen als Otto toevallig zin had.

Dat was de keuze die ik moest maken. De eerste mogelijkheid kostte mij Julia; de tweede kostte mij Beyoğlu en de president.

Dat was het offer dat ik moest brengen. Wie kon in de

gaten hebben dat ik een heldendaad verrichtte, behalve Otto?

Omdat ik kramp in mijn benen kreeg van deze gerekte houding, waarbij één been half op tafel knielde en één been tegen de tafel klem stond, en omdat in beide benen een ergerlijke tinteling voelbaar werd doordat de bloedvaten afgekneld werden, sjorde ik met een ruk mijn jurk omhoog en kroop zo snel mogelijk over de tafel naar Otto. Ik trof het dat die tafel een ouderwetse, stevige tafel was en niet zo'n ultratuttig meubel met wiebelschragen en een los blad. Ik trok Otto aan zijn oren naar me toe, probeerde hem in mij te laten verdwijnen zodat hij altijd stil zou zijn. Ik probeerde Otto's mond gesloten te houden en hem met mijn ziel en met mijn zware lichaam toe te spreken en hem ervan te overtuigen dat hij moest zwijgen.

Wat vind jij zo aantrekkelijk aan mij, Otto? Dat ik nu eens niet een benig komkommerlichaam heb, dat in modieuze glitterjurkjes en stappertjes past, maar dat ik gewoon rondloop met volle vormen en met fraaie hoempatieten en een dikke combokont, zoals jij dat in je half complimenteuze, half beledigende en soms gewoon onbeschofte taal noemt. Ik haat de manier waarop jij je tegenover mij gedraagt. Maar 's avonds kijk ik naar je uit, Otto. Ik kijk naar je uit. Ik vind het vreselijk als jij niet komt op een avond dat ik op jouw komst reken. Snap jij dat, Otto? Dat er zo'n dubbel gevoel kan ontstaan? Denk je niet, Otto, dat je met zo'n dubbel gevoel moet leren leven? Zoals Simon moet leven met het gevoel dat hij tegelijk wel en niet de vader van Julia is.

Denk je dat je het op den duur zult leren, Otto? Zachter zijn, rekening houden met mij, belangstelling tonen voor mijn problemen, bewondering uiten voor mijn vormen? Je handen leggen op de wonden in mijn zij?

Ik houd niet van je, Otto. Maar alles valt te leren, zelfs de liefde. Je bent me vreemd. En in dat vreemde zit ook iets aantrekkelijks. En misschien daarom wil ik je tegemoetkomen, Otto, maar er zijn voorwaarden. Een daarvan is dat je moet zwijgen.

Mijn lippen drukte ik op de mond van Otto. Vol overgave zoende ik hem. Het hele gezicht van Otto zoende ik.

Verschillende geuren bereikten mijn neus. De lucht van Otto. Zijn huid, die altijd geroken had naar wat ik een hardlopershuid noemde. De geuren van mijzelf. Dwars door de heerlijke geur van de parfums van Necib Bey rook ik de hunkerende lucht van mijn warmte. Ik rook de dames en heren om mij heen. Hun adem van geperste knoflook en van tot pap gekookte en gepureerde courgette. De overvloedige Lycische olijfolie rook ik. De stilte om mij heen hoorde ik en heel in de verte een onheilspellend koor van lachende stemmen. Ik voelde de adem van Otto gelijk gaan met de mijne. Ik voelde Otto graaien. Er zat een hand in mijn oksel. Wat deed Otto precies?

Otto probeerde mij weg te duwen, want terwijl ik op de tafel geknield lag, drukte mijn bovenlichaam zwaar op hem. De bijna pijnlijke houding die ik innam. Mijn monsterlijke, allesverpletterende lichaam. Om mijn evenwicht te bewaren, drukte ik mijn kont naar achteren en omhoog. Ik had mijn jurk opgeschort en het was mij een levensgroot raadsel waar die zich nu ophield. Ik hing boven op Otto. Hij kon niet meer. Hij was niet meer in staat tegen te stribbelen. Met mijn lichaam verkrachtte ik Otto, omdat ik het kind wilde beschermen. Omdat ik Julia niet de geheimen wilde laten horen die Otto in zijn agressieve dronkenschap wilde uitschreeuwen.

Een alarm begon te loeien, toen ik bij mij vocht voelde lopen. Wat gebeurde er? Ik draaide mij om en zag het gezicht van mijn lekkere joch. Wat stond hij hoog. Stond hij mij nat te gooien?

Een inwendig vlies brak en tegelijk met een walm van oud of nat tapijt, die van mijn dure jurk leek af te komen, drong een afschuwelijk geluid tot mij door van hoog en hard gelach. En in harmonie met de minachtende lach-stemmen van de heren en het schelden van de verderop staande militairen, klonk al het kraaien, kakelen, loeien en hinniken van de boerinnen uit Trebizonde, die zich da-nig vermaakten en met leedvermaak de stadse situatie be-commentarieerden.

Dr. Paul Grunwald

Attenoj! Dat was een vermakelijke stunt. De angst dat er iets met het luchtschip gebeurd was groeide en groeide. Er waren problemen van reuzen op komst en wat er morgen zal gebeuren valt te vrezen. Maar ik dacht: als het meevalt met de testvlucht, als het luchtschip onbeschadigd binnenkomt, zal de toorn van het Militair zich alleen op Dünya Şuman richten. En dankzij haar salto sensuale dachten we even aan iets anders. Ik had me veelmalig afgevraagd hoe de Şumanse curven onder die jurk precies liepen. Tot mijn volle tevredenheid is mij weinig onthouden.

Dünya Şuman liep naar Otto toe, zei iets, stond vlak voor hem, leek hem te psychologiseren. Alsof ze een hele monoloog tegen hem afstak. Woordeloos. Misschien had ze ooit zo'n monoloog uitgesproken en probeerde ze die bij Otto in de herinnering terug te roepen. Onze witzige schwadronneur wierp iets tegen, maar direct werd hem letterlijk de mond gesnoerd door de hand van Dünya.

Het ging razendsnel. Otto zat achter de tafel. Voor hem stond de imposante honderd en zoveel kilo van Dünya Şuman. Otto kon geen kant op. Otto zat in zijn jofele kleding. Eerlijke en eenvoudige kleding, die hij altijd draagt. Geschuierd voor het feest. Zo is Otto. Dünya Şuman in prinsessenjurk met damesschmuck. Prachtig, maar niet eerlijk. Zij is geen prinses, zij is geen dame. Toen gebeurde het ongelooflijke: zij drukte haar been tegen de tafel aan

en met één beweging leek zij haar nijlpaard op te tillen zodat het half over de tafel kwam te liggen. Twee jongens die
rondliepen met die roze limonade schoten te hulp, maar ik
gaf ze een teken dat ze niet moesten storen. Ze zullen gedacht hebben aan een opvoerinkje, een harlekijnspel, een
buikige dans. Mevrouw Şuman steunde met haar ene knie
op de tafel. Nu moest haar jurk ver opschuiven, of scheuren. Zuinige Dünya trok bijna vanzelf haar jurk in een
nonchalante beweging onverschillig hoog, zodat haar bo-
venbeen en dij bloot kwamen. Dat gaf een ademstokkende
blik op opulente witte bouten. Zij kroop op tafel en plofte boven op Otto. Op deze beweging hoorde je overal in de
hal kreten van ontsteltenis.

Dünya schoof op. Zij stuurde haar kont omhoog. Haar
jurk, toch al prostituantelijk hoog opgeschort, kroop nog
verder. Het gaf zicht op een modieus, uiterst wuft en volkomen belachelijk stuk damesondergoed. Nu volgde de
echte schande van Dünya, want we zagen wat ze wilde.
Iedereen zag dat zij de machteloze Otto begon te zoenen.
Zij likte zijn gezicht af.

Iedereen stond op de voorste tenen. Men klom bijna op
elkaars schouders om maar niets te missen. Alleen Julia
rukte een vlag van een katrol af en gooide die over Dünya om de oogverblindende achterkant te bedekken. Maar
een punt van de vlag kwam op het gezicht van Otto en die
rukte het dundoek weg. Tot grote opluchting van het publiek, mag ik wel zeggen.

Voor iemand kon ingrijpen was dat kleinste boerenjoch
naar Dünya Şuman toe gelopen. Ik maak me overigens
sterk dat hij was opgestookt door de volwassenen. Ik zag
hem bij die werktafel op een lege stoel klimmen. Ten aan-
schouwen van het hele publiek haalde hij met een handig gebaar zijn plasser uit zijn broek en richtte een flinke
straal, mag ik wel zeggen, op de niet te missen achterkant

van mevrouw Şuman. Alle aanwezigen stonden versteld. Alleen de dorpsvrouwen lachten hard en wraakzuchtig.

Ooit leerde ik dat Aharon over twee harige bokken de lotstenen wierp. De weggaande bok werd levend naderbij gebracht. Aharon steunde met zijn beide handen op de kop van de levende harige bok. Alle ongerechtigheden van de zonen van Jisrael, al hun overtredingen, al hun zonden werden op de kop van de harige bok gelegd. Aan de hand van een man werd de bok naar de woestijn gebracht. Zo droeg de harige bok alle ongerechtigheid naar een afgekapt land.

Men kon zich afvragen door welk lot Dünya Şuman aangewezen was. Alle priemende blikken, alle kreten in de hal, alle geluiden van verontwaardiging en afkeuring, al het geproest, alles wierp men op de omhoogstekende kont van Dünya Şuman. Alle verzonnen taferelen van onkuisheid, alle genoten vormen van overspel en bestialiteit, alle geheime wensen en verlangens, alle geile gedachten werden op die tentoongestelde achterdelen gestapeld. En later zal Dünya Şuman naar een afgeperkt stuk land, naar een woestenij gevoerd worden, omdat wij niet willen weten dat wijzelf die geheime verlangens ten opzichte van Dünya Şuman hebben gekoesterd.

De militairen hielden luidkeels topberaad. Dit kon niet. Dit was geen omgeving waar de president ontvangen kon worden. Zeker niet de president in zijn vaderlijke rol met kleine Ülkü bij de kraag. Er werden militairen weggestuurd om te waarschuwen.

Een van die kerels van de Turkish Aviation Society stond verdomme foto's te nemen. Hoe kwam die aan zo'n toestel? Waar haalde hij dat in godsnaam vandaan?

Er gaan klappen vallen. Dünya Şuman en Otto Beets zullen afgevoerd worden. En Simon Krisztián zal evengoed schuld krijgen. Ook hij zal afgevoerd worden. En zijn mooie Julia moet dan zelf maar zien hoe zij zich redt. Zo is hier de normale manier van handelen en ik let op de militaire verontwaardiging en het geschreeuw dat ze hun president beledigd achtten; ik zie niet in hoe het anders zal lopen. Ik zal de hemel pogen, maar ik vrees dat mijn bemoeienis geen gewicht in de schaal zal leggen, zeker niet na dit openlijke affront.

Maar iets klopt niet. Wat was de reden dat zij dit deed? Wat verleidde haar zich zo te gedragen? Zich zo op tafel te werpen, boven op Otto, dat zij kon weten dat de gasten het volle zicht hadden op haar humidor, zal ik maar zeggen.

Simon Krisztián

Precies op de afgesproken tijd naderden wij het punt waar we moesten draaien, omdat de testvlucht niet te lang mocht duren; Atatürk had geen jaren de tijd en de testen met proeven en metingen die wij in ons eigen tempo wilden uitvoeren, deden we maar op een andere dag. Hier bij die splitsing van het riviertje moesten we keren en over precies zevenenveertig minuten zouden we landen.

Om de bocht te nemen konden we de zijroeren in stand zetten en tegelijk de motoren aan één kant in toerenaantal verlagen of zelfs in de achteruit gooien en aan de andere kant het toerenaantal opvoeren. We zouden de bocht naar links nemen omdat links van ons het terrein lag met de minste bebouwing. De motoren rechts werden op volle toeren gebracht. Midden in de bocht voelden we dat het fout ging.

Er trad een plotselinge, zeer heftige vibratie op; we hoorden een tikkend geluid en de motorgondel maakte zulke krachtige schokbewegingen dat we voor een breuk vreesden. Ofschoon we er snel in slaagden de motor stil te leggen en de propeller los te koppelen, zagen we bij het uitdraaien al dat een van de propellervleugels een onherstelbare knak had opgelopen. In plaats van de korte scherpe bocht die we van plan waren, moesten we een lange lus beschrijven, die ons een ogenblik desoriënteerde zodat we boven een heel ander gebied uitkwamen dan we van tevoren op de kaarten hadden uitgestippeld.

Wat er precies gebeurd was en waardoor de propeller zo'n enorme klap had gekregen, waren vragen die wij nu moeilijk konden beantwoorden; het was duidelijk dat een maximum aantal toeren niet verantwoord was. We moesten met een motor minder en op halve snelheid terug, waardoor de mechanische werking om de opwaartse en de neerwaartse krachten te overwinnen danig was verminderd, zodat er voorzichtig gemanoeuvreerd moest worden met het ballastwater en de ventieldruk van de gascellen.

Ik gaf een teken dat ik naar de motorgondel ging.

Al de keren dat ik in de montagehal over de aluminium constructies had gelopen, had ik gedacht aan de keer dat ik voor het eerst dwars door het schip zou lopen terwijl het zweefde boven het land en dat ik dan het schip zou verlaten en over de akelig smalle verbinding in de motorgondel zou afdalen. Dit was die eerste keer; het balanceren hoog boven het Turkse land verbond mij met het balanceren in mijn jeugd, hoog op de kerktorens boven het Hollandse land.

Natuurlijk dwaalden mijn gedachten steeds af naar de gebeurtenissen van de afgelopen nacht, maar de sensatie van het vliegen was onontkoombaar. Julia's jeugd lag hier, in deze uitgestrekte en totaal verpauperde en geplunderde streken. Wat had zij met Hollandse stadjes te maken, met ons Dordrecht, ons Leiden, Haarlem, Delft, Gouda, met onze singels en grachten, met onze stadspoorten en onze gotische kerken? Zij zou zich daar evenzeer een vreemde voelen als ik hier. Dat ik bij haar wilde horen, betekende dat ik de keuze moest maken tussen mijn Holland, waar Julia ontheemd zou zijn, en haar Turkije, waar ik ontheemd was. Iets anders was onmogelijk. Ik schaamde mij als wij spraken over Holland en dan lieten merken dat wij wilden terugkeren.

Over Holland had ik haar toen ze klein was veel verteld, maar al begreep zij de betekenis van de woorden, de beelden die de woorden moesten oproepen bleven weg. Zij verveelde zich en vroeg dan of zij mocht gaan spelen: de rest van het verhaal morgen vertellen. Ik knikte gehoorzaam en liefdevol en vergat tot haar opluchting de volgende dag het restant van het verhaal.

Of zij zocht naar beelden die zij kende uit haar eigen omgeving. Zo werden onze grachtengevels in haar tekeningen vermaakt tot de foeilelijke leemhutten die we om ons heen zagen, de eeuwenoude gotische kerken die in de avondzon neerzagen op de stille grachten werden bultige dorpsmoskeeën met ezels ervoor en gieren cirkelend in de lucht omdat daarbeneden vlees lag te stinken.

'Dat zijn geen gieren, dat zijn ooievaars.'

'O natuurlijk, nu zie ik het. Natuurlijk, ooievaars. Je hebt helemaal gelijk.'

Dat tekenen was haar sterke band met Otto. Hij moest alles voortekenen en hij deed het lachend, met geduld en met liefde. Hij was degene die haar beeld van de Hollandse stadjes enigszins rechttrok en met tekeningen van onze vroegere omgeving een toverwereld voor haar schiep, die haar verbaasde en misschien ontroerde. Als Julia zal zeggen dat ze een gelukkige jeugd heeft gehad, dan is dat voor een groot deel te danken aan het tekenen van Otto, aan het geduld waarmee hij steeds potlood en stukjes papier bijeenzocht en aan een tekening begon, die Julia met grote aandacht, rood hoofd en haar donkere krullen bijna klem tussen haar kopje en Otto's lachende gezicht zag ontstaan. Om de liefde die Otto op deze manier aan Julia geschonken heeft, zal ik hem altijd dankbaar blijven.

Toen ik gisteravond in de donkere kamer van Julia was binnengedrongen en aan haar gejaagde ademhaling meende te horen dat ze wel degelijk wist wie bij haar in de kamer stond, begreep ik dat ik haar alleen maar durfde toe te spreken als ze een zwijgend, anoniem deel van de duisternis bleef. Geen licht aan, geen gezicht zien, geen vragen of opmerkingen uit haar mond. En in die kamer, die naar verf en chemische schoonmaakmiddelen rook, en heel vaag naar het bed van mijn dochter, vertelde ik dat ik haar gered had, toen ze bijna in een brandend huis was gegooid, dat wij haar door heel Turkije gedragen hadden, dat ik haar vader niet was, of niet helemaal, of eigenlijk toch wel, dat ik haar moeder nooit gekend had, maar dat Otto en ik, ik vooral, haar altijd als ons eigen kind hadden beschouwd. We hadden haar altijd liefgehad. Ja toch? Dat was toch zo? Zij kon mij toch ook niet anders beschouwen dan als haar vader?

Wat moest ik nog meer vertellen? Wat moest ik eraan toevoegen? Ik kon de boodschap nog eens brengen, de woorden herhalen, maar na een lang zwijgen waren de stilte en de duisternis op den duur benauwend geworden. Met een gemompelde, halve liefdesverklaring heb ik op de tast de deurklink opgezocht. Tree voor tree ben ik schuifelend de trap naar mijn eigen verdieping af gedaald. Krampachtig de leuning vasthoudend heb ik een tijd staan luisteren. Ik merkte dat ik ondanks de frisse nachtlucht stond te zweten.

Intussen had ik, boven dat land dat van hieraf zo op de kindertekeningen van Julia leek, te maken met een verwoeste propeller. De kracht die het blad kapot had geslagen, moest enorm geweest zijn. Dat gezeik over welk soort propeller zou na deze testvlucht snel afgerond kunnen worden.

Er stak wind op. De motor was op de bodem van de gondel gemonteerd. De as stak naar achteren en van nabij zag ik dat er iets was scheefgetrokken. Een beschadigde as betekende waarschijnlijk dat we de motor voorlopig niet konden gebruiken, zodat we een behoorlijke achterstand zouden oplopen. Toen ik via het dunne laddertje terugging en het toestel binnen stapte, voelde ik opnieuw schokken, die dit keer gelukkig maar korte tijd aanhielden.

In de bestuurdersgondel wees iemand me op het instrumentenbord: de wind werd krachtiger. Het was noodzakelijk de motoren meer toeren te laten draaien; de ligging was niet meer zo stabiel als op de heenweg. Een motor minder betekende toch storende beweging en zijwaartse stoten. Er werd ballast uitgeworpen om hoogte te houden.

Het ging een lange tijd goed. Ik tuurde naar beneden door de schuinstaande ruiten en zag de luchten met de zilveren, witte en lichtgrijze wolken; ik zag het licht, als bij het leidekken, vanuit het standpunt van engelen.

Het beeld keilde weg met een klap die de bemanning in de bestuurdersgondel op deed schrikken. Wat nu weer? Voor de zekerheid werd het toerental van de motoren teruggedraaid en toen zagen we dat de motor links achter terug bleef lopen. Dus rechts en links een motor minder. De snelheid liep sterk terug; we zweefden traag boven het land. We lagen nog redelijk stabiel en als het niet erger werd, konden we op deze manier de fabriek bereiken en de schade beperken, maar de prachtige witte vogel die wij gebouwd hadden, had een flinke schade opgelopen. We hadden dit niet verwacht, we hadden dit niet verdiend. Omdat de datum voor de proefvaart niet verschoven mocht worden, hadden we in haast moeten werken. Het had weinig zin Atatürk de schuld te geven van de misère, maar zijn komst had ermee te maken.

We vlogen een uur, we hadden allang terug moeten zijn. Na een uur en veertig minuten kregen we in de verte de fabriek in de peiling. Het was ons gelukt de hoogte vast te houden, maar we hadden nauwelijks ballast over en nu ging het gebrek aan gas tellen. Bovendien vlogen we niet helemaal recht, maar met een eigenwijze dwarsligging, dat wil zeggen enigszins scheef op de vluchtrichting, wat het idee van een vlucht met mankementen versterkte. Dat was de reden dat we, toen we aanvlogen op dertig meter hoogte, wat natuurlijk veel te laag was en wat de indruk gaf dat we ons tussen allerlei gebouwen door moesten wurmen, niet helemaal konden berekenen hoe dat lange luchtschip tussen alles in moest passen.

Hoewel we meenden het vrije veld voor ons te hebben, dook plotseling een grote loods voor ons op, die wij helemaal niet kenden en die ons verschrikkelijk duidelijk maakte dat we ons niet vlak bij het veilige landingsterrein bevonden, maar op een andere plaats, noordelijker of oostelijker van onze fabriek, mogelijk de militaire legerplaats, waarvan we de plattegrond niet kenden en waar ook niemand klaarstond om de ankertouwen te bevestigen.

Bovendien bevond, door de scheve positie van het luchtschip, het achterdeel zich te dicht bij de loods en we raakten met een schok het dak, dat vervolgens een geweldige scheur trok in de pegamoid huid en een deel van de aluminium constructie kapotwrong of in elk geval zo raakte dat de ringen twee tot en met vijf scheef kwamen te zitten.

Dünya Şuman

In tranen heb ik na de verschrikkelijke blamage mijn hebben en houwen bijeengepakt. Ik ben de zaal uit gerend. Rechtstreeks naar de toiletten, waar ik de deur dichtsmeet.

Wat een verschrikkelijke afgang. 'Wat een zeperd,' zei mijn moeder. Waarmee ze bedoelde: wat een schandelijke stommiteit, wat een fiasco. Maar een stommiteit? Het was voor mij duidelijk dat dat geheim niet verraden mocht worden. Hoe had ik anders Otto kunnen stoppen? Ik ben toch ook maar een vrouw?

Maar opnieuw drong tot mij door hoe al die boerinnen en die militairen en alle gasten naar mij hadden geloerd. Meer dan levensgroot stond mij het beeld van mijn achterzijde voor ogen, als schande tentoongesteld, en van schaamte begon ik te schreien daar op die toiletpot. Tot ik mij dat rotjoch herinnerde en ik jankte van woede.

Het probleem hoe ik mijn kleren droog kon wapperen werd verdrongen toen iemand anders de ruimte binnen kwam. Aan de zelfverzekerde stap merkte ik dat het een man was. Terwijl ik mij opwond over de stomme onbeschoftheid van zo'n kerel om de toiletten voor de dames te betreden, drong het tot mij door dat ik mogelijk zelf in mijn haast en verwarring de verkeerde deur had genomen. Daar de asbak met de sigarettenvlekken; nergens een emmer voor hygiënische bindsels; ik besefte dat ik mij wederrechtelijk bevond op de afdeling voor de heren. Nu rook ik het ook. Een nieuwe zeperd. Hoe kwam ik hier weg? Dat urineren van mannen, met zo'n aanstotelijk spettergeluid en daarna het choquant schudden van het apparaat. Hoe lang deze man niet zijn handen bleef wassen en afdrogen.

Toen die man wegliep, eindelijk de toiletruimte uit, vroeg ik mij af of dat niet Otto geweest was.

Was ik zo bang voor Otto? Wat mankeerde mij? Ik voelde mij overweldigd, zwak, een slachtoffer, maar ik wist dat ik niets zou doen om deze positie te veranderen.

En hij? Wat in godsnaam weerhield hem ervan op die stiekeme avonden bij mij thuis een teder gebaar te maken als wij, allebei uitgeput, naast elkaar lagen op die harde grond? Welke eigenschap maakte het in godsnaam voor hem onmogelijk een woord van waardering te uiten, al was het maar omdat ik niet mijn handen sloeg voor mijn bruine kroep, waar hij een ziekelijke belangstelling voor toonde en waar ik mij diep voor geneerde, temeer daar ik er nooit zeker van was of ik daar helemaal schoon was.

Men zal mij om dit alles wel geen moderne vrouw vinden.

Weer heren voor toiletbezoek. Een groepje dat onbeschaafd luid discussieerde. Het woord 'luchtschip' trok mijn aandacht en het gesprek dat ik afluisterde schokte mij zo heftig dat ik mij slechts met moeite kon bedwingen niet te gillen.

'Heeft dat luchtschip, vlak voor die catastrofe, niet een paar onverwachte bewegingen gemaakt?' vroeg de een.

'Mogelijk. Ze vlogen aan. Er waren wat wolken. De wind veranderde nogal, dus moesten ze een draai maken. Ze hebben waarschijnlijk gas laten ontsnappen. Ze hebben landingstouwen laten vieren.'

'Landingstouwen? Waren ze al zo ver?'

'Ja, dat hoorde ik. Motoren stationair en het boeganker-touw naar beneden. Iemand heeft de buitenhuid zien fladderen, achterin bij de stabilisatievinnen.'

'Dat wijst op een gaslek. Hadden ze iets geraakt?'

'De achterkant van het schip hing zwaar naar beneden, maar nee, weet ik niet. Of ze iets geraakt hebben, dat weet ik niet.'

'Dat vuur moet toch enorm geweest zijn.'

'Tien seconden. In tien seconden sprong het twintig, dertig meter naar voren. Je doet er niets aan. En bij de eerste explosie weet je het al. Dat alles verloren is. Na een halve minuut lag er een wrak op de grond.'

'Ze zeggen het wel meer. Dat in die atmosferische omstandigheden het spuiten van waterstofgas levensgevaarlijk is.'

'Het waren fonteinen van brandend waterstofgas. Een inferno. Verschrikkelijk. Die arme mensen.'

'Overlevenden?'

'Ze zeggen van wel. Maar hoe in hemelsnaam? Snap ik niet. Je vraagt je af hoe je uit zo'n vuur kunt ontsnappen.'

'Tjonge, jonge, jonge, het was toch een droomschip.'

'Zonder meer.'

Het gesprek werd gestoord door klappende deuren, watervallen, geruis van handdoeken en gerinkel van zeepstandaards. Ze bleven er tamelijk onverschillig onder, de horken.

De werkelijkheid, zo geloof ik, bevat krachten die ons onbekend zijn. Een militair heeft misschien het idee dat de werkelijkheid alleen datgene inhoudt waar je tegenaan kunt tikken en wat 'Boem' zegt als je de trekker overhaalt. Maar ze moeten er rekening mee houden dat het diep in onszelf ook 'Boem' kan zeggen, en dat we daar dan geen passend antwoord op hebben.

Het ruisen van water stopte en ik merkte dat ik een deel van mijn jurk in mijn mond gepropt had. Mijn ogen liepen vol tranen. Wat overkwam ons allemaal? Waarom wij? Wat betekende dit? Dat Simon dood was? Hoe moest ik Julia dan troosten? Stel dat Simon inderdaad... Ik onderdrukte de neiging meteen de toiletten uit te hollen en te vragen hoe het precies zat met dat ongeluk. Waar was dat gebeurd? Wie had dat ongeluk overleefd? En Otto bijvoorbeeld? Hoe zou die zich voelen? Die had zo lang met Simon opgetrokken.

Klem zat ik hier. Terwijl Simon dood was, of verbrand, of gewond, of totaal overstuur door dat dodelijk ongeluk. Wie zou het zeggen? Als er even geen kerels binnenkwamen, zou ik kunnen ontsnappen. Dan maar met natte kleren. Peren in mijn kut, zei Julia, als er iets rottigs of vervelends was. Hoe ze aan dat soort uitdrukkingen kwam, zeg. Soms was de opvoeding van Simon wel erg Hollands.

Flats, zo helder als mijn man soms naast mij zat, zo duidelijk zag ik het verwrongen metaal van dat witte luchtschip voor mij. Van die wand van katoen bleef natuurlijk niets over. Dat gas was hartstikke brandbaar. Simon, zachtaardige, vriendelijke Simon, was hij verkoold? Of was hij met brandende kleren uit het luchtschip gesprongen of geslingerd?

Al die mooie luchtschepen, die witte bruiden waar je in kon vliegen, waren in feite levensgevaarlijke gasblazen, waarmee maar iets hoefde te gebeuren of ze ontploften. En zie je dan maar eens te redden uit een massa vastgeklonken metalen strips, die van hoog in de lucht keihard op de grond vielen en bogen en braken en in een afschuwelijke kluwen raakten. De onderneming zou wel stopgezet worden. Hoewel, kerels waren soms zo eigenwijs als een cactus.

Huiverend trok ik mijn natte ondergoed aan en ik probeerde mijn jurk fatsoenlijk te draperen. Hoe brak het ook aanvoelde, ik moest doorzetten. Cheerio, dacht ik. Ja, wel bekome. Zeg dat wel. Jammer van Beyoğlu. Dat zal straks pijn gaan doen. Jammer van Atatürk. Maar diens kop zat toch vol met die domme opgetutte Ülkü. Ik maakte voorzichtig de deur open en sloop de herentoiletten uit. Bij de dames friste ik mijn gezicht op.

Als een verzopen kat gleed ik langs de muur van de gang. Mijn gevoel voor Julia was sterk. En ook voor de achterblijver, de eenling Otto. Ik was op weg naar mijn eigen kreupele, gemankeerde gezin.

Wat een opluchting dat de hal leeg was. Op Otto na. Iedereen was ergens anders. Otto zat op dezelfde stoel. Achter de tafel waarop ik aan iedereen mijn schaamte had getoond. Otto hing in zijn stoel. Onverschillig. Maar hij zag mij binnenkomen en frappant, hij schoof recht en werd actiever.

'Kom hier zitten,' riep hij en dat was al zeer opmerkelijk. Zijn opgeluchte toon maakte onverbiddelijk duidelijk dat Otto van niets wist. Ik had iets afgeluisterd dat nog militair geheim was en dat nog niet als nieuws was vrijgegeven.

'Waar is de rest?'

Naar buiten, wees Otto en mijn hart kromp samen omdat ik vermoedde welke boodschap daar verteld ging worden.

Daar stond ik. Voor Otto. Op dezelfde plaats als waar ik begonnen was met mijn gewaagde actie. Met opgedroogd gezicht, nog natte haren en vlekken op mijn jurk van het water. Met nat, plakkend ondergoed. Maar ik stond daar niet met de bedoeling om medelijden op te wekken. Het was eerder andersom.

Alles had ik kunnen verdragen. Als Otto mij had uitgescholden om mijn stomme gedrag daar op diezelfde tafel, ik had gedacht aan Simon en ik had Otto vergeven. Als Otto mij de deur had gewezen en als hij me had gezegd dat ik me als een hoer had gedragen, ik had gedacht dat hij straks alles zou weten van de verschrikkelijke afloop van de testvlucht en ik had Otto gehoorzaamd. Maar hij greep mijn hand en hij zei dat ik bij hem moest komen zitten.

Dat onverwachte, vriendelijke gebaar overviel mij zo dat ik volliep met een onhoudbaar medelijden en als een gek opnieuw begon te janken. En toen hij zijn hand op mijn rug legde, omarmde ik hem alsof ik hem nooit meer kwijt wilde raken. Schokkend en jankend met lange uithalen gooide ik alle verdriet eruit.

'Wat is er in godsnaam aan de hand?' vroeg hij eindelijk.

Na een lange tijd naar adem gehapt te hebben, bracht ik er de vraag uit of hij misschien wist hoe Simon eraan toe was.

'Simon,' vroeg Otto, 'wat is er met Simon?'

Al wist Otto van niets, ik kon me niet langer beheersen en verward, op allerlei manieren mijzelf onderbrekend, mij verontschuldigend voor mijn verwarde vertellen, precies dus zoals het Otto altijd hartstikke ergerde, vertelde ik hem hoe ik gehoord had, van officieren die bij de toiletten militaire geheimen bespraken, hoe het luchtschip bij een daling een scheur had opgelopen, gas had laten ontsnappen, ontploft was, iedereen verbrand had of verkoold of levensgevaarlijk gewond, op de grond in stukken was gebroken, tot een gekreukeld wrak was verkoold, misschien...

Alles was eruit en Otto kon eindelijk begrijpen wat ik daar op die voor mij verboden plaats had gehoord, en verdomme, hij zei dat het niet waar was. Ik gilde met tranen in mijn stem, zodat Otto helemaal nat gespuugd werd, dat het wel waar was, dat ik het zelf gehoord had met alle details en alle militaire bijzonderheden en alle...

'Dat is een Duits ding,' onderbrak Otto.

'Een wat?' snotterde ik.

'Een Duits luchtschip. Een Zeppelin. Dat luchtschip dat verongelukt is. Gisteravond. Bij New York. Het was genoemd naar een van die generaals uit de oorlog. Hindenburg of Falkenhayn. Dat is verongelukt.'

Huilend kwijlde ik dat hij me niet blij moest maken met een leugen. Maar Otto beweerde keer op keer dat het echt een Duits luchtschip was geweest. Al die militairen spraken erover. Niks militair geheim.

Maar of het dan niet mogelijk was dat ook ons eigen luchtschip...

Julia stormde binnen. Dat we moesten komen. Dat ze eraan kwamen.

En toen ik, aan de hand van Otto nota bene, naar buiten ging, zag ik het onverwachte en idiote schouwspel van een prachtig wit luchtschip. Weliswaar beschadigd, dat zag je meteen, een rafelige scheur over een groot deel van de zijkant. Maar absoluut niet in brand gevlogen, want het was nog zo wit als kalksteen dat dagen in de zon had liggen drogen op de terrassen van Pamukkale. Een luchtschip, dat op een hoogte van ongeveer tien meter aan kwam zweven. Niet op eigen kracht want de motoren draaiden niet. Maar getrokken door honderden militairen, die in keurige groepen, in een gedisciplineerde vorm van looppas die eerder bij een circus dan bij een legeroefening zou passen, de spinachtige ankertouwen trokken. En die het lichte schip een vaart gaven die volkomen menselijk en daarom zo ontroerend was.

Atatürk was een uur geleden met kleine Ülkü van het terrein vertrokken. Hoorde ik later.

Simon Krisztián

De schrik die wij in het militaire kamp veroorzaakten was snel overwonnen en de militairen die, stomverbaasd over dat enorme gevaarte dat als de hemel op hun dak was gevallen, eerst enige tijd hadden staan wijzen, kregen snel commando's van enkele handige jonge officieren. Na overleg tussen de officier en de ingenieur bij ons aan boord werd besloten het luchtschip over de weg naar de fabriek terug te brengen. We hadden net genoeg gas om het schip drijvend te houden op een hoogte van enkele meters en er waren genoeg militairen om ons in hoogtransport voort te trekken.

Zo kwamen wij op een totaal onverwachte manier bij de fabriek terug. De president was al eerder weggegaan, hoorden wij. Een geruime tijd na aankomst konden wij doodmoe de testvlucht definitief beëindigen; van een feeststemming was niet veel te merken. Wat me koud op mijn dak viel, was de ontvangst door Grunwald. Hij had wel gezien hoe wij aankwamen, maar hij had zich samen met enkele hoge militairen teruggetrokken in zijn kantoor. Hij keek somber, schuin van onder zijn grote, kale schedel, en luisterde nauwelijks naar het verslag. Hij onderbrak mijn verhaal met de opmerking dat ik de volgende dag om elf uur op zijn kantoor moest komen.

Hoezo, dacht ik, we zien elkaar toch in de fabriek? Maar op het zien van mijn verbaasde blik bevestigde hij dat ik om elf uur hier moest zijn en ik zag een van de militairen een ongeduldig gebaar maken.

'Graag,' kraakte Grunwald erachteraan en hij smakte met zijn lippen. Ik kon niet nalaten op te merken dat ik al veel vroeger in de fabriek zou komen, maar dat hoefde niet, ik moest rechtstreeks hierheen, elf uur, en met vraagtekens in het hoofd liep ik het kantoor uit.

Het was van minder belang. In de verte had ik tot mijn grote opluchting Julia zien staan. Als zij hier stond om mij te begroeten, dan kon dat niet anders betekenen dan dat ze om me gaf, dat ze nog steeds van me hield. Verdomme, ik had alles verteld en zij stond mij daar op te wachten. Pas na enige tijd slaagde ik erin vlak bij haar te komen. Voordat ik de kans kreeg Julia te begroeten en haar in het volle licht in de ogen te kijken, vloog iets warms en nats mij om de nek. Even kon ik niets zien, even raakte ik verstrikt in kriebelend bont, een scherpe broche en een reuk van verre feesten, en voor ik kon protesteren stond Dünya mij enthousiast in mijn gezicht te zoenen. Aan haar natte wangen merkte ik dat ze huilde.

Otto bevrijdde me.

'Ja, mag ik even, ja?' Op zijn gewone, snauwende toon.

Dünya liet me los, deed een paar passen achteruit, lachte met een betraand gezicht en riep: 'Pardon, pardon.'

Ik liep naar Julia en de eerste gewaarwording was een onbekend parfum, ongetwijfeld een van die dure luchtjes van Dünya. Ooit is bij Otto en mij met een oranje vuurkolom de werkelijkheid ontploft en zijn wij in een andere werkelijkheid terechtgekomen; die werkelijkheden zijn voor ons even verschillend geweest als het heden en het hiernamaals, voor zover ik mij dit voorstel, met de klap van de dood ertussen. Wij dachten dat we Julia met liefde en zonder ontploffing in beide werkelijkheden konden binnen voeren. Dat is onmogelijk. Dat ik vroeger meende haar geluiden, haar ademhaling, haar dromen, haar nukkige en onverwachte draaibewegingen te kennen, is een misverstand gebleken; zij is een vreemde geworden.

Er trok een blos over haar lieve gezicht toen ze merkte dat ik haar aanstaarde. Ze sloeg haar ogen neer, schudde haar haren, greep opzij en ontfermde zich over Dünya. Otto wenkte mij. Ik vroeg hem wat er met Dünya aan de hand was.

'Die heeft een gesprek opgevangen over dat luchtschip dat verbrand is en ze dacht dat jij dat was, dat jij ook verbrand was. Vandaar haar vreugde.'

Ik begreep hem niet. Welk luchtschip was dan verbrand? Dat wist Otto ook niet, alleen dat het een Duits schip was; hij vroeg of de Falkenhayn bestond; kon het de Falkenhayn zijn?

Ik merkte dat Otto me wegduwde, verder weg van Dünya en Julia. Hij vertelde dat er het een en ander gebeurd was; terwijl ik die testvlucht deed; met hem en met Dünya en met Julia; allerlei misverstanden. Ik moest hem vooral geloven.

'Ik vertelde het verhaal van die blikjes melk en Dünya dacht dat ik wat anders ging zeggen. Zo is het begonnen. Maar ik wilde over die blikjes melk vertellen. Weet je nog? Die kleine met die melk. Amerikaans, maar Duitse import.'

Otto drong tegen mij aan. Hij wilde mij van iets overtuigen, desnoods met lichaamskracht. Otto zei dat hij, om de wachttijd te bekorten, een leuk verhaal had willen opdissen, iets over de vroege jeugd van Julia, leuk voor Julia, leuk voor die kerels, die daar natuurlijk niets van wisten. Het was eigenlijk best gezellig, want ze zaten in een grote kring te luisteren.

'Ineens stormde Dünya naar voren, want die wilde dat ik ophield en toen ik toch doorging, want waarom zou ik in godsnaam ophouden met zo'n vermakelijk verhaal waarmee ik duidelijk de luisteraars een plezier deed, nietwaar?

– toen ik gewoon doorging, kroop ze op tafel en stortte zich boven op mij. Volkomen onverantwoord. Ik werd bijna platgedrukt. Ze had haar jurk opgetrokken om die grote stap te kunnen nemen en Julia zei later dat ze er als een hoer bij lag. Ondergoed helemaal zichtbaar. Al die provincialen hadden een vreselijke lol. Ten koste van haar natuurlijk. En er was iets smerigs met zo'n klein pestjoch.'

Ik begon met een vraag, maar Otto praatte door mijn woorden heen.

'En je kan begrijpen wat er verder gebeurde. Die generaals sloegen groot alarm, want als Dünya zich zo misdroeg en er zo bij lag kon Atatürk met die kleine Ülkü hier niet ontvangen worden. Van een feestelijk welkom voor jullie kon geen sprake meer zijn en ik geloof dat dat etentje in Beyoğlu ook niet doorgaat. En verdomd, geloof me, toen drong het tot mij door dat Dünya dat allemaal geweten moet hebben, dat zij dat risico ingecalculeerd heeft, dat zij alles opgeofferd heeft, bewust: haar etentje, haar feestelijke ontvangst, haar onderonsje met de president, haar eigen deftige persoonlijkheid, alles omdat ze dacht dat ik Julia het geheim van haar afkomst wilde verraden. Dat wilde ze voorkomen.'

We liepen zacht te praten, dicht tegen elkaar aan, bijna gearmd.

'Otto,' mijn stem was zacht, hoewel ik een woede voelde opkomen. 'Otto, heb jij alles aan Dünya verteld?'

'Ja, aan Dünya. Dat was voor mij...'

'Je zou je mond houden.'

'Daar hebben we het over gehad. Dat het beter was. Waarom zou ik in godsnaam mijn mond houden?'

Nee, Otto hoefde zijn mond niet te houden. Ik was hem voor geweest. Hij praatte door.

'Ik wilde het aan Dünya vertellen. Aan iemand die Julia erg na staat. Die met haar in het Turks praat. Die ons in het Turks tegen haar kan verdedigen. In haar eigen taal. Dacht ik zo.'

Ik wierp ertussendoor dat ik er niets van begreep.

'Die kan haar alles uitleggen. Die kan dat misschien beter dan wijzelf. Waarom wij altijd hebben gezwegen. Waarom wij haar hebben voorgelogen. Dünya zal ons door dik en dun verdedigen.'

'Wat heb jij met Dünya?' Dat was een vraag die ik eerder had kunnen stellen, maar die er nu uit knalde. Plotseling brak het besef door dat Otto zoiets nooit aan Dünya zou toevertrouwen, en als hij dat wel gedaan had, was er iets anders aan de hand.

Otto schrompelde ineen. De manier waarop hij naast mij liep, een onvaste pas, een verhullend zwaaien met de armen, een blik die nooit meer omhoog gericht zou kunnen zijn, was voor mij een reden alle woede die ik voelde om zijn bemoeizucht met Julia misplaatst te vinden: Otto bleek een verlegen iemand.

Dat ging mij niets aan, zei hij.

Ik was even verbluft. Er kwam meer.

'Dat dacht ik altijd. Die bezoeken van mij aan Dünya gaan Simon niets aan. Daar hoeft hij niets van te weten. Maar door die actie van Dünya, die bedoeld was om Julia te beschermen, is er iets gebeurd. Wij lagen boven op elkaar in het volle licht, waar heel Turkije, bijna inclusief de president, naar keek. Niets geheim meer. Vraag het haar zelf maar,' besloot hij zijn verhaal. 'Wat ik met Dünya heb.'

Omdat we doorgelopen waren, stonden we voor het beschadigde luchtschip. Het bezat nog glorie maar er was iets kapot. Het licht was prachtig; het leek of het doek doorzichtig was en het licht van binnen naar buiten straalde, dwars door het witte gespannen pegamoid heen, alsof de kolos leefde en in zijn binnenste een machine bezat die

zacht kloppend het witte leven in hem rondpompte, alsof dit blanco mechaniek, dat onheilspellend onzeker was,
maar dat ook rustig kon zweven op grote hoogte en een
majesteitelijke voortgang kon maken, het leven zelf was.

Otto en ik hadden een tijd zwijgend naar het luchtschip
staan kijken.
'Ik moet morgen bij Grunwald komen.'
'Waarvoor?'
'Weet ik niet. Verantwoording afleggen, denk ik. Er
stonden hoge militairen bij.'
Otto had zijn schouders opgehaald en ik was er verder
niet op doorgegaan; ik had Otto gezegd dat ik nog een paar
controles moest uitvoeren. Even later liep ik alleen rond in
deze waanzinnige wereld van licht metaal en wit doek. Via
de gasschacht bereikte ik het luik waardoor ik boven op
het schip kon komen; buiten merkte ik dat op deze hoogte
een tamelijk frisse wind blies.

Als Otto een relatie met Dünya had, en die had hij kennelijk, zo heftig zelfs dat hij haar ons geheim had toevertrouwd, en als Dünya ervoor gekozen had bij ons te blijven en alle schepen achter zich te verbranden, dan zou zij
de opvoeding van Julia voltooien en was onze rol uitgespeeld.
Wat mij het meest benauwde, waren de opmerkingen
van Otto over de tijd die mijn dierbaarste herinnering was,
over de tijd dat Julia haar kinderlijkheid verloor, dat haar
lichaam veranderde, dat in de helder klinkende zomernachten mijn ogen langs het lichaam van Julia gleden.
Terwijl ik mijn halve leven gewerkt heb als een constructeur, een maker, ben ik ten slotte een kijker geworden. Ik heb mij een techniek eigen gemaakt, in gevangenis en kamp aangeleerd en in haar nabijheid vervol

maakt. Diep in de nacht, als het zilveren licht haar naakte lichaam bescheen en het dek weggegleden was en zijzelf diep in slaap lag, kon ik, in de wildste fantasieën verzonken, alleen door te denken, zonder iets aan te raken, zonder bewegingen, mijzelf steeds sterker opwinden en dan na de nodige voorzorgen een heerlijke, smeltende zaadlozing krijgen. De geur van de Turkse sigaret die ik daarna opstak en de rook die ik volop genietend inhaleerde bezorgden mij een vergevingsgezinde stemming tegenover het leven en kijkend naar mijn kind overwoog ik dan dat dit alle verschrikkelijke moeite van het overleven volop waard maakte. Soms werd ze wakker van de prikkelende rook en terwijl ze zelden rookte en soms zelfs zei dat ze het vies vond, stak ze op het zien van mijn genot haar hand uit, pakte de sigaret af en nam zelf een trek, waarbij ze meestal de rook in mijn gezicht blies. Ik glimlachte en zag dat ze alweer bijna in slaap gevallen was. De sigaret verhinderde bovendien dat ze het andere aroma waarnam, dat onweerstaanbare en uiterst onfatsoenlijke parfum van de taaie intimiteit.

Er zal een korte zomer komen; dan wordt het weer killer. De eerste sneeuwbuien zullen niet lang op zich laten wachten, de vogels trekken weer weg, de plannen voor de luchtschipbouw zullen onduidelijk worden. Wij zullen constateren dat we een krankzinnig gezin vormen: Otto en ik, die van de ene werkelijkheid in de andere gestuiterd zijn, Dünya, die zich de taak van opvoedster heeft toegeëigend en die Julia het Turkse leven binnen leidt, en in plaats van een zusje, de eenogige en afhankelijke dwingeland, een mooie, zelfstandige dochter.

Hoe zal zij kijken naar de man die haar heeft opgevoed, die haar dag in dag uit heeft liefgehad, die haar heeft gedragen door de oorlog tot in veilig gebied, die haar het leven heeft teruggegeven en ervoor gezorgd heeft dat ze weer vreugde kende en verbazing? Maar ook naar de man die zo lang en zo intens met lust naar haar lichaam gekeken heeft?

Kon ik mij de vader noemen van een kind dat als het ware in zwaveldampen en te midden van een lynchpartij gebaard was? Ook al hadden bij de roof van het kind het eigenbelang en het egoïsme wel degelijk meegespeeld, evenals de gedachte dat ik als vluchteling met een kind een grotere aanspraak kon maken op medelijden, vrijgevigheid en naastenliefde, ik had zeker de behoefte gevoeld zo'n Turks wurm lief te hebben en te koesteren.

De afgelopen nacht had ik haar de duistere boodschap gebracht dat zij niet mijn echte dochter was en vreemd genoeg heb ik vanaf het moment dat ik de kuise kamer verliet en de deur achter me sloot en zwetend onder aan de trap luisterde of ik haar hoorde huilen of klagen, het gevoel gehad dat ik meer haar vader was dan daarvoor, dan in de tijd dat ze naast me sliep.

Omdat de wind behoorlijk was aangewakkerd, werd het boven op dat luchtschip onaangenaam kil. Om mij heen lag Turkije. Ik zou het niet meer kunnen verlaten. Ik wist dat ik elke gedachte aan terugkeer naar Holland zou opgeven. Ik zou hier blijven, bij Julia, en klaarstaan om haar te helpen. Zelfs al zou zij niet bij mij in de buurt willen leven, dan nog zou ik blijven wachten op het moment dat ze mij nodig had. Als de krankzinnige vader.

In zulke omstandigheden is het aangenaam afleidend mooie herinneringen te koesteren, herinneringen aan een tekening van de Geallieerde Goede Geest en de Bono bijvoorbeeld, of een herinnering aan haar eerste lach, of aan de voorzichtige, schokkende knijpbewegingen van een tergend klein handje; desnoods aan de techniek die ik mijzelf had bijgebracht om haar te verschonen, waarbij in het begin Otto eens zijn vinger in de stinkende brij stak en voorzichtig de smurrie proefde want hij wilde wel eens weten waar dat naar smaakte, het restant van zo'n kleine. ('Hop,' zei hij ijskoud.)

Maar dergelijke herinneringen zweefden, als ijzige wolkjes voorbij, even vormloos, even ijl. Net als de gedachte dat ik naar Grunwald moest, morgen, elf uur. Militairen kwaad, dacht ik nog. De bleekroze avondwolkjes vielen uiteen in nauwelijks zichtbare slierten wit.

Wat mij daar boven op dat luchtschip scherp voor ogen stond, was een heel andere herinnering.

Op een keer, lang geleden, toen wij nog bij de zoutvlaktes woonden, was ik boos op Julia. Ze zat met haar rug naar me toe en ze sprak zacht, maar het was onmiskenbaar een Turks woord dat ze me kwaad toebeet. Ik vroeg wat ze zei. Koppig zweeg ze.

'Is dat Turks?'

Weer een paar woorden die ik niet verstond.

'Julia, doe niet zo stom. Praat gewoon.'

'Ik praat gewoon,' riep ze heel hard.

Ik keek naar haar rug, naar haar donkere krullende haren en ik zag een felle koppigheid. Even, heel even, en ik nam het me direct kwalijk, had ik een hekel aan haar. Geschrokken liep ik naar buiten.

Mijn hoofd vol wroeging en met de vraag of ik mijn kind de liefde kon geven die het nodig had, liep ik het land in, waar ik op een groep stuitte.

Het moeten dorpelingen van verderop geweest zijn. De kakelende wandelaars liepen door het land alsof ze een bruidspaar chaperonneerden of een verloofd stel. Zorgvuldig deden ze alsof ze toevallig daar liepen, maar intussen was alle waakzaamheid gericht op de hoofdpersoon in het midden: een krankzinnige, die daar zwalkend meeliep aan de arm van een oude vrouw, hoogstwaarschijnlijk zijn moeder. Alsof de krankzinnigheid nog niet genoeg straf was en er nog duidelijke uiterlijke tekenen bij moesten komen, had hij een afschuwelijk vergroeid oor, dat samen met het vlees van zijn kaak en een dot haar een uitwas vormde en dat zijn krankzinnigheid voorzag van een merkwaardig attent en waarschuwend signaal.

Het hele gezelschap liep mij zonder te groeten voorbij. Het passeerde zelfs rakelings zonder te laten merken dat ze mij, een vreemdeling toch, die zoveel opzien baarde en overal in het voorbijgaan bespied en becommentarieerd werd, opmerkten. Het gezelschap bleef aandachtig kakelen en knikken naar elkaar en interessant doen.

Het idee dat ze met de borst vooruit ophielden, was dat een vreemdeling nu eenmaal van nature met een soort ziekte behept is, waar je het best zo weinig mogelijk aandacht aan kan besteden, terwijl de inwoners van de streek, hoe mismaakt en misdeeld ook, de fraaie en godgelijke schepselen zijn die de norm aangeven.

De arme man in het midden, die door al die kakelende wijven werd meegevoerd, keek verloren in het rond en probeerde zich ongetwijfeld in te prenten dat de zon boven moest zijn en onbereikbaar was en dat de steenachtige grond onder hem stap voor stap moest verdwijnen en hij uitte zijn onverstaanbare en meelijwekkende verbazing over het feit dat hij strompelend over de aardbodem er niet in slaagde op te stijgen ondanks die reusachtige oorflap, die hem met een iets betere stroomlijn best zou kunnen dragen.

Heer, help mij als ik de zon tegemoet vlieg.

Dr. Paul Grunwald

Op dezelfde ochtend dat bij ons het luchtschip gebroken terugtjoekte, hoorden wij dat in Lakehurst, USA, de Duitse LZ-129, de Hindenburg, door vlammen was vernield. Ik ben ervan overtuigd dat het tastbare feit van gelijktijdigheid de discussie over het ja of nee van een Turks luchtschip definitief heeft beëindigd. Wij kregen van hoogstehand te horen dat het programma onwederroepelijk gestopt werd. De fabriek te Y. is compromisloos gereedgemaakt voor het bouwen van Präzisions-artillerie. Ik ben opnieuw tot hoogleraar te Istanbul benoemd.

Enkele dagen na 7 mei 1937 zijn Simon Krisztián en Otto Beets en Dünya Şuman naar de provincie Kars gebracht, diep in Oost-Turkije. Zij mogen als ik het goed heb begrepen de provincie niet verlaten. De dochter, Julia Krisztián, had de keuze: blijven of meereizen; zij heeft besloten met de anderen mee te gaan. Zij konden wel iets meenemen, maar gezien de haast van het vertrek kunnen dat niet meer dan wat graaispullen geweest zijn.

Het grote huis dat zij bij Y. bewoonden heb ik een paar keer bezocht. Het staat leeg. Eén deel is zeer verwaarloosd en een ander deel is met meesterhand gerestaureerd. Geen dorpeling durft het huis te betreden en het zal paalvast opnieuw vervallen. Er liggen nog peperdure tapijten, er hangen nog pronkvolle wandkleden, er hangen zelfs nog salonkleren in de kasten.

Ik heb een bevriende relatie die naar Oost-Turkije zou reizen gevraagd deze mensen eens op te zoeken en te zien wat hij voor hen kon doen. Hij vertelde mij dat ze daar vlak bij een militair kamp wonen in een klein vervallen huis, dat waarschijnlijk aan Armeniërs heeft toebehoord. Bij zijn bezoek liep de dochter de deur uit. Die weigerde zovoorts zelfs maar één woord te zeggen. Vriend Fuat kreeg de indruk dat de communicatie tussen de bewoners onderling te wensen overliet. Fuat praat soms in dat soort ambtelijke frasen.

Het verhaal dat ik te horen kreeg tijdens de lange avond met de steeds dichtere rook en het krachtige en elegante aroma van Trinidad-sigaren heeft ook mij geschokt. Verschillende details waren mij volkomen onbekend. Het schijnt dat Dünya Şuman op momenten dat ze even alleen was met de bezoeker het pijnlijke verhaal van de dochter verteld heeft. Simon Krisztián klaagde over de schandalige, wantrouwende behandeling door de militairen te Kars, over de povere behuizing, over de minachting bij politie en autoriteiten.

Dr. Sami Fuat liet zich vervolgens van een onfrisse kant zien, want hij waarschuwde mij dat ik mij niet voor die mensen in moest zetten, dat ik mij niet voor zulke types moest interesseren. Want het bleven toch vreemdelingen en buitenlanders. Asocialen. Lompe Hollandse schollenkoppen, schold hij. Het zou mijn naam geen goed doen als men merkte dat ik mij druk maakte om zulke typen, herhaalde hij.

Godverdomme, Sam, schoot ik uit, die lui werden opgejaagd. Moesten wij niet solidair zijn? Je moest toch kiezen, Sam. Je hielp de gejaagden of je hielp de jagers. Je hoefde maar naar Europa te kijken. Het was gewis niet zo moeilijk te raden wat die nazi's met de Tsjechen uitvraten. Ze stonden al in Praag. Straks was Warschau aan de toerbeurt.

Dr. Sami Fuat dacht dat het allemaal niet zo'n vaart zou lopen. Het was ze toch alleen te doen om de Duitsers, om die allemaal bij elkaar te krijgen; ze wilden alle Duitsers onder één dak hebben. Zo sprak hij. Ik vond hem laf.

Ik vroeg hem wat ze dan in Praag deden, waarop hij antwoordde dat het hem allemaal niets kon schelen. Moest hij zich dan druk maken om al die mensen? Die Tsjechen interesseerden hem al helemaal niet. Die Polen ook niet. Het was al vaag en moeilijk genoeg hier in Turkije.

Hoezo, hier in Turkije? Ik kreeg de wilsdrang hem de Trinidad vierkant uit de mond te slaan, maar ik wist me te beheersen.

Sam vroeg zich af wat Turkije deed, nu Atatürk dood was. Hij vond dat onduidelijk. Hij vond dat ik makkelijk lullen had met mijn hulp en mijn solidariteit. Zijn toon werd onprettig. Ik moest hem eens aanwijzen, en hij stak de dure sigaar als een prikstok naar mij uit, wie straks de jager was en wie het opgejaagde wild.

We bliezen de rook uit. Een blauwe mist hing in de kamer. De ander werd vaag.

Het enige wat wij, in rook gehuld, waarnamen, was ons eigen genot van maximaal een uur lengte: de Trinidad Fundadores, die nu hij tot twee derde van de lengte was opgerookt zijn aroma losliet van cederhout, koffie en chocolade.

Er was geen spoor van looistoffen te proeven. In het colorado dekblad glansde licht.

St 18,95 Zu 9548
10/07